JEAN-PIERRE RICHARD

MICROLECTURES

ÉDITIONS DU SEUIL
27, rue Jacob, Paris VIᵉ

CE LIVRE
EST PUBLIÉ DANS LA COLLECTION
POÉTIQUE
DIRIGÉE PAR GÉRARD GENETTE
ET TZVETAN TODOROV

ISBN 2-02-005091-9

MICROLECTURES

DU MÊME AUTEUR

AUX MÊMES ÉDITIONS

Littérature et Sensation
1954
(*Stendhal et Flaubert,*
coll. Points, 1970)

Poésie et Profondeur
1955
(coll. Points, 1976)

Pour un *Tombeau d'Anatole*
1961

L'Univers imaginaire de Mallarmé
1961

Onze études sur la poésie moderne
1964

Paysage de Chateaubriand
1967

Études sur le romantisme
1971

Proust et le Monde sensible
1974

CHEZ D'AUTRES ÉDITEURS

Stéphane Mallarmé :
Correspondance
(1862-1871)
recueillie, classée et annotée
en collaboration avec
Henri Mondor
Gallimard
1959

Nausée de Céline
Fata Morgana
1973

Avant-propos

Microlectures : *petites lectures ? lectures du petit ? Les deux choses à la fois sans doute. Ce titre voudrait indiquer, en tout cas, que par rapport aux études qui les ont précédées celles-ci opèrent comme un changement d'échelle. Elles visent, dans l'œuvre lue et commentée, des unités beaucoup moins vastes : ainsi la valeur singulière d'*un *motif (l'étoile d'Apollinaire, le métro ou le casque céliniens, la nourriture huysmanienne), la place d'*une *scène, ou d'*une *image (les licornes mallarméennes ruant du feu contre une nixe), la texture d'*un *petit morceau détaché de texte (sur Hugo, Gracq, Claudel et Michelet), ou même le fonctionnement d'*un *mot, mot de passe (dans le* Casse-Pipe *de Céline), patronyme (chez Nerval), pseudonyme et titre (chez Saint-John Perse). La lecture n'y est plus de l'ordre d'un parcours, ni d'un survol : elle relève plutôt d'une insistance, d'une lenteur, d'un vœu de myopie. Elle fait confiance au détail, ce grain du texte. Elle restreint l'espace de son sol, ou, comme on dit en tauromachie, de son* terrain.

Ce terrain lui-même n'a pas, il me semble, changé. Je demeure d'abord sensible, dans un texte, à la logique sensuelle qui en nourrit immédiatement pour moi l'appel, à sa façon de séduire vers lui le corps lisant, d'y induire un certain désir multiple, qu'il satisfait aussitôt en l'introduisant au jeu d'un certain monde. C'est la singularité d'une telle grille sensorielle que je nomme, un peu abusivement sans doute, paysage. *Celui-ci pourra se manifester préférentiellement, et comme exhiber sa différence dans le relief de tel ou tel objet particulier : le paysage, ce sera, par exemple, les lunettes noires de l'amoureux barthien, ou la rondeur chez Proust d'une joue féminine, ou le feu d'un rouge chez Nerval, ou le nœud lacanien jamais noué, ou l'ouvert infini de la racine sartrienne. Les paysages,* écrit Stendhal en une phrase d'un goût délicieusement ancien, *étaient comme un archet qui faisait vibrer mon âme. Mon âme, ou mon corps. Mais je retiens cette vibration d'un certain spectateur/lecteur sous l'archet d'un paysage (vu, écrit, lu). C'est bien un tel coup d'archet, avec sa qualité inaugurale, son don musical d'ébranlement (archet, n'est-il pas en rapport avec* arké, *ce signifiant de l'origine ?) qui conti-*

7

nue à constituer pour moi le premier émoi *(ce qui me fait sortir de moi ?)*
de la lecture.

Cet émoi, pourtant, et en raison de son archaïsme même, ne peut
pas être renvoyé à un seul fonctionnement sensoriel, ni même à la vie
de ce que Nietzsche nommait si fortement « l'homme sous la peau ».
Tout autant que comme sensation, ou rêverie (au sens bachelardien du
terme), le paysage m'apparaît aujourd'hui comme fantasme : c'est-à-
dire comme mise en scène, travail, produit d'un certain désir inconscient.
Le texte qui l'écrit réclame donc une lecture autre, plus profonde, plus
flottante, plus détournée peut-être, qui tienne compte, aussi, de sa
singularité libidinale. Il y a autour de chacun de nous, en lui tout aussi
bien, un certain ordre des choses *qui lui est propre, et qui forme ce que*
Mallarmé nommait son séjour. *Cet ordre peut se décrire, catégorielle-*
ment, en termes de préférences et de répulsions : comme un cadastre
tout personnel du désirable et de l'indésirable. Mais la fondation en est
bien évidemment inconsciente : elle résulte d'un ensemble très ancien
de fixations et de symbolisations liant le désir à telle partie ou particu-
larité du corps, telle matière aussi, telle forme. D'où le projet, ici, le
plus souvent (ainsi sur Mallarmé, Céline, Michelet) d'une lecture à deux
niveaux, où la description de l'éprouvé sensoriel se doublerait d'un
commentaire visant, toujours hypothétiquement bien sûr, et de façon
quasi artisanale, le travail proprement libidinal, ou, si l'on veut, et à
tous les sens de ce mot, l'épreuve pulsionnelle.

Cette duplicité fait-elle problème ? Oui certes, mais moins peut-être
qu'il ne pouvait sembler il y a quelques années, quand le point de vue
phénoménologique d'une conscience irréfléchie, celui d'un Merleau-
Ponty par exemple, réussissait mal à s'accorder avec l'exigence analy-
tique d'un procès purement inconscient. Le paysage m'apparaît aujour-
d'hui comme davantage lié qu'alors au radical organique d'une humeur ;
il est ce qui se voit, s'entend, se touche, se flaire, se mange, s'excrète,
se pénètre, ou pénètre : le débouché et l'aboutissement, le lieu de pra-
tique aussi, ou d'autodécouverte d'une libido complexe et singulière.
Quant à la psychanalyse, ou plutôt aux psychanalyses d'aujourd'hui —
je pense par exemple aux travaux, si différents par ailleurs, de Serge
Leclaire (sur le corps et la lettre), de Jean Laplanche (sur l'étayage,
la sublimation), de Michel de M'Uzan (sur l'espace fusionnel), de
Guy Rosolato (sur le narcissisme), d'Arnaud Lévy (sur le temps diges-
tif), de Piera Castoriadis-Aulagnier (sur le pictogramme originaire),
de Sami Ali (sur l'espace imaginaire), sans parler des œuvres plus
anciennes, mais toujours si vivantes, de Mélanie Klein, de Balint, de
Binswanger, de Winnicott surtout —, elles me semblent peut-être moins
attentives désormais à la mise en évidence du procès inconscient lui-

8

même, chose définitivement acquise, qu'à l'interrogation des bases pulsionnelles, voire biologiques, de l'ordre symbolique, ou du monde secondaire. Son champ, c'est celui du corps encore, du corps désirant et discourant, fût-ce en silence, du corps aux prises avec, ou en prise sur d'autres corps, du corps livré à la parole infinie, la fiction, la fable *du corps à corps. Cette fable d'intercorporéité, n'est-ce pas elle qui se raconte aussi, en d'autres termes, dans l'espace, le temps, la multiple qualité d'un paysage ?*

*Dans le texte littéraire, il me semble ainsi qu'une certaine disposition somatique (autre définition possible du paysage, sous le signe, alors, du programme nietzschéen d'*Ecce Homo : *nourriture/climat/récréation) ne se sépare pas d'une certaine exposition libidinale : et cela, bien sûr, à travers le cadre d'un certain dispositif formel. C'est du moins la conviction qui m'a guidé tout au long de ces petites lectures : non pas que la lettre commande le sens, ou le non-sens, ou l'autre du sens, mais que hors de la lettre, de son initiative, de sa germination, de sa combinaison, de son plaisir spécifique, il n'existe pas de sens, donc pas de « sens des sens », et pas de paysage. Que le parti des choses même réclame, comme ne cesse de le redire et de le prouver Francis Ponge, un parti pris des mots. Vérité bien banale certes qu'en littérature tout est langage, et d'abord, et surtout peut-être la jouissance, toujours écrite, du senti le plus aigu.*

Il me fallait donc regarder comment les acquis d'une poétique, ou d'une théorie du texte, disons d'une grammatique, *venaient s'articuler à ceux d'une lecture par thèmes et motifs. Qu'est-ce par exemple qu'un personnage de roman, et comment intervient-il dans le système d'une sensibilité ? J'ai essayé de répondre sur le corps romanesque de Javert. Comment, pourquoi un motif poétique choisit-il de muer à travers une suite d'œuvres ? J'ai regardé briller, successivement, l'étoile apollinarienne. Comment un objet obsessionnel s'inscrit-il dans l'ordre d'une histoire et dans la suite d'un récit ? J'en ai pris l'exemple du* casque *célinien de* Casse-Pipe, *ou, dans le même roman, du* mot de passe : *objet verbal cette fois, clef, tout onirique, de l'histoire racontée comme de la littéralité du texte. Chez Céline encore j'ai essayé de voir comment l'objet* métro, *soutien d'une vive rêverie excrémentielle, pouvait servir à tout un procès de sublimation, jusqu'à l'allégorie de l'écriture. Autre question : comment la destinée d'une narration, mythique ou romanesque, peut-elle être informée par l'action d'une certaine matrice catégorielle et fantasmatique ? J'ai relu l'histoire de* la Sorcière, *chez* Michelet, *comme la mise en jeu d'une opposition fondamentale* dedans/ dehors, avaler/rejeter. *Le même type de questionnement pouvait viser aussi l'ordre du poème, dans sa double face, verbale et sensorielle :*

*labilité, par exemple, du monde nervalien à partir de l'infixité du patro-
nyme; appel de la remontée, ou du retour, appuyé, chez le Saint-John
Perse d*'Anabase, *par la lettre du titre et du nom. Sur le sonnet en* Yx
*de Mallarmé, ou du moins dans l'un de ses épisodes cruciaux, le débat
de la nixe et des licornes, j'ai enfin essayé de suivre le procès à la fois
pulsionnel, sensoriel, rhétorique, littéral, esthétique, voire théorique et
philosophique d'une autoréflexivité vertigineuse : le renvoi, sans arrêt
possible, d'un ruer à un scintiller, le rapport fondateur, et subversif,
d'une animalité à une écriture.*

*Au cours de ces analyses en fait très diverses (autant d'essais de
compréhension menés, à partir d'un terrain premier, vers d'autres
espaces de théorie, d'autres protocoles de recherche), l'écriture m'apparaissait toujours, selon la leçon célinienne (Céline : l'un des principaux
intercesseurs de ce travail, avec Michelet, et Hugo), comme un mixte de
sublimation et de déviance. Comme une manière de lier formellement la
pulsion, mais en la laissant toujours sous le risque d'une rupture, d'une
déliaison possibles. Dans le scintillement de l'écrit mallarméen continue
par exemple à se lire la violence de l'ancienne ruade amoureuse. Ou
l'*abrupt *hugolien défigure de toute son intensité noire, de son « frémissement » sans fond et sans fin l'ordre lentement édifié d'un texte, d'une
vision. Quant à l'écriture-métro de Céline, elle ne joue, et ne fait jouir
qu'au bord d'un continuel déraillement.*

*Cette ambiguïté, il m'a paru qu'elle ne pouvait être véritablement
saisie que dans le tramé le plus étroit et le plus menu de l'existence
textuelle, dans l'extrême détail qui la constitue, justement, comme
texture. Tissu dont font encore partie ses déchirures mêmes. D'où un
essai de lecture lente de cinq morceaux de Hugo* (Dieu), *Michelet (deux
extraits de* la Sorcière), *Claudel* (Connaissance de l'Est), *et Gracq*
(le Rivage des Syrtes). *Chacun de ces petits bouts de texte y est regardé
(écouté, palpé, flairé) à ses divers niveaux possibles d'expression, et
dans l'ordre, aussi, de sa modification successive, dans la* poussée *qui
le fait s'étendre et comme s'engendrer lui-même sous l'œil de la lecture.
Si écrire, c'est toujours continuer à écrire, il me fallait tenter, chose
peu faite jusqu'ici, de ressaisir les fils (littéraux, sémantiques, pulsionnels) de cette continuité même. De lire l'écrit non plus, comme si souvent
aujourd'hui, dans sa clôture, ou dans son étoilement, mais dans la ligne
même de sa suite, dans l'aimantation de son* ensuite. *Et donc m'engager
dans une analyse séquentielle. Ces petits espaces de texte, ma lecture
a choisi dès lors de les découper, arbitrairement sans doute, en une suite
de* scènes, *possédant chacune son homogénéité. Mais chacune d'elles
me paraissait en même temps constituer une répétition* et *une transformation : une réécriture, modifiée, des précédentes. Le texte me semblait*

se dérouler sur un certain nombre de positions, *ou peut-être de* postures *(thématiques/formelles/passionnelles) qu'il remodelait et dépassait sans cesse vers de nouvelles figures de sens et d'écriture. Je le voyais s'écrire comme une vague glisse sur elle-même, ou comme, tout à la fois nécessairement et de manière imprévisible, se varie une mélodie.*

Ce qui me fascinait surtout, c'étaient la variation, le glissement, dans leur comment, dans leur pourquoi. Ainsi cette coulée irrésistible, chez Gracq, d'un paragraphe d'écriture, et d'un voyage d'amour, vers l'abîme, à la fois sensoriel et littéral, d'un tombeau ouvert. *Ou, face à deux aliments typiques, riz et pain, cet emportement, toujours si violemment articulé, du délire claudélien vers une double jouissance d'osmose et d'incision. Ou bien encore cette aspiration de l'écriture michelettiste par la « fiancée du vent » : le corps féminin, le souffle de la mort, les mots de l'Histoire. Ou, en un autre passage de Michelet, cette séduction progressive d'un monde d'hiver, de cristal, de masculinité : le Moyen Age, par le travail sous-jacent d'un feu féminin, d'une pitié, d'une fusion : la sorcière. Ou, chez Hugo, cette manière qu'a le poème halluciné de dessiner successivement toutes les relations possibles du moi avec son objet obsessionnel, le vide, avant d'atteindre au stade d'une intensité — un* âpre, *un* noir, *un* escarpé *— qui engloutit en elle l'idée même de relation, de vide, et de moi.*

Déceler, en somme, dans la successivité la plus exacte du texte les forces génératrices d'une forme, et de sa rupture, c'est-à-dire de son passage continuel en d'autres formes, elles-mêmes liées à toute une suite attendue, tout un horizon désiré (désiré/souvenu) du sens : tel était le projet de ces lectures. Il me vouait, on le voit bien, aux scrupules d'une minutie, à l'attrait soutenu d'une petitesse, fût-elle labile, fuyante, et comme toujours déportée hors d'elle-même. Mais le petit n'est-il pas quelquefois le plus précieux ? Je songe, par exemple, à la « petite chose détachable » dont parle Freud... A partir de cette minimité même, de sa fragilité et de son détachement, voire de sa fuite, ou de son manque (pour nous, l'écriture ?), nous savons bien que tout *peut être dit.*

Le nom et l'écriture

On connaît le document si curieux, si fascinant, que Jean Richer, après Aristide Marie, a publié et commenté sous le nom de *Généalogie fantastique*. Texte « fantastique » en effet, tant par son contenu que par son apparence, sa figure : une jungle graphique, où, tout autour d'un « tronc » vaguement poilu et bulbeux, pourvu d'excroissances irrégulières, et achevé, *vers le haut*, par une touffe de racines — forme qui pose au milieu de la page la noirceur insistante d'une sorte de caillot d'encre —, s'enchevêtrent, se recouvrent, se poursuivent en tous sens, mais aussi se rejoignent grâce à des traits, fins ou épais, tendus en diverses directions, lignes écrites (souvent soulignées) et schémas dessinés (blasons, croix, couronnes, fragments de cartes, éléments typisés de paysage). Il y a peu de chose à ajouter à la lecture de Richer, aux gloses si érudites, si précisément pertinentes qui lui permettent d'éclairer presque tous les petits mystères de cette page. Les rapides remarques qui suivent voudraient se placer sur un autre plan, celui du *fonctionnement* linguistique, thématique, fantasmatique de la *Généalogie*. Or on sait qu'elle se fonde pour une grande part sur une expansion, multiple, variée, du signifiant patronymique *Labrunie*. Elle transforme le nom du Père pour le relier aux zones les plus lointaines et les plus diverses de l'histoire, de la géographie, de la légende. Elle utilise donc la labilité, chez Nerval toute particulière, du langage, pour ouvrir rétroactivement l'identité nommée, pour en rechercher les fondements vers le secret pluriel, toujours davantage disséminé, d'une origine (d'une famille). Lire ce texte, car il s'agit bien d'un texte, et des plus matériels, des plus actifs qui soient, d'une inscription libre, tout à la fois littérale et figurale, d'un tissu pulsionnel de mots et de sens, ce serait donc essayer de suivre, sur deux ou trois exemples, la logique du développement verbal qui s'y manifeste. Et les procédés ainsi reconnus devraient y être reliés aux principales figures d'un travail inconscient. Car la psychanalyse nous a depuis longtemps alertés à l'importance fondatrice du Nom du Père. Nous savons sa place, essentielle, dans tout ce qui concerne l'équilibre des rôles parentaux, l'assomption de la castration, et l'économie du monde symbolique. Jouer sur le nom du Père, le déjouer, comme le fait de si multiples façons la *Généalogie fantastique*, c'est peut-être alors éluder une certaine loi, mais aussi refuser une certaine pratique reçue du langage, pour en inventer une autre, qui pourra se nommer, selon le regard qu'on portera sur elle, folie, ou poésie.

Comment travaille donc ici le patronyme ? D'abord par décomposition étymologique. « Il n'y a pas de nuit des temps. Étymologies », écrit victorieusement Nerval en un coin de la *Généalogie*. C'est que l'étymologie ponctualise verbalement l'origine. Arrachant le nom à la « nuit », à l'inconnu de l'espace d'où nous le recevons, elle lui donne la garantie d'un point de départ, d'une base fixe, compréhensible. Car dans la mesure aussi où la racine du nom propre a pouvoir non plus seulement, comme lui, de dénotation, mais de signification (c'est le plus souvent un verbe, ou un substantif), elle l'ouvre encore du dedans, elle lui permet de se justifier sémantiquement, ou du moins de se rendre perméable à quelques grandes exigences personnelles, d'ordre thématique ou pulsionnel. Point de meilleur instrument cratyléen, on le sait, que l'étymologie. C'est bien ce qui apparaît ici. « *Bruck* en gothique allemand signifie pont. *Brown* ou *Brunie* signifie tour et touraille. » Le patronyme renvoie donc d'abord, par une double étymologie approximative, à ce couple de signifiés, *tour* et *pont*, dont on sait toute la spécificité nervalienne. Le texte va même jusqu'à figurer cette association en un petit dessin, avec, notation bien significative, le tracé d'une rivière en train de passer *sous le pont*. On verra plus loin qu'une autre étymologie supposée donne à cette rivière la garantie d'un autre radical *Brunn* (ou *Brennen*). Sur le plan du symbolisme inconscient ce mariage, topologiquement confirmé, de la tour et du pont-rivière marque, bien sûr, une conjonction et une opposition claires du principe masculin et du principe féminin. Il fixe et définit le chiffre élémentaire, disons, d'un paysage parental : du paysage interprété comme parenté, de la parenté structurée comme paysage. Thématiquement on connaît bien aussi la puissance d'affirmation, chez Nerval, de la tour et de tous les objets dressés (colonnes, arcs de triomphe, pyramides, montagnes), leur qualité positive d'identification, ainsi que l'aspect catastrophique pour le moi de leur effondrement, de leur « abolition ». Quant à l'eau, rivière, étang, mer, elle a, dans l'univers nervalien, valeur permanente de fécondité et de réconciliation.

Une fois posé ce premier radical, le texte peut le faire fonctionner dans la langue même d'où il a été extrait. Ainsi *Brown* génère par dérivation *La Brownie*, reconnue, en Irlande, comme « esprit de la tour et des ponts » (personnage attesté en outre chez Walter Scott, et intervenant, dans un manuscrit primitif d'*Aurélia*, pour nommer un génie protecteur et maternel), ainsi qu'en France, mais toujours à partir de l'anglo-saxon, « *Bruniquel* en Auvergne, château et ville ». La *Généalogie* préfère pourtant transporter le radical de sa souche anglo-saxonne vers le terroir linguistique français, et travailler dès lors sur le terme générique de *tour*. Acte de traduction, transfert dans l'espace (européen) des langues, qui peut apparaître corrélatif du motif de la translation physique elle-même, du *voyage* à travers divers pays : voyage dont Nerval a été, on le sait, un pratiquant permanent, et dont la *Généalogie* offre d'ailleurs, sous la forme dessinée d'un petit trajet personnel, et quasi initiatique, un exemple bien intéressant. Traduire, voyager, passer dans les mots, dans les lieux, traverser l'espace des différentes langues, reconnaître la géographie de lieux diversement nommés : c'est bien là pour Nerval répéter le même geste primordial, celui, disons, du *déplacement*.

Quelles vont donc être les principales lignes de déplacement de ce nouveau radical *tour ?* Il connaît, et c'est la règle générale de la *Généalogie*, une double possibilité d'expansion : du côté de son signifié, et du côté de son signifiant. Sur son versant signifié la tour originelle appelle par similitude, par synonymie si l'on veut, d'autres tours déjà présentes d'une certaine manière dans l'immanence nervalienne. Apparaissent ainsi les « trois anciennes tours de Labrunie », en Périgord, « à peu de distance et sur les deux bords de la Dordogne », paysage que schématise à nouveau une figure, une ligne serpentant entre trois points. Le paysage paternel, celui du *Périgord*, accueille spatialement ainsi en lui le thème féminin, le fleuve, tout comme, dans le radical linguistique, tour voisinait avec *pont* et *rivière*. Puis cette tour en produit d'autres, par ressemblance, certes, mais aussi par voisinage, par métaphore, mais encore par métonymie. On voit surgir ici *Montaigne*, terre adjacente du Périgord, mais aussi château orné d'une tour célèbre, tour elle-même connotée, comme celle de Nerval, par toute une activité d'autoconnaissance et d'écriture. Sans compter dans le signifiant *Montaigne* la présence d'un *mont* analogue de la tour. On saisit bien, sur cet exemple, la complication des séries qui viennent se croiser en chaque terme de l'expansion généalogique (ici les paradigmes du lieu, de la forme architecturale, de la fonction scripturale). La loi maîtresse de ce système apparemment si libre, si gratuit, c'est bien, à la façon des rêves — on sait leur rigueur, leur polysémie sous les surfaces du non-sens —, la loi de *surdétermination*.

Le terme générique *tour* se diffuse donc par similitude et par contiguïté. Mais il existe d'autres métonymies que celle du voisinage :

celle qui implique par exemple un rapport de contenant à contenu ou d'habitat à habitant. La tour inclut traditionnellement en elle un occupant, seigneurial ou royal, dont elle peut finir par devenir l'emblème (« Le prince d'Aquitaine à la tour abolie »). Ici pourtant, sous l'effet d'une pulsion dont toute la *Généalogie* affiche la puissance, cet occupant se féminise, et c'est une *reine* qu'attire métonymiquement le motif de la tour. Cette association n'a rien d'ailleurs qui puisse surprendre le lecteur familier de Nerval : elle s'effectue en effet chez lui sous une autre forme encore, par un circuit il est vrai plus compliqué. C'est celui dans lequel *tour* produit synonymement *colonne*, celle-ci désignant alors par homonymie la personne de Jenny Colon, qui assume sur divers plans du monde nervalien une fonction de *royauté* : reine sentimentale de Gérard, reine de théâtre, et, dans le mythe, surtout, reine de Saba.

C'est donc fort logiquement que la *Généalogie* rapproche les deux signifiés *tour* et *reine*. Mais à peine ont-ils été mis en contact qu'ils sont traités comme deux signifiants, dont la conjonction en produit un troisième, écrit successivement *Tour-reyne*, *Touraine*, *Turenne*. Nouveau nom propre donc, issu d'un véritable travail de condensation (encore le rêve), et capable, à partir d'une variation homonymique légère, de désigner deux nouveaux êtres différents, un lieu et une personne. Cette construction ressemble à celle d'une charade qui se fabriquerait sur deux mots clefs, porteurs eux-mêmes de deux motifs obsessionnels. Comprenons cependant que les nouvelles réalités ainsi visées, la province et l'homme célèbre, continuent à relever des mécanismes, plus haut analysés, de la surdétermination : produits par l'activité proprement générative du signifiant, ils appartiennent, par un autre côté, au système de la thématique et de la fantasmatique nervaliennes. Pour *Turenne* c'est sans doute à travers le motif d'une naissance glorifiante et l'association antithétique avec *Condé* (source lui-même de la lignée mythique où apparaîtra Mme de Feuchères). Pour la *Touraine*, c'est par la liaison à nouveau métonymique avec le nom de ville *Orléans*, non explicite dans notre série de transformations, mais présent en un autre coin de la *Généalogie*, comme lieu de passage sur un itinéraire dont Nerval trace la carte et qui va de *Mortefontaine* à *Roma* (= Amor) en passant par *Berry* (Paris), *Orléans*, le *Mont d'Or*, *Bergerac*, *Bordeaux*, *Pau*, *Toulouse*, *Marseille* et *Corte*. Notons d'ailleurs que, sur ce plan, *Orléans* se déguise en caractères grecs. Pourquoi ce choix et cette demi-censure ? D'abord parce que ce nom, décomposé, et si l'on traite ses composants comme des signifiés, permet d'extraire de lui le motif de l'*or*, centre, ici, de toute une constellation imaginaire et de tout un foisonnement anagrammatique. Jean Richer l'a bien montré à propos de *Louise (Hortense) d'Orléans*, justement, d'*Horus*, d'*Aurélia*, etc. L'or connote pour Nerval le soleil (il ouvre donc à tout un espace paternel, napoléonien, génétiquement peut-être focalisé autour de *Corte*, étape du voyage initiatique), il répond à l'extase du feu, de la lumière, du pouvoir sexuel; il se lie aussi à l'angoisse proprement financière, dont on sait l'importance dans la pathologie nervalienne (en particulier dans les rapports avec son père, et avec son médecin). Mais ce nom de ville travaille d'une autre façon encore pour Nerval, à partir, cette fois, d'une initiative interne de sa lettre. Par retournement anagrammatique *Orléans* donne en effet *Laurent*, nom de famille de la mère de Gérard, ce qui introduit à nouveau le signe féminin dans un paysage jusque-là masculin et paternel (la tour, l'or).

Ainsi se dessine une ligne de transformation : ligne non achevée ici, et d'ailleurs sans doute inachevable, puisque sur la petite carte adjointe, et par homonymie partielle, *Orléans* jouxte immédiatement le *Mont d'Or* dont on va voir l'étonnante fortune onirique. Mais on peut parcourir une autre ligne encore, semblable, et parallèle. C'est à partir de la province de *Navarre*, appelée par voisinage du sol paternel du Périgord, mais plus ponctuellement aussi et indirectement, à partir de *Naples*, et d'un certain *Napol* que Gérard retrouverait (par expansion homonymique du lieu, cette fois) dans le Sud-Ouest français. Voici comment fonctionne cette *Navarre :* déjà contaminée littéralement par les formes voisines de *Nerva*, et surtout de *Nerval*, elle appelle par métonymie sur le plan de la désignation cette même figure de la *reine*, que nous venons de voir liée à la tour. La *Reine de Navarre* reçoit alors implicitement son nom, ou plutôt son prénom de *Marguerite*, et c'est à partir de la première syllabe de ce prénom resté caché, *ma* (homonymisée à la fois vers le possessif *ma* et vers la première syllabe de *maman*), que s'introduit la figure maternelle (celle du seul objet qui soit vraiment *mien*, et qui pourtant m'échappe infiniment : et plus encore que pour quiconque pour l'enfant d'une mère morte et inconnue comme le fut Gérard). Dans le prénom de *Marguerite* le travail inconscient retient donc, et redouble la première syllabe pour donner *mama;* la deuxième partie du prénom s'efface et se voit substituer le mot *royna*, camouflage archaïque fantaisiste de *reine*, ce qui renvoie à la fonction glorieuse du personnage, et rabat celle-ci sur le rôle maternel lui-même. D'où la formule : *mama royna*, ma reine, maman ma reine... Mais voici qu'une nouvelle combinaison de ces deux signifiés, traités maintenant comme des signifiants, aboutit au terme synthétique de *marraine*, repris dans le syntagme final, *Marraine de Navarre...* Ce dernier signifié retient et déplace en lui, on le constatera, un peu de la fonction maternelle dite dans les deux signifiés antérieurs : puisqu'une marraine c'est une mère par substitution[1]. Et c'est, en outre, souvent, une mère-reine fabuleuse, selon une rêverie dont Freud nous a appris l'universalité (celle du roman familial).

Mais revenons un instant sur notre premier parcours transformationnel, et prenons-y, à mi-chemin, un embranchement qui nous permettra d'entamer un autre trajet. C'est à propos du nom de la *Dordogne*, voisine, on l'a vu, de nos trois premières tours périgourdines. Or *Dordogne* produit l'expression suivante : *D'or dwina, rivière du Mont d'Or*. Comment comprendre ce nouveau libellé ? Par la mise en œuvre simultanée de divers procédés déjà reconnus dans les exemples précédents. Le glissement métonymique, d'abord, d'un être géographique à un autre être qui lui est topologiquement lié : la rivière *Dordogne* au site du *Mont d'Or*. Ce glissement est d'ailleurs ici d'une nature tout à fait spéciale puisque, pour la Dordogne, remonter à la ville du *Mont Dore*, c'est aussi retrouver et récupérer le lieu où elle prend sa source. Dans cette assomption concrète d'origine la rivière, liée au radical du nom propre *Labrunie*, répète donc le geste même qui avait permis d'extraire ce radical : celui de l'anamnèse, du retour — de l'étymologie... Et le lieu de ce retour n'a rien d'arbitraire non plus. Car si le *Mont d'Or* cesse d'être compris comme un pur désignatif de lieu, si nous faisons, par une décomposition facile, glisser son nom du côté des valeurs signifiées, nous y lisons les deux concepts de *mont* et d'*or*, tous deux fort actifs, on l'a vu déjà, dans la grille nervalienne de la présence au monde. Le *mont*, synonyme élargi de la tour dans l'ordre des objets dressés, supporte même chez Nerval toute une élaboration mythique liée à des motifs d'intégrité et d'origine (ainsi pour l'Himalaya, et, justement, souvent invoqués ailleurs, les monts d'Auvergne). Ce passage (régressif) de la rivière à la montagne, cette séduisante jonction de contradictoires s'opèrent donc non seulement par voisinage, mais par analogie (à l'intérieur d'une même catégorie du *commencement*), et même par similitude, par similitude renversée (du plus horizontal

---

1. Un autre point de la *Généalogie* présente un exemple de concrétion linguistique un peu semblable. A propos des hypothétiques cousins *Le Maur*, ou *Maura*, de Saint-Domingue, Nerval consonantise le *u* central, écrit le nom *Mawra* (rappel de *Moira* ?), ce qui revient à dégager à nouveau ici la première syllabe *ma*. Ce *Mawra* s'intègre alors en un groupe *Mawra regina* : il semble bien que le *ra* de la deuxième syllabe puisse se lire ici comme une contraction (première et dernière lettre) de *regina*, donné ensuite dans toute son extension. A travers ce nom fabuleux s'invente donc une autre formulation du dit magique : *ma reine*.

au plus vertical) : et par fidélité encore au premier chiffre spatial de la génération, le couple sexuel tour/pont (ou objet dressé/objet coulant). Le fait que cette montagne soit justement d'*or*, et que sur la carte la ville qui la jouxte se nomme *Orléans*, apporte bien sûr à ce lieu une autre justification encore : celle de la constellation dont on a plus haut indiqué la force. Ce lieu élevé, où affleure l'eau matricielle, se trouve, par un paradoxe de substances cette fois, être aussi un lieu d'or et de feu. Un de ces volcans si nombreux en Auvergne (qu'ils soient éteints n'attriste pas Gérard : cela lui permet au contraire de rêver librement à leur réveil...) : volcans sur lesquels n'a jamais cessé de s'exalter, Vésuve ou *Pyrénées* (ici le feu n'est encore que linguistique, comme dans *Pyramides*), n'a jamais donc cessé de fantasmer l'imagination nervalienne.

Reste maintenant à ouvrir le signifiant *Dordogne* lui-même, à lui faire dire ses secrets. Un peu comme un patient qui, sur le divan d'un psychanalyste, se livrerait à une suite d'associations libres, Nerval le dissocie en deux termes nouveaux, d'*or* et *dwina* : opération inverse, on le voit, de celle qui avait condensé *Touraine* à partir de *tour* et de *reine*, ou fabriqué *marraine* sur *ma reine*. De ces deux expressions la première renvoie au signifié *or*, déjà présent dans *Orléans* et surtout dans *Mont d'Or*, et sans doute éclairé, mis en valeur dans le signifiant *Dordogne* par le voisinage, Mallarmé eût dit sans doute le « reflet », de ce dernier terme. C'est l'eau dès lors, l'eau féminine, qui accueille en elle les valeurs si actives, et si viriles, le plus souvent attachées au métal solaire. Car l'inclusion d'un signifiant par un autre signifiant, plus large que lui, ainsi *or* par *Dordogne*, comporte comme conséquence poétique l'assomption, aussi, de toutes les qualités qui lui sont attachées : cette rivière maternelle luit désormais et chauffe comme l'or. Quant au second terme produit par la décomposition du nom, *Dwina*, modification assez marquée de *dogne*, il sert à distinguer deux réalités différentes, une famille polonaise (appelée ailleurs *Dovlâvne*) et une rivière russe (nommée ailleurs *Zwigna*), toutes deux connotées, Jean Richer l'a bien montré, d'Orient européen, et contrôlées par la figure maternelle (par renvoi à la mort de la mère, survenue dans ces régions). Un passage d'un premier manuscrit d'*Aurélia* semble même indiquer que la Dordogne serait, après le massacre rêvé de toute la race nervalienne sur les bords de la Dwina, comme le recommencement, la reprise française de ce fleuve, et comme un nouveau berceau de cette race. La Dordogne, ce serait donc une Dwina d'or, c'est-à-dire vivante, ressuscitée. Mais d'une résurrection qui laisserait subsister dans le signifiant nouveau la trace d'un manque, la hantise, littérale, d'un être disparu.

19

Le propre, pourtant, des étymologies, et l'une des raisons de leur charme, c'est leur incertitude même, leur caractère toujours problématique, et le fait donc qu'une racine puisse toujours être substituée à une autre, ce qui relance quasi indéfiniment le mouvement d'interprétation et la productivité onomastique. On parle ici, bien sûr, d'une pratique *poétique* des étymologies. Nerval peut découvrir ainsi à *Labrunie* une autre racine possible *brunn (brunnen)*, signifiant *fontaine*, racine différente de *bruck*, mais appartenant déjà d'une certaine manière à sa constellation signifiée (puisque le couple de la *tour* et du *pont* appelait aussitôt l'écoulement de la rivière). L'intérêt de ce *brunn* est de permettre, dans l'horizon de l'allemand, et non plus du français, une recomposition très personnelle. Sur le modèle de *Touraine*, mais constituant cette fois un syntagme grammaticalement cohérent, c'est *schoen brunn* : deux signifiés disant *belle fontaine*, mais se lisant aussitôt comme un signifiant unique, qui désigne, lui, la ville autrichienne de Schoenbrunn. Or on sait la place que ce lieu occupe dans l'Europe onirique de Nerval. Richer a bien montré comment ce château, où résida le roi de Rome après 1815, fait converger sur lui tout un ensemble de rêveries et de fantasmes. Schoenbrunn renvoie par métonymie à son occupant exilé auquel Gérard parfois s'identifie : dans le mythe, alors, de l'enfant abandonné (par sa mère, il est vrai, non par son père : d'où un nouveau renversement des rôles parentaux), ou dans celui, peut-être, de la naissance fabuleuse (à nouveau le roman familial). Mais *Schoenbrunn* fonctionne d'une autre manière sans doute encore dans l'inconscient linguistique de Nerval. N'est-il pas, sur le plan de ses deux signifiés de base, une sorte d'écran, de formulation dénégative pour les deux signifiés français antinomiques, *morte fontaine*, eux-mêmes traduisibles, sur le plan du signifiant, en le nom de lieu qui désigne pour Nerval l'origine familiale elle-même, mais une origine à jamais dépeuplée, dessaisie de son foyer maternel d'amour et de présence, *Mortefontaine?* Mortefontaine, dont le nom s'entame à peine, s'efface, au-dessous de celui de *Senlis* comme amorce du petit voyage initiatique. Si ce rapprochement avait quelque validité, ce serait une autre manière encore, pour le texte nervalien, de déplacer ou de subvertir la souche paternelle : en y substituant le fantasme d'une mère omniprésente, tant dans sa vie (et sa beauté) lointaine, à Schoenbrunn, que dans sa mort, une mort éternellement épanchée dans la mémoire, en France, à Mortefontaine.

Et voici, enfin, une troisième étymologie, utilisant cette fois une racine, ou plutôt *deux* racines grecques, celles qui feraient sortir *Labrunie* de « Λαμβ-βρῶνος-βροῦνος », voleur de tonnerre (βροντή).

Richer rattache fort justement cette formule [1] à la mythologie pro-
méthéenne (on sait son importance chez Nerval) et à la thématique
du volcan. Mais n'est-il pas possible de penser que, par un tour favori
de l'inconscient, ce vol du feu par le père dissimule en réalité aussi le
désir d'une soustraction opérée par le fils, et aux dépens de ce père
lui-même ? Loin que le père, « roi des volcans », comme il est dit dans
Louise d'Or. reine, soit le captateur réel de cette flamme, le désir ne
va-t-il pas ici du fils vers le père, contre lui, et pour le priver de son
privilège igné (au risque, bien sûr, d'un réveil castrateur du feu souterrain et d'une invasion volcanique de la « cendre ») ? Image d'une
transgression assez classique, qui relèverait du projet le plus concrètement œdipien [2].

Que conclure de ces quelques exemples, détachés, assez arbitrairement sans doute, de la masse du feuillage généalogique [3] ? D'abord,
bien sûr, la preuve qu'ils nous apportent de l'extraordinaire plasticité
de la parole nervalienne. Le langage est ici indéfiniment mutable.
Travaillé, trituré, pulsé de l'intérieur par le désir, et l'énergie de la
métamorphose. De décomposition en recomposition, et de recomposi-

---

1. Au-dessus de λαμβ-βρῶνος, un mot s'écrit en caractères grecs, que Richer
lit comme *Lemovici*, mais où j'aperçois plutôt Λεπαντε. Nom de la bataille de
Lépante, où s'affrontèrent deux grandes races, thème aimé de Nerval, et où fut
mise en jeu, sinon volée, la foudre du tonnerre, du canon ? Au-dessous de ces
deux lignes s'inscrit, *Italie, 16ème siècle*, puis, fortement dessiné, le nom de *Giu-
seppo Labrunoë (sic) capitaine*, dont on peut imaginer la présence à cette bataille
de Lépante. Au-dessous de lui un nom que Richer lit comme *Coste*, mais qui est
peut-être *Corte*, autre renvoi, alors, au thème de la Corse (à ce moment comprise
dans l'Italie), centre de l'île napoléonienne, étape du petit voyage initiatique.
2. D'autres associations, d'autres jeux de mots sont possibles sur *Labrunie*.
Celle par exemple qui extrairait de lui le qualificatif *brun*, de quoi colorer toute
la zone d'expansion du patronyme de noirceur et de *mélancolie*. Cette dérivation,
qui donne lieu, dans *Erythréa*, comme le remarque Richer, à l'apparition du
« corset d'or bruni » (avec, à nouveau, la double présence du motif de l'*or*) ne
semble pas se manifester directement dans la *Généalogie*. En revanche s'y lit
une opposition évidente entre le nom de *Labrunie* et celui d'une autre branche de
la famille paternelle, *Dublanc*, écrits tous deux en grosses lettres de part et d'autre
du tronc : ces *Dublanc*, aimés de Gérard, directement associés au souvenir de la
mort de sa mère, comme l'indique la lettre 273 de la *Correspondance*, et au signe
favorable desquels il va jusqu'à rattacher le nom de son médecin, Émile *Blanche*
(lettre 270). On soupçonne ici une opposition de valeurs tout à fait fondamentale :
on se souvient, par exemple, des termes de la dernière lettre de Gérard, la soirée
d'avant le suicide : « Ne m'attends pas, la nuit sera *noire et blanche*. »
3. Celle-ci comporte bien d'autres éléments d'intérêt que la seule expansion
patronymique : le dessin de la zone maternelle (moins développé cependant que
la paternelle), le souci d'une diffusion géographique et raciale (basques, corses)
quasi totalitaire de la famille Labrunie/Laurent, de passionnantes descriptions
de blason, etc.

tion en décomposition, d'homonymie en synonymie, et de synonymie en homonymie, de métaphore en métonymie, et de métonymie en métaphore, des noms de lieux aux noms de personnes, et de choses, il ne veut, ne peut connaître aucun arrêt. Comme Mallarmé bientôt aux mots, Nerval donne ici l'initiative aux noms, et aux mots dans les noms, et aux noms dans les mots — ce qui est, peut-être, de plus de conséquence encore... La *Généalogie*, dans le caractère extrême, et si l'on peut dire *pur* de sa démarche, est d'ailleurs exemplaire de la pratique nervalienne la plus générale du langage. Elle marque une sorte de limite de ce qu'on pourrait nommer, déjà, *poésie ininterrompue :* celle qui, sans jamais se bloquer aux frontières du mot, ne cesse de filer, d'affiler, de défiler les virtualités successives de la lettre. Cette démarche n'est pas sans comporter d'ailleurs une face un peu inquiétante aussi : on sait que la tendance consistant à ne jamais fixer le discours sur aucun de ses registres de signification, le signifiant ou le signifié, à traiter alternativement, ou simultanément, les signifiants comme des signifiés et les signifiés comme des signifiants est l'une des caractéristiques reconnues du langage schizophrénique. Elle engage en tout cas une aventure de la *libido*, comme l'ont bien montré les travaux de Freud sur le mot d'esprit. Ce n'est point hasard non plus si ce mouvement naît d'une transformation ou d'un monnayage indéfini du Nom du Père (contaminé sans arrêt par l'instance maternelle). Au lieu d'être le garant et le fixateur de l'ordre symbolique, de la chaîne signifiante, il en devient le moteur déréglé, ou, si l'on préfère, l'accélérateur (comme on parle en physique d'accélérateur de particules). D'où la mise au jour d'une nouvelle *capacité* verbale, mais la proximité constante aussi de l'inventivité et du délire.

Remarquons pourtant que cette productivité linguistique n'est pas ici sans limites, ni même sans cadre. Deux facteurs, assez différents, lui apportent leur pondération. Le premier tient au caractère surdéterminé qui marque, comme on l'a vu, tous les termes produits par la diffusion généalogique. Une extrême densité de sens, une grande richesse pulsionnelle, éprouvées en chaque terme du parcours, y apparaissent toujours comme corrélatives du travail de la labilité. C'est dire que l'invention verbale se soumet, dans le choix de ses possibles, aux quelques exigences primordiales que lui imposent les constantes d'un paysage personnel et les investissements fixes d'un désir (ici, par exemple, l'appel de l'*or*, de la *tour*, du *mont*, de la *reine*...). Le défilé de la signifiance ne peut alors que passer et que repasser, en s'y croisant et recroisant sans cesse lui-même par des modalités chaque fois différentes, sur les points établis d'un réseau personnel signifié. Le système thématique contrôle ainsi l'expansivité proprement textuelle. C'est cela sans doute que déplore Nerval quand il se plaint, écrivant *Aurélia*, « de tourner dans un cercle étroit », cercle dont « l'étroitesse » renvoie au fait d'une sujétion inconsciente, de nature sans doute œdipienne. Mais il y tourne, et c'est la volubilité, la diversité, la rapidité verbales de ce « tour », Nerval dirait peut-être aussi de cette « ronde », qui constituent la vie, la vie vertigineuse de ce qu'on peut, à travers le jeu cybernétique de l'écriture, et dans le déploiement de sa capacité infinie d'*échange*, continuer à nommer son identité.

Ce vertige du moi, du moi d'écriture, connaît un autre élément de régulation encore, c'est celui de la *forme*, ou du genre dans lequel il s'écrit. Nul doute qu'ailleurs, dans *Sylvie*, *Aurélia*, ou *les Chimères*, les caractéristiques du langage nervalien ne demeurent les mêmes que dans la *Généalogie fantastique* : mais, dans un sonnet des *Chimères* par exemple, les tentations du parallélisme, la force des couplages, l'ordre interne du vers ou de la strophe, bref toute la légalité, réglée ou instinctive, du poème opposent à la labilité proprement littérale un ensemble de contraintes où elle est tenue de s'organiser, de s'esthétiser. Le jeu phonico-sémique de la lettre y rencontre d'autres structures, syntaxiques ou prosodiques, qui en limitent nécessairement l'expansion. Et de même les formes propres du récit dans *Sylvie* ou *Aurélia*. Il faut se référer sur ce point aux belles analyses formalistes de Jacques Geninasca. On peut montrer cela sur un exemple très simple. Nous lisons dans *le Christ aux Oliviers*, au quatrième vers du sonnet final : *Ce bel Atys meurtri que Cybèle ranime*. Le rapport de *ce bel* à *Cybèle* est d'une nature fort analogue à celui qui, dans la *Généalogie*, reliait *schoen* à *brunn* dans *Schoenbrunn*, *tour* à *reine* dans *Touraine*, ou *ma* à *reine* dans *marraine*. Mais le contexte du vers, du quatrain et du poème donne à ce jeu de mots *(ce bel = si belle = Cybèle)* une force, et finalement un sens tout différents. Sur lui convergent en effet, par le jeu des relations et des échos anagrammatiques, les valeurs d'autres mots, ou groupes de mots présents (et souvent à la même place prosodique) dans tout l'espace du premier quatrain : *c*'était *b*ien *l*ui, cet in*s*en*s*é *s*ublime, cet *I*care ou*bl*ié. A l'intérieur du vers lui-même *ce bel* et *Cybèle*, situés en début d'hémistiche, s'équilibrent en un couplage. Ils s'y intègrent en outre à d'autres structures signifiantes fort actives : le rapport C*y*bèle/At*y*s (les deux acteurs de la résurrection ici décrite, liés par l'écho renversé *cy/ys*), le carré des *i* (At*y*s, meurtr*i*, C*y*bèle, ran*i*me), le dialogue littéral et sémantique aussi de *meurtri* et de *ranime* (*m/r/i, r/i/m*). Dans ce dernier couple de prédicats s'inscrit le renversement salvateur de la mort à la vie, alors que *ce bel* et *Cybèle* sont deux sujets qui suggèrent

23

au contraire, de par leur homonymie, la continuité, voire la complicité (amoureuse, passionnelle) entre l'être meurtri et celle qui le ranime, entre la victime (le fils) et la déesse (la mère). Rupture donc *et* continuité, bascule *et* égalité, hiatus de l'acte mais liaison physique (et érotique) des acteurs, et cela dans le mystère toujours rêvé par Nerval du *passage*, du seuil franchi, de la mort vaincue : voilà ce que, textuellement, sémantiquement, et de façon globale, dit sans doute ici le vers. Le rapport *ce bel/Cybèle* n'y est plus dès lors qu'un élément intégré, parmi d'autres (sur lesquels il agit, qui agissent sur lui), au système d'une forme signifiante.

Et la *Généalogie*, peut-on, dans ces conditions, soutenir qu'elle constitue elle-même une forme ? Oui, sans doute, malgré la provocation de son désordre immédiat, et une forme qui conjugue trois caractéristiques structurales essentielles : le développement linéaire de la mutation à partir d'un ou de plusieurs termes d'origine; le départ toujours possible de nouvelles lignées familiales à partir d'un point d'embranchement intermédiaire; et enfin la mise en relation lointaine, implicite ou explicite, par des court-circuitages latéraux ou obliques, des différents lieux du feuillage les uns avec les autres. C'est à cette unité disséminée que correspond le concept nervalien de *famille*, lui-même sous-ensemble de celui de *race*. Si bien que, dans cet espace d'apparent égarement, une écriture, à la recherche d'une identité, se noue peut-être, s'attache toujours plus fortement, plus nécessairement, se tisse à elle-même. Arbre-tissu. Feuille-famille. Paradoxe d'une forme d'autant plus fondée qu'elle apparaît plus folle : seul moyen en tout cas pour Nerval de parler, *cursivement*, et donc d'émanciper, peut-être, sa destinée.

Portrait d'un personnage

I

Comment lire Javert ? A partir de Valjean, bien sûr, dont il est l'image retournée. Tout, dans le texte, affiche cette relation, à commencer par leurs noms, dont l'un, la critique l'a bien remarqué [1], anagrammatise en les renversant les phonèmes constitutifs de l'autre [2].

1. Robert Ricatte, dans son Introduction aux *Misérables* (Paris, Club français du livre, *Œuvres complètes*, Introduction, p. XIX), puis André Brochu, auteur d'un livre, *Hugo, Amour / Crime / Révolution* (Presses de l'université de Montréal, 1974), auquel cette lecture doit beaucoup.
2. Mais le signifiant *Javert* lui-même, hors son rapport avec d'autres signifiants onomastiques tels que *Valjean, Enjolras*, et même *Gavroche*, se motive-t-il dans l'ordre de l'imaginaire ? Relève-t-il, comme chez Balzac, et plus encore chez Proust, d'une élaboration cratyléenne ? Rien d'explicite, sur ce point, dans le texte des *Misérables*. Mais une écoute un peu fine du contexte syntagmatique fait souvent apparaître autour du nom tout un jeu d'échos, de rapports phoniques, porteurs eux-mêmes de valeurs signifiées. Ainsi la relation qui unit *Javert* à *galère*, à *galérien* (relation sans doute séminale parce que parentale : « *né* dans une prison d'une tireuse de cartes dont le mari était aux *galères* »); celle qui le temporalise dans le calembour *Jamais/Javert* (« Cette porte la voici murée, à *jamais/ Javert*... le voici dérouté... »), ou plus subtilement : *j'avais/Javert* (dans le lamento de Fantine *:* « *J'avais* du lin*ge*, beaucoup de *linge*... Ayez pitié de moi, monsieur *Javert!* »). Javert : l'homme du passé, ou du futur coupé, opposé à un avenir littéralement conjugué à la deuxième personne dans *Enjolras*. D'autres liens paronomastiques redoublent la qualification du personnage. Ceux, ainsi, qui accolent *Javert* à *vierge* (et même à « mou*chard vierge* »), à *rêver* (« cette note passa sous les yeux de Javert et le rendit *rêveur* »), à *vrai*, à *vérité* (Fantine : « Monsieur *Javert*, monsieur l'inspecteur, est-ce qu'il n'y a personne là qui ait vu pour vous dire que c'est bien *vrai* », et Javert lui-même : « Monsieur le maire, la *vérité* est la *vérité* »), à *liberté* (M. Madeleine : « Inspecteur Javert, mettez cette femme en li*berté* »); ou encore à *pierre*, à *sévir*, à *revanche* (après l'épisode de la rue de la Chanvrerie *:* « Javert répondit : prends ta *revanche* »). Sans compter des expansions anagrammatiques plus longues, plus éparses, mais toujours reliées à une constellation singulière du signifié : ainsi dans la définition de *Javert*, ce « sau*vage* au se*rvice* de la civilisation ». Ou après l'épisode de la barricade : « *Javert avait rendu ver*balement compte au pré*fet*, ... puis *avait r*epris immédiatement son se*rvice* qui impliquait... une certaine su*rveille*ance de la *berge* de la

25

La même égalité se manifeste, et à nouveau sur le mode littéral, dans la fonction qui articule structuralement en eux « l'homme fait pour *sévir* » et « l'homme fait pour *subir* ». Sévir/subir : le roman annonce clairement ici la finalité actantielle de Javert (« fait pour »), qui se donne en effet, par rapport au héros de l'histoire, en situation permanente d'obstacle, d'opposition. Opposition adjuvante d'ailleurs, de certaine façon, puisque c'est elle seule qui permet la rédemption finale de Valjean. Mais la même formule montre bien aussi, ne serait-ce qu'à travers le parallélisme presque absolu de ses deux parties, la similitude, en tout cas la complicité, l'union ici inextricable du subissant et du sévissant. Par rapport à Valjean Javert apparaît bien comme l'autre, comme *son* autre positif, ou, si l'on préfère, comme la forme externe, favorite, obsédante de son autopunition. Obstacle certes, mais tiré de l'intérieur même du héros, né de son dédoublement. Son envers noir et légal en somme, tout comme Thénardier figure, Mauron l'avait bien vu, sa tentation noire et illégale, et Marius son double licite et clair. (Marius, ou plutôt peut-être ce Marius plus pur, plus politique, cet autre doublet anagrammatique, et thématique de Javert-Valjean, Enjolras.) Marius continue en tout cas Javert. Une fois Javert disparu, c'est lui qui prend le relais et qui s'emploie, jusqu'à la mort, à châtier Valjean. A le châtier de quoi ? D'aimer Cosette bien évidemment, et peut-être moins en père qu'en jaloux, qu'en amant rêvé. Ombre bien significative jetée, et par Hugo lui-même, sur l'art trop célébré d'être grand-père — d'être père.

Cette égalité, dramatiquement nécessaire, le roman s'emploie à la motiver dans les principaux champs de manifestation du personnage. Socialement, par exemple, il la justifie en faisant de Javert et de Valjean deux êtres semblablement marginaux, deux hommes du dehors, le bagnard misérable et l'homme de police « né dans une prison d'une tireuse de cartes dont le mari était aux galères ». Javert se construit donc à partir d'une double origine criminelle, puis d'une insurrection œdipienne contre cette criminalité parentale, ce qui le conduit au conformisme de la loi, d'une loi abstraitement reconnue, le « règlement », privée d'identification personnelle et d'intériorisation, moins obéie peut-être que servie. Trajet symétrique, et opposé, à celui que parcourt de son côté Valjean. Il est orphelin lui aussi, mais pourtant soutien de famille, non œdipien par conséquent (du moins à ce niveau), non insurgé : c'est contre la loi sociale, et son injustice, qu'il se rebelle,

---

rive droite... » Le texte étoile ainsi le signifiant onomastique, mais toujours vers des éléments cohérents de définition ou de diégèse. Le réseau thématique sert de filtre ou de tamis, il fournit, disons, un contrôle discriminatoire à l'infini de l'invention anagrammatique.

et sa révolte le mènerait au crime sans l'acte d'un intercesseur miraculeux qui lui souhaite personnellement la *bienvenue* au seuil du livre, lui permettant d'accéder à une morale intérieure de la responsabilité et de l'assomption. Parcours différents donc, mais avec un croisement, qui les égalise, dans l'espace décisivement signifiant du bagne. Car la société, écrit Hugo, « maintient irrémissiblement en dehors d'elle deux classes d'hommes, ceux qui l'attaquent, et ceux qui la défendent ». D'où une complicité quasi structurale entre police et pègre, souvent emblématisée, à l'époque romantique, dans le mythe de Vidocq.

Ces deux hommes du dehors ont un autre champ de ressemblance encore : charnel, libidinal. Tous deux se donnent comme des êtres dangereux, pulsionnels, toujours au bord de la violence. On sait la force prodigieuse de Valjean, ses éclats de puissance, et l'agressivité obscure, sauvage, « fauve » de Javert, « ce chien fils d'une louve ». Mais dans les deux corps l'éros fait aussi l'objet d'une répression impitoyable. Tous deux mènent une « vie de privations », affichent la même « frugalité », pratiquent la même asexualité provocante, sous le mode du chaste, et même du vierge. Mais la censure s'exerce, chez l'un et l'autre, à deux niveaux d'opération différents, différence que l'idéologie hugolienne pousse aussitôt à l'antithèse. De Javert à Valjean se parle ainsi la conjonction/disjonction entre l'ordre de la légalité et l'ordre du sacrifice, celui de la lettre et celui de l'esprit, celui de l'obéissance et celui de l' « imitation » (les chandeliers de Mgr Myriel), celui, disons vite, de la police — externe, socialisée — et de la foi —, cette police intériorisée et sublimée.

II

De ces deux jumeaux, l'un est donc l'actant opposant, ou, plus précisément, l'acteur persécuteur de l'autre. Comme tel il fixe sur lui un ensemble haï de gestes, d'humeurs, d'actes, de qualités. Vers lui, vers le lieu particulier qu'il dessine dans la fiction, l'imaginaire hugolien fait converger le plus négatif de ses motifs et de ses fantasmes. Ceux-ci se manifestent bien sûr, à titre de réseau thématique et de configuration discursive, dans l'espace entier du roman. Mais ils s'investissent particulièrement, pour le définir et le faire être, le faire être comme personnage, sur ce pôle actif du sens. Lire Javert ce serait donc l'analyser, dans la logique générale du paysage hugolien, comme un espace individuel d'horreur. Et le reconnaître, d'abord, dans les fonctions, les actes, que le récit oblige à rêver à travers lui.

A travers lui : c'est-à-dire à travers le texte de son corps, dans le dispositif spécifique de ses membres, de ses muscles, sur le plan singulier de son visage. Mais Javert a-t-il seulement un visage ? « Avant d'aller plus loin », écrit merveilleusement Hugo, « entendons-nous sur ce mot *face humaine* que nous appliquions tout à l'heure à Javert... » Face qui sera peut-être tout en effet, sauf une face : gouffre, étoile, forêt... Et si difficilement humaine, si tentée par l'animalité, la végétalité, la minéralité... « Entendons-nous », dit Hugo : c'est-à-dire établissons entre nous, narrateur et lecteur, un accord, constituons d'autres codes que ceux de l'anatomie, ou de la psychologie humaine, ceux par exemple sortis de l'hallucination, du fantasme, de la rêverie cosmique, codes nouveaux et libres, qui nous permettront de déchiffrer la vérité, l'angoisse, termes ici tautologiques, de ce paysage-corps. Prenons donc Javert pour le lieu, pour l'un des lieux de quelques grands vertiges, faciles à rapidement nommer.

La *chute* d'abord, si puissante dans *les Misérables*. Elle s'y décline selon toutes les modalités de la substance : aérienne (le gabier de l'Orion, Thénardier évadé); maritime (« Un homme à la mer », « l'onde et l'ombre »); terrestre, boueuse (dans les sables mouvants, l'égout parisien). Elle s'y spécifie selon une grande variété de motifs spatiaux : le précipice, la pente, la falaise, le bord, le trou, l'à-pic, le surplomb, la faille, la lézarde, le sol manquant, la porte ouverte, le porche, la nuit, voilà quelques éléments réitérés de la scène abyssale. Et l'on sait que son décor sert aussi de métaphore, de symbole premier (montée/descente; chute/insurrection/résurrection) à la plupart des trajets, sociaux, moraux, politiques, religieux dessinés ici par la fiction. Or Javert est bien lui aussi un espace dans lequel on tombe, avec horreur. Il suffit pour cela de le regarder. Sa face « consistait en un nez camard, avec deux *profondes* narines vers lesquelles montaient sur ses deux joues d'énormes favoris. On se sentait mal à l'aise la première fois qu'on voyait ces deux *forêts* et ces deux *cavernes* ». C'est le malaise du végétal sans fond, inextricable (songeons à Cosette dans la forêt de Montfermeil), et celui de la brèche, du trou ouvert sur une nuit. Admirons d'ailleurs ici la parfaite logique de la lettre. Ce buissonnement facial, ce creux nasal deviendront plus tard pour Javert les signifiants mêmes de l'un de ses échecs. Laissant échapper Jean Valjean au Petit Picpus, il *fera*, selon le titre du chapitre consacré à cette chasse, *buisson creux*.

Autre creux, tout aussi inquiétant : celui, non plus qui aspire en lui le chutant, mais qui l'englobe, se referme sur lui, l'avale. Toute l'œuvre de Hugo est animée par un lyrisme trouble de la voration, par une libido très forte, à la fois exaltée et condamnée, attachée au geste du manger (et de l'être-mangé). Ici même le groupe de Tholomyès

28

et de ses amis viveurs se charge d'illustrer le lien de l'oralité et du plaisir, le voisinage libidinal des « propos de table » et des « propos d'amour », avec la fameuse devise du temps gourmand : « Festinons lentement. » Jouissance, le manger attire donc la culpabilité, ce qu'indiquent bien la réprobation portée, par exemple, sur Thénardier (aubergiste et voleur) et la frugalité alimentaire de la plupart des personnages « positifs » de la fiction, Mgr Myriel, Valjean, Cosette, Marius. Le blâme prononcé contre la nourriture s'aggrave d'ailleurs d'un autre trait négatif attaché à la manducation : son agressivité, son sadisme latent, le fait que, chez Hugo, manger, c'est aussi attaquer, mordre, déchirer ce qu'on mange. La faim peut servir ainsi à symboliser l'ambition infinie (Thénardier : « Oh! je mangerais le monde! »).

Un lieu du corps fixe sur lui cette nuance particulière d'angoisse, c'est la *dent*, tout à la fois zone érotique privilégiée du visage (ornement brillant du rire, du sourire) et instrument de l'agression mangeuse. Et à ce double titre punissable : c'est en se faisant arracher toutes les dents que Fantine expie, non par hasard, le péché de sa séduction. Ici objet de la castration, la dent devient ailleurs son instrument. Ainsi chez Javert, défini comme *mâchoire* (« peu de crâne, beaucoup de mâchoire »), ou, pis encore, comme *gencive* (« quand Javert riait, ce qui était rare et terrible, ses lèvres minces s'écartaient, et laissaient voir non seulement ses dents, mais ses gencives »). Gencive, muqueuse infâme conduisant à la racine même, au soubassement obscène de l'os prédateur. Pour Javert, arrêter s'égalera donc, explicitement, à dévorer.

Mais avant de l'avaler, il recherche sa proie, la surveille, la lève, la traque : chasseur tout autant qu'ogre, et acteur en cela de l'un des fantasmes hugoliens les plus tenaces, bien reconnu et analysé psychanalytiquement par Charles Baudouin, celui de la poursuite infinie. Poursuite chez lui essentiellement oculaire : « Javert était comme un œil toujours fixé sur M. Madeleine. » Œil voyant, mais non visible, toujours retiré derrière la cache d'un écran, pris, donc, dans le double malaise de l'indiscrétion et de la fuyance (« l'homme qui épie et l'homme qui se dérobe [1] »). Œil étonnamment immédiat d'ailleurs,

---

1. Javert mobilise donc à son profit l'opposition catégorielle, si richement orchestrée chez Hugo, du *caché* et du *montré*. Elle commande, sous forme quasi litanique, une partie essentielle de son portrait : « *On ne voyait pas* son front...; *on ne voyait pas* ses yeux...; *on ne voyait pas* son menton...; *on ne voyait pas* sa canne...; mais l'occasion venue, *on voyait tout à coup sortir* de toute cette ombre... un front anguleux et étroit, etc. » La maîtrise temporelle de cette opposition définit même, pour Hugo, une certaine qualité *esthétique* du personnage : « Javert, étant un *artiste*, avait le goût de l'imprévu; ... il tenait à élaborer ses chefs-d'œuvre *dans l'ombre* et à *les dévoiler ensuite brusquement.* » On notera cette définition

et dont le contact reconnu provoque une sorte de secousse. Toute la poursuite au Petit Picpus se fonde ainsi, entre zones éclairées et zones d'ombre, sur la stratégie d'une véritable bataille visuelle, la souricière finale du cul-de-sac Gendrot se présentant comme un parfait piège optique, fait d'une ligne de regards entrecroisés et intransgressibles. Cette scotophobie hugolienne (envers, bien sûr, d'une non moins forte scotophilie, d'un désir effréné de voir, de voir ce qui ne doit pas être vu) s'attache, ici encore, à un leitmotiv facial : moins l'œil lui-même que, entre les deux yeux, un « froncement central permanent comme une étoile de colère », étoile qui réapparaîtra dans quelques-uns des lieux clefs de la fiction : sur un bouton de porte en cuivre du palais de justice d'Arras par exemple, ou à travers la serrure éclairée de la masure Gorbeau. Étoile coléreuse de la justice, de la vengeance sociale, aisément mutable, à travers le motif de la persécution ourdie (le fil tissé, la toile enserrante), en celui de l'araignée-ananké, puis de l'araignée-soleil.

Mais il faudrait montrer comment le travail obsessionnel de la persécution mobilise rêveusement sur Javert d'autres gestes, d'autres lieux corporels encore : la jambe, maîtresse d'une marche lente, régulière, jamais fatiguée ; le pied, le talon posé sur sa victime pour l'écraser, comme en un saint Michel monstrueux triomphant de tous les dragons du crime (si bien que l'angoisse de la verticalité accablante complète chez lui celle de la profondeur engloutissante) ; la main, ouverte pour saisir, en tenaille, griffe ou serre [1]. Chacune des fonctions oni-

de l'art comme petit blocage provisoire du désir (ici exhibitionniste, ailleurs sadique : la « volupté de l'araignée qui laisse voleter la mouche »), comme *retard*, ou détour, apporté à la manifestation et à la jouissance.

1. Tous ces espaces physiques se traduisent aisément en effet dans le code de la bestialité. Le recours à l'animal, si constant chez Hugo, et même théorisé par lui (à propos de Javert justement), sert à exaspérer la notation humaine, et à la dynamiser, à la connoter de sauvagerie, de sadisme instinctuel (Javert couvant, par exemple, sa victime du regard avec « cette *volupté* de l'*araignée* qui laisse voleter la mouche et du *chat* qui laisse courir la souris » : on a vu plus haut la sublimation artistique possible de ce « retard »). Javert est doté ainsi d'un œil de *faucon*, ou d'*oiseau de nuit*, d'un froncement de *tigre*, d'un mufle de *bête fauve*. C'est aussi un *dogue*, un *chien* fils d'une *louve*. Hôte métaphorique d'une jungle monstrueuse où il pourrait être toutes les bêtes à la fois.
Autre code de transposition onirique, le *mécanique* (ici appelé par la *tenaille*). On sait à quel point il fascine Hugo, avec l'obsession d'objets tels que le laminoir, l'engrenage, la guillotine, la roue (sur tout ceci, voir Brochu, *op. cit.*, p. 92 *sq.*) : sur Javert s'inventent l'œil-*crampon*, l'œil-*vrille*, le trajet-*rail*, l'homme-*locomotive*. Moyen de déporter la notation vers le registre sensuel de la rigidité, de l'automaticité (voir plus loin), ou celui, moral, de l'inexorable, de l'impitoyable.
Ces deux codes, abhumain et inhumain, sont mis quelquefois en connexion avec un code surhumain, mythique, religieux, celui où se situent, en une sorte

riques soutenues par le personnage — voir, avaler, écraser, serrer, poursuivre, accrocher, etc. — s'attache ainsi à un point particulier du corps : narine, cheveux, gencive, pied, œil, front, doigts, etc., si bien que peu de zones anatomiques restent chez lui neutres ou innocentes. Notons d'ailleurs qu'un seul organe peut assurer plusieurs fonctions diverses : ainsi l'œil qui espionne, mais aussi qui avale (« voir, c'est dévorer »), qui pèse, qui accroche au loin (le « regard-crampon »), qui glace, qui incise (« son regard était vrille, cela était froid et cela perçait »). Inversement une seule fonction peut s'exercer à travers des organes différents : ainsi la pesanteur, agie alternativement à travers l'œil, la main, le pied. D'où divers glissements possibles, et une grande liberté de choix narratifs, avec une conclusion : le fait que toute l'étendue fantasmatique du corps, du paysage-corps, se trouve en fin de compte ici fonctionnellement recouverte, saturée, opérée.

III

A côté de ces actions, dont il accueille en lui l'urgence, la poussée, Javert se construit sur une certaine rencontre de qualités, sensibles et morales, les secondes venant redoubler les premières sur le plan de la psychologie et de la valeur. Ces qualités s'articulent logiquement d'ailleurs sur les gestes dont elles constituent le décor, et le support. Ici elles s'ordonnent en deux constellations thématiques essentielles, toutes deux malheureuses, centrées autour de ces deux notions clefs : la clôture, la raideur [1].

Raideur, ou rigidité : c'est-à-dire non-mollesse, non-pénétrabilité, non-expansivité aussi, à la limite non-mouvement, non-vie. Le corps

---

d'opposition/combat, figures célestes et figures infernales. D'où, par exemple, cette combinaison disjonctive, en version double et inversée : Javert, arrêtant M. Madeleine et étalant « en plein *azur* la *bestialité surhumaine* d'un *archange féroce* ».
1. L'articulation des qualités aux actions, de la définition statique à la définition dynamique, peut s'effectuer, en tel ou tel personnage, avec une plus ou moins grande cohérence. Parfaitement liée, elle assure la vraisemblance du rôle, sa « solidité », sa prévisibilité permanente. Moins assurée, elle l'ouvre aux éclats de la pulsion, aux brèches de l'inattendu (souvent codé comme transcendance, ainsi chez Dostoïevski, Bernanos), aux troubles du fantastique (appel à une lecture strabique, défocalisée). C'est un peu le cas de Javert, machine à dévorer, statue regardante, prison-abîme. La non-pertinence partielle des prédicats qualitatifs et des actions (rigidité/manger ; pétrification/voir ; clôture/tomber) — non-pertinence, entendons-le bien, dans le système de l'opinion reçue, dans la grille de l'idéologie et de l'imaginaire historiquement dominants — assure l'étrangeté du personnage, donc son pouvoir de concrétion poétique, et fantasmatique.

javertien déclenche chez son scripteur, Hugo, une certaine rêverie de la substance, fondée sur un malaise spécifique du *dur*. La figure favorite en est la *statue*, si souvent maléfique dans cette œuvre, avec le cauchemar par exemple de la statue qui s'anime, de la cariatide qui s'éveille. S'y recueille l'angoisse d'une essence humaine figée, comme punie, brusquement amputée de son animation, de sa mobilité, de tous les gestes de l'affect ou du désir, mais non de sa forme, de sa physionomie, ni même de sa présence. Offerte donc mais absente, et illisible, dans le trouble de cette offre même. Or Javert, comparé, dans l'un de ses affrontements avec Valjean, à « une statue dérangée qui attend qu'on la mette quelque part », est bien l'une de ces figures pétrifiées. Pétrifiées, et d'ailleurs aussi pétrifiantes : car devant lui, ou à partir de lui chacun se stupéfie. On sait sa devise menaçante : « Toi ! si tu *bronches*... » Et on se souvient de la manière dont il arrête les bandits de la masure Gorbeau. Le pistolet de Thénardier, braqué sur lui, rate, comme il l'avait annoncé; puis toute la bande, paralysée, lâche à son tour ses armes. Seule la mère Thénardier, comme s'il était sans prise sur les femmes, lui jette à la tête un pavé, cette autre pierre renvoyée, mais le manque elle aussi. Présence méduséenne : « la face de Javert les pétrifiait ». Et dans quelle pierre sculptée, cette statue statufiante ? Dans le marbre, ou sa limite cristalline et transparente, la glace ? Mais il peut y avoir du marbre brûlant, ainsi chez Enjolras, « froid comme la glace et hardi comme le feu [1] ». Dans le granit ? Non, sauf en une ou deux occurrences : trop résonnant sans doute sous le pic, trop vivant encore. La nuance de rigidité qui définit le mieux l'espace Javert, c'est celle sans doute d'une raideur inerte, morte, sans écho ni vibration possibles, celle du *bois*. Ainsi l'on voit Fantine suppliante baiser tendrement la redingote du mouchard : « Elle eût attendri un cœur de granit, mais on n'attendrit pas un cœur de bois. » Inémotivité qui n'est pas le contraire de l'humain, mais son absence : comme une matité du « cœur [2] ».

Ce complexe de raideur commande, chez Javert, d'autres zones encore de la manifestation vitale. Passant de la substance à la forme — forme du corps, forme du mouvement —, il y gouverne par exemple une certaine inquiétude du *contour* (la silhouette-bloc, redingote sans

---

1. Autre disjonction substantielle entre Javert et Enjolras : la clarté de l'un, l'ombre de l'autre. Après l'exécution de Le Cabuc, Enjolras reste figé dans une « immobilité de *marbre* », ... « de *lumière* comme le *cristal*, et de *roche* aussi ».
2. On sait qu'il y a, pour Hugo, « trois immobilités tragiques, le cadavre, le spectre, la statue ». Trois modulations parallèles du même rôle substantiel, tenues, en une scène célèbre du roman, par ses trois principaux acteurs : Marius, Valjean, Javert.

plis, chapeau rond, bras achevés en gourdins), et de la *ligne*. Javert incarne ainsi le refus hugolien de la *ligne droite*, avec toutes ses connotations de contrainte, d'infaillibilité géométrique, d'automaticité aliénante (cela, surtout, dans le motif du *rail*). La rectitude du droit s'oppose en effet aux deux modes, eux-mêmes entre eux antithétiques, du *courbe* : le *flexueux*, marqué de volupté, le *tortueux*, indiciel du crime. Or Javert, peu menacé, on l'a vu, par le premier, s'impose victorieusement au second : « Il y avait introduit la ligne droite dans ce qu'il y avait de plus tortueux au monde. » Mais comment, dans ce trajet privé de flexion, s'opèrent alors les changements de direction, nécessaires malgré tout, et surtout à un policier, ce chasseur d'hommes ? A travers un autre motif de crainte hugolienne, celui de l'angle, et plus spécialement de l'*angle droit*. Javert, lancé sur ses rails, ne peut modifier sa route qu'en une suite de secousses, de ruptures. « Il était comme les gens violents, sujet aux revirements brusques. » Revirements qui sont autant d'infractions au principe de rectitude, ou plutôt qui le vouent à cette figure faite d'une suite de lignes droites enchaînées et démenties, le *zigzag*. L'angularité, cette âpreté de la ligne, ce mode rompu et agressif du droit, s'inscrit d'ailleurs, pour le qualifier, jusque dans son corps même. Mâchoire pointue, épaule et mains carrées y marquent le refus osseux, musculaire, de la flexion, et la possibilité permanente de la *saillie*, avec ses conséquences, le choc, le rapt, la déchirure.

Ce système sensuel de la raideur se prête à tout un éventail de traductions axiologiques et idéologiques : celle de la non-liberté par exemple, donc de la *fatalité*, vécue comme instance tragique et oppressive; celle du *conformisme*, sous le mode concret, surtout, gestuel et vestimentaire, de la *tenue;* mais celle aussi de la *pureté*, et d'une certaine façon, de l'*absolu* (Javert, « archange féroce »). Cette notion d'*intégrité* se dit à travers la rêverie matérielle du monolithisme, de l'homogénéité, de la non-fêlure, du lisse substantiel. Tout comme la rectitude linéaire accueille de son côté les schèmes moraux de non-déviance, de non-hésitation, de non-tremblement (donc aussi de volonté, de courage, de sincérité). Le rêve (négatif) de franchise connote sexuellement la fascination hugolienne du vierge : Javert « espion incapable d'un mensonge, mouchard vierge[1] », « Brutus

---

1. Javert possède, dans l'assomption de ce double attribut, un doublet féminin : c'est, à Montreuil-sur-Mer, sœur Simplice. « Blanche, d'une blancheur de cire », mais plus solide que le granit, transparente comme une vitre, vierge, elle est surtout, ce qui constitue aux yeux d'autrui sa définition quasi mythique, incapable de mentir... On sait qu'elle ment cependant, par deux fois, devant Javert, pour sauver Valjean évadé. Belle disjonction qualitative, mettant face à face deux ver-

dans Vidocq ». Éthiquement, la rigidité apparaît comme rigorisme et la rectitude comme inflexibilité. Culturellement elle n'hésite pas à mobiliser, au risque de perdre un peu de son homogénéité, des modèles multiples. Javert nous est ainsi donné comme « ce composé bizarre du romain, du spartiate, du moine et du caporal ». Quatre essences sociohistoriques soumises en effet, du moins dans le lieu commun, au mythe de la raideur. On retrouvera curieusement les deux dernières chez un autre héros, proche en cela de Javert, mais qui eût pu, en tant que criminel, relever du seul principe tortueux, Thénardier : « Il avait », écrit Hugo, « je ne sais quoi de rectiligne dans le geste qui avec un juron rappelle la caserne, et avec un signe de croix le séminaire. » Curé, soldat, gendarme, trois figures de l'institution, trois images d'une rigueur destinée à fixer en elle l'errance, pulsionnelle, de l'objet.

IV

A côté du rigide, et à lui étroitement lié, Javert soutient un autre malaise hugolien encore, celui du *clos*, vécu surtout sous son mode répressif, la constriction. Voilà pour le lecteur une autre façon de le rêver, ou plutôt de rêver à travers lui une certaine possibilité négative de la présence au monde, une certaine épreuve spécifique de l'espace. Il s'y donne comme le porteur, et l'acteur de la *limite*. En cela il se dresse contre toutes les figures hugoliennes de l'ouverture et de la liberté, mais contre une angoisse primordiale aussi, très active dans le récit, constamment sous-jacente, en particulier, au personnage de Valjean : celle de l'informité mouvante (quelques-uns de ses aspects : la mer, la boue, l'émeute, la rêverie), celle de l'interpénétration des règnes et des espèces, de l'osmose des formes, de l'instabilité des matières, de la dérive des définitions, celle en somme de l'infinie plasticité et mutabilité du monde, donc de sa puissance de métamorphose, voire de sa créativité, mais aussi de son insécurité, de son désordre, de sa monstruosité. A cette tentation-horreur, à cette libido si puissante, si permanente, Javert oppose la solution presque caricaturale d'un ordre autoritaire, d'une taxinomie forcée. Il est dans tous les domaines l'homme de l'antichaos, l'actant de la circonscription, de la délimitation, de la discrimination, de la ségrégation : celui par qui

---

sions antinomiques de la même vertu (la mauvaise, la bonne; ou plus précisément celle qui recueille chez Javert, comme le dit Hugo, « tout le mauvais du bon », à équilibrer sans doute, chez la sœur menteuse, par « tout le bon du mauvais »...). On remarquera comment cet affrontement thématique s'utilise en même temps à des fins narratives (la fuite de Valjean).

informités et difformités se trouvent reprises dans le moule de la seule forme vraiment sûre, celle d'une lettre apprise ou d'une loi reçue : image, vraiment, d'une *police*, violemment imposée, du dehors, à l'inorganisation dynamique de l'objet.

Ceci apparaît dans le paysage de son corps comme dans celui de son idéologie, ou celui, bien sûr, de son agir, de sa pratique professionnelle. Toujours fermé, boutonné sur lui-même (le bouton est l'un des objets autour desquels se joue sa destinée), pris dans une vaste cape, terminé en haut par le couvercle du chapeau rond, en bas par la dureté des brodequins, il est en outre constamment enveloppé de nuit, protégé par une chape d'ombre, au point quelquefois de s'y dissoudre intérieurement, de s'y fantomatiser. Les bras, souvent croisés sur la poitrine, bouclent davantage encore autour de lui l'espace personnel. Aucune ouverture à craindre non plus du côté du front, cette zone toujours possible de l'expansion rêveuse, puisqu'il est, on l'a vu, soit contracté en rides furieuses, soit recouvert par la broussaille des cheveux, et, de toute façon, étroit et bas. Corps tout entier construit pour éviter la possibilité d'entame, ou de laisser-aller : son insularité décourage toutes les anastomoses, sentiment, tendresse ou, même, simple communication [1].

Quant à son monde, il se définit explicitement par un projet de cloisonnement, par une classification de type hiérarchique — les gens de bien, les misérables —, par l'imposition d'une grille où toutes les hypothèses de la vie sont d'avance prévues et contenues, sans contamination possible. C'est la théorie des tiroirs (des territoires) : « Pour Javert les incidents habituels de la voie publique étaient classés catégoriquement, ce qui est le commencement de la prévoyance et de la surveillance, et chaque éventualité avait son compartiment ; les fautes possibles étaient en quelque sorte dans les tiroirs d'où ils sortaient, dans l'occasion, en quantités variables : il y avait, dans la rue, du tapage, de l'émeute, du carnaval, de l'enterrement. » Ainsi s'exorcise, cellulairement, territorialement, la fascination hugolienne du mélange, cette subversion permanente du moi, du même, par tous les flux venus de l'*autre* côté, du côté de l'autre : de ce côté, ou non-côté, qu'André Brochu nomme, si justement, *hétérotopie*. Au compartimentage de l'horizontalité s'ajoute d'ailleurs aussi, en Javert, un bouclage de la

---

1. Il faut remarquer le caractère solitaire, individuel, de l'action policière chez Javert. Souvent aidé par des sous-fifres, qu'il recrute pour telle ou telle action, il n'est pas donné comme solidaire d'un *corps* collectif de la répression. Il ne communique pas plus avec ses collègues qu'avec tout le commun des mortels. L'idéologie hugolienne singularise ainsi la punition, tout comme elle le fait pour le sacrifice, ou la révolte.

verticalité : obturée vers le bas, celle-ci, par le refoulement carcéral du crime, mais aussi vers le haut, qui offre aux yeux « une surface nette, simple, limpide ». Javert, c'est donc encore, pour la rêverie hugolienne, une machine à neutraliser la profondeur, à y bloquer le double vertige d'altitude et d'abyssalité, de transascendance et de transdescendance. Et cela à partir d'un seul geste, monotone, mais efficace, l'enfermement. Un enfermement où il s'inclut lui-même. Unanimement emprisonnant parce que parfaitement emprisonné.

V

A partir de cette double fixation, il deviendrait aisé de lire l'histoire, le développement diégétique du personnage. Celle-ci se fonde moins sur une évolution d'ordre psychologique, ou axiologique — modalité peu pratiquée, on le sait, par le récit hugolien —, que sur une suite de crises, de mutations à forte prégnance mythique et poétique. Chacune de ces crises s'opère en un retournement, partiel ou total, du système thématique dont on vient de tracer l'esquisse. Faire changer Javert, cela revient seulement, pour le texte hugolien, à renverser quelques traits de sa définition qualitative : ou plutôt son changement n'est rien d'autre que ce renversement lui-même, que cette bascule intérieure du sens. Celle-ci pourtant, au-delà de sa nécessité narrative, cherche à se fonder aussi dans une cohérence invoquée du personnage. Le double registre javertien de la rigidité et de la constriction s'imagine alors non plus seulement comme retourné en un système contraire, mais comme mis *dynamiquement* en échec par celui-ci, comme renversé par une force qui lui serait opposée : l'énergie d'une pulsion, rêvée comme jusque-là réprimée et refoulée, dont le retour suffirait à « expliquer » les bouleversements du héros.

Deux scènes, l'une préparant l'autre, peuvent être considérées de ce point de vue : la première évoque un triomphe de Javert, la seconde décrit sa défaite, mais toutes deux opèrent, l'une faiblement encore, l'autre décisivement, son inversion thématique et fonctionnelle. Dans le premier épisode Javert, enfin triomphant, vient arrêter Valjean. Conforme encore au système établi de son maintien, « froid, calme, grave », lent, il affiche cependant ce premier petit indice d'une constriction démentie : « La boucle de son col de cuir, au lieu d'être sur sa nuque, était sur son oreille gauche. Ceci révélait une agitation inouïe. » Ce corps, émotivement débouclé, s'ouvre bientôt davantage encore, il connaît une expansion pour lui très insolite : « Le contentement de Javert *éclata* dans son attitude souveraine. La *difformité* du triomphe *s'épanouit* sur ce front étroit. Ce fut tout le *déploiement* d'horreur que peut donner une figure satisfaite. » L'explosivité de ce jouir sadique se relie d'ailleurs vaguement — « il y avait dans sa victoire un *reste de défi* et de *combat* » — à la notion d'une libido insurgée, écho lointain, peut-être, de la rébellion œdipienne.

Mais c'est surtout après l'épisode des barricades, lors de la deuxième arrestation de Valjean et de sa surprenante remise en liberté, dans le chapitre intitulé significativement « Javert déraillé », que s'accomplit pleinement la dénégation interne du personnage, dénégation elle-même achevée en une annulation concrète, un suicide. Suicide à comprendre comme le seul événement pouvant ici répondre à l'inversion généralisée des qualités. Toutes les réactions prêtées à Javert durant cette scène célèbre peuvent en effet se classer, à partir de quelques citations fort claires, dans les cadres thématiques dessinés jusqu'ici, mais à condition d'en inverser absolument la direction, le sens.

Voici d'abord, spectaculaire, la défection des organes prédateurs. A commencer par la main, démétaphorisée, rendue à son simple état de main : « Être la tenaille et devenir une main! se sentir tout à coup des doigts qui s'ouvrent! lâcher prise, chose épouvantable! » Puis c'est la dent, dont la cruauté s'annule en se déplaçant, curieusement, vers un organe buccal voisin, et de finalité antithétique : « Être le chien de garde et lécher! » Autre surprise, spatiale celle-là : n'être plus celui qui écrase, mais celui qui est écrasé (« Jean Valjean, c'était le poids qu'il avait sur l'esprit »); plus celui en qui l'on tombe, mais celui qui a peur lui-même de tomber (« tous les axiomes qui avaient été les points d'appui de toute sa vie s'écroulaient devant cet homme »; « dans tous les partis qu'on pouvait prendre il y avait de la chute »); être celui dont le regard, comme opéré de la cataracte, dit Hugo, change soudain d'objectif, ne voit plus la victime (Javert « venait de *fermer les yeux* sur un condamné en rupture de ban »), mais une vérité autre, insoutenable : « il voyait ce qu'il lui répugnait de voir ».

Sur le plan des qualités, même absolu de la conversion. Dans le lisse, l'homogène de la substance apparaissent d'abord un trouble (« il y avait un nuage dans ce cristal »), puis une faille (« voir une fêlure dans l'immense vitre bleue du firmament »), fêlure qui gagne, par lézardage, tout le tissu de la certitude mondaine et sociale. Cette contestation apparaît, encore une fois, comme liée à une pulsion insurgée : « Il y a toujours dans la pensée une certaine quantité de rébellion intérieure; et il s'irritait d'avoir cela en lui. » Puis la rigidité connaît une débâcle plus active encore, sous les espèces de l'hésitation, du morcellement, et, à la limite, de la fusion : « Être le granit et douter...; être la glace, et fondre. » La rectitude linéaire se dément en même temps sous les trois formes, successivement essayées, de la bifurcation (« Il voyait devant lui deux routes également étroites toutes deux »), de la « mise hors voie » (le déraillement « d'une conscience rectiligne », « irrésistiblement lancée en ligne droite et s'écrasant à Dieu »)[1], de l'infléchissement : « Que l'incommunicable, le direct, le correct, le géométrique, le passif, le parfait puisse fléchir! » Et que cette flexion aboutisse à un changement de plan : « Qu'il y ait pour la locomotive un chemin de Damas! »

Tout le système constrictif, ou concentrationnaire, qui *tenait* jusque-là le personnage cède en même temps la place à un système exactement contraire. Javert se retrouve de plain-pied avec Valjean, dans l'obligation de l'échange éthique (« lui payer sa survie avec une autre survie »), donc de l'abolition des classes et des cloisons. Devenue entre eux perméable, et, en quelque sorte, égale, l'horizontalité cesse aussi d'être un instrument à obturer le vertical. C'est ce que dit l'image de la balance affolée : « Ici il s'effarait : sa balance se disloquait, l'un des plateaux tombait dans l'abîme, l'autre s'en allait dans le ciel. » Voilà donc rouvert le double vertige : « celui des extrémités à pic sur l'impossible, et au-delà desquelles la vie n'est plus qu'un précipice », et celui de ce que Hugo nomme « le gouffre d'en haut ». A partir de là toute la taxinomie cellulaire et punitive projetée en Javert éclate, cédant la place à cela précisément qu'elle avait pour projet de contenir, la vieille tentation du mélange, de l'informité mouvante, du *tas :* « ainsi la pénalité, la chose jugée, la force due à la législation... la souveraineté, la justice, la logique découlant du code, l'absolu social, la vérité publique, tout cela *décombres, monceau, chaos* ».

VI

Ainsi se déconstruit, d'un coup, toute la structure imaginaire textuellement édifiée autour du personnage, ou plutôt en lui, pour le faire être. A quoi pouvait, sur le plan du récit, mener une telle défection ? A une nouvelle définition, présentée alors comme *conversion ?* Oui, peut-être, si la stratégie générale de l'histoire l'eût réclamé. Mais Javert n'eût fait alors que recommencer l'aventure de Valjean, redondance inutile sans doute, et peu conforme, au demeurant, à son statut initial d'opposant. Il fallait donc que le déraillement de Javert se terminât d'une autre façon que la tempête sous un crâne de Valjean,

---

1. On se souvient que Javert avait déjà été « jeté hors de ses gonds » lors de son premier affrontement avec M. Madeleine.

ou que sa conversion par Mgr Myriel, épisodes très parallèles. Faute d'aboutir à un dépassement, marqué par l'accès à un autre système de valeurs, cette crise d'autocontestation ne pouvait s'achever vraisemblablement qu'en un suicide. Le geste d'autoannulation se motive alors par la reconnaissance d'un système éthique double, formé de deux exigences morales contradictoires, entre lesquelles le choix devait apparaître impossible.

Car, et voilà la clef « psychologique » du suicide, la déconstruction thématique de Javert n'est pas donnée comme annulant sa construction antérieure. Bien au contraire elle se superpose à elle en une sorte de paradoxe, vite constaté insoutenable. Cette contradiction — disons, très grossièrement, entre ordre et pulsion, loi et errance, définition et indéfinitude, forme et informité —, elle n'eût été vivable pour lui que dans la folie (ou peut-être dans l'écriture : n'est-ce pas là la place de Hugo lui-même, de Hugo écrivant *les Misérables*, écrivant Javert, *s'*écrivant Javert ?), pas en tout cas dans le rôle extrême, et étroit, de *police* qui lui a été d'abord attribué. Elle l'amène donc à disparaître ; mais à disparaître, et ceci est curieux, en donnant satisfaction à la fois aux deux exigences, aux deux *désirs* inclus dans le paradoxe. Si bien que pour Javert (entendons : pour le dilemme pulsionnel posé et développé par le texte hugolien à travers un personnage de roman nommé Javert), la mort a valeur de solution, et presque d'issue, disons de *sortie* libidinale.

La décision de suicide se présente bien d'abord ici comme un ressaisissement physique — la tête haute à nouveau, le pas ferme — puis comme une réassomption de l'ordre cellulaire. Rien de plus significatif de ce point de vue que les quelques observations testamentaires (mais tout testament n'est-il pas déjà en lui-même comme un défi, une limite opposée à la grande dérive temporelle ?) écrites par Javert sur la table du commissariat de police du Châtelet. On y trouve, dans l'incongruité myope du détail, quelques étonnants petits éclats fantasmatiques : un pied nu sur un sol froid, un fil dans une toile, l'aboi d'un détenu, une main dans une grille. Toute la récapitulation onirique d'une vie[1]. Mais bien intéressant aussi le thème

---

1. C'est l'équivalent du *rêve* de Jean Valjean lors de l'épisode de la *Tempête sous un crâne* : une scène fantasmatique projetée au-dehors, et rédigée selon une formule donnée par Hugo lui-même pour définir la *rêverie*. « On ne voit plus les objets qu'on a devant soi, et l'*on voit comme en dehors de soi les figures qu'on a dans l'esprit.* » Jean Valjean a connu lui aussi, dans des moments de crise, de telles petites fixations obsessionnelles : le « dessin en damier d'une bretelle », un « vieux tesson de faïence bleue tombé dans l'herbe », le nom *Albin de Romainville*. Mini-éclairs opaques de subjectivité objectivée, de sens objectal, sur lesquels s'édifiera plus tard toute une poétique.

explicite de ces recommandations dernières. Il s'agit d'y régler plus précisément les deux formes essentielles de la clôture policière : la surveillance, cet enfermement lointain (grâce à une meilleure technique de la *filature :* et l'on songe alors à ce motif si névralgique, dans tous *les Misérables*, du *fil*, ou de la *corde*[1], ainsi qu'à l'activité foncièrement arachnéenne de Javert); et, surtout, l'emprisonnement. Javert désire en somme rendre la prison encore mieux, encore plus purement emprisonnante. Et il dénonce pour cela quelques menues infractions qui en violent, de façon pour lui scandaleuse, le principe d'insula-rité : enfants dans la cour des adultes, gendarme racontant au-dehors ce qui s'est dit dans le cabinet du juge, et surtout, exemples peut-être plus significatifs encore, parce que jetant un jour sur le fondement finalement (ou originellement) sexuel de l'ordre cellulaire : cantinière des Madelonnettes se laissant toucher la main *à travers les barreaux* par les prisonniers; madame Henry, femme honnête, mais placée, de façon choquante, au *guichet* de la Conciergerie.

La loi de cloisonnement carcéral ainsi réaffirmée, Javert peut se livrer, pour en finir, à l'ordre inverse, celui de la perdition du lieu, du délogement ou plutôt de la *dislocation*, de l'ouverture au grand vague cosmique. C'est là ce que dit le paysage de sa mort, tout entier placé sous le signe de l'indéterminé. Il suffit ici de citer. Plus de contours : « Notre-Dame et les tours du Palais de justice semblaient des *linéa-ments* de la nuit. Les silhouettes des ponts *se déformaient dans la brume* les unes derrière les autres. » Plus de lignes droites : le quai donne sur l'eau, sur « cette redoutable *spirale* de *tourbillons* qui se dénoue et se renoue comme une *vis sans fin* ». Pas d'étoiles, points de repère de l'espace. Une eau ayant au contraire le pouvoir de « prendre la lumière on ne sait où et de la *changer en couleuvre* ». Un gouffre ouvert, mais sans netteté, « confus, mêlé à la vapeur ». C'est à l'indistinction de cette nouvelle bouche d'ombre que s'abandonne finalement Javert. Il le fait, chose curieuse, en récupérant au dernier moment, ou plutôt au moment avant-dernier, sa rectitude : figure haute et noire, on le voit ôter son chapeau, se dresser sur le parapet, et tomber tout droit

---

1. Il s'étend, se *file* significativement tout au long du texte des *Misérables :* en particulier dans les épisodes fantasmatiquement connotés de naissance, ou de mort. Ainsi : corde apportée par Gavroche à Thénardier évadé (thème de contre-naissance : fils père de son père), ou, son inverse, corde du réverbère, servant, au cul-de-sac Gendrot, à hisser Cosette sur le mur (nouvelle naissance, *par le père*); cordes emprisonnant Valjean dans la masure Gorbeau (et échelle, à nouveau, de son évasion); cordes attachant/emmaillotant Javert rue de la *Chanvrerie*. La corde tissée sert même, un en point important du roman (point lié à la chasse de Javert), à métaphoriser le rapport de l'ensemble et du détail, c'est-à-dire la *tresse* de l'événement (ou de l'acte, du texte). Voir 2e partie, livre V, chap. x, fin.

dans la nuit. A quoi promise cette droiture finale ? Au soubresaut, à la dérive, à l'éparpillement du non-lieu ? Le texte hugolien le rêve, mais sans le dire : « Il y eut un *clapotement* sourd, et l'ombre seule fut dans le secret des *convulsions* de cette forme obscure disparue sous l'eau. » Censure dernière, secret gardé sur ce qui reste sans doute pour Hugo l'expérience limite, le seul vrai rapt. On ne saura rien de ces noces ultimes, et mortelles, d'une forme humaine avec l'informité.

Figures du vide

1   *Ce monde, c'est l'abîme, et l'abîme est mon trou.*
Triste, je rêve au creux de l'univers; et l'ombre
Agite sur mon front son grand branchage sombre.

     Je regarde le vide et l'éther fixement,
5   *Et l'ouragan, et l'air, et le sourd firmament*
Et les contorsions sinistres des nuées.
Mes paupières se sont au gouffre habituées.
Toute l'obscurité du ciel vertigineux
Entre en mon crâne, et tient dans mon œil lumineux.
10 *Je sens frémir sur moi le bord vague du cercle,*
L'urne Peut-être ayant l'infini pour couvercle!
J'ai pour spectacle, au fond de ces limbes hagards,
Pour but à mon esprit, pour but à mes regards,
Pour méditation, pour raison, pour démence,
15 *Le cratère inouï de la noirceur immense;*
Et je suis devenu, n'ayant ni jour ni bruit,
Une espèce de vase horrible de la nuit
Qu'emplissent lentement la chimère, le rêve,
Les aspects ténébreux, la profondeur sans grève,
20 *Et, sur le seuil du vide aux vagues entonnoirs,*
L'âpre frémissement des escarpements noirs.

Victor Hugo, *Dieu*, II, ıı, Bibl. de la Pléiade, p. 1018.

Soient ces vingt et un vers détachés, par une coupure bien sûr tout arbitraire, du poème de Hugo, *Dieu*. Je me propose de les lire selon un parti pris : y suivre le développement d'une rêverie du vide, les divers moments de la relation qui s'y invente entre le *je*, le je-corps, et la négativité spatiale; retracer la cohérence de ces scènes, déceler leur lien catégoriel, leur ordre d'enchaînement : et cela jusqu'au point,

43

peut-être, où l'insistance de la vision, à moins que ce ne soient l'urgence du désir, ou la poussée de l'écriture, en viennent à déborder la logique de tous les dispositifs jusque-là machinés, et comme à décatégoriser le paysage, l'ouvrant à ce que Hugo nomme l'*inouï* : l'horizon d'une autre invention, d'une autre vie peut-être. Comment, c'est le problème ici du scepticisme, penser le rien, ou l'impossibilité de le penser? Comment éprouver le vide, ou le secret de son invivable même? Selon quelles figures, ou quelles non-figures (quels procédés de défiguration)? Il faut écouter, pour l'apprendre, la voix nocturne du hibou.

1. Premier moment de la relation duelle : fondé, entre le *je* et le vide, sur un rapport d'*inclusion*. Le *je* s'y vit comme englobé, et soutenu, voilà l'étrange, par la négativité du monde :

Ce monde, c'est l'abîme, et l'abîme est mon trou.
Triste, je rêve au creux de l'univers; et l'ombre
Agite sur mon front son grand branchage sombre.

Le premier vers établit une double égalité, dont la moitié initiale a valeur de réduction *(le monde, c'est l'abîme)*, mais la seconde force d'intégration personnelle, presque de possession. L'*abîme* y devient *trou*, avec toutes les connotations animales et familières que soulève ce terme, trou qui est mien en outre, *mon* lieu, et ma demeure. Le néant spatial semble s'y recourber autour du moi qui rêve. Le *creux* y est bien un vide qui recueille, un espace dont la rondeur se dessine d'ailleurs aussi peut-être à travers la forme de tous les petits signifiants en miroir épars dans ce début de texte : *ce m*onde *c'*est l'abî*m*e, son gran*d br*an*c*hage s*ombre*, et, surtout, je rê*v*e au creux de l'uni*v*ers, où rê*v*e et uni*vers* incluent justement entre eux le signifié d'un creux focal.

Dans cette intimité du trou, du creux où vit l'oiseau nocturne, s'imagine alors, entre moi et néant spatial, une sorte d'échange incertain. Le *je* y pratique l'expansion diffuse, sans objet précis, ni source assignable, qui est chez Hugo celle du *rêve;* le vide, sous sa modalité visuelle d'*ombre*, lui répond par un mouvement tout maternel, celui d'un *branchage* agité (pour en soulager l'angoisse?) au-dessus du front rêvant. On ne saurait commenter cette intervention végétale sans un appel à l'imaginaire hugolien de la *forêt*, si puissante, on le sait, dans sa création alternée de protection et d'horreur, de paix et de dissolution. Ici c'est la première valeur qu'utilise évidemment la rêverie :

la feuille vivante, unanime *(branchage)*, immense (*grand* branchage), déplace sur le corps comme une caresse inconsciente. Tout un fantasme de repos abrité, d'englobement, peut-être de symbiose gouverne paradoxalement cette première relation du *je* et de son partenaire négatif. Au niveau de l'écriture même s'exerce entre les deux termes en rapport un travail actif d'assimilation : ainsi dans les liens, diversement noués, de *trou, triste, agite*, où l'affectivité du *je* s'égale au dynamisme de l'*ombre;* plus nettement encore à travers la chaîne si puissante des voyelles nasales, certaines d'entre elles en situation de rime (ce m*on*de, m*on* trou, l'*om*bre, m*on* fr*on*t, s*on* gr*an*d br*an*chage s*om*bre), qui fait s'interpénétrer littéralement les valeurs propres au *je* (*mon* trou, *mon* front) et celles de son *autre* (le *monde*, l'*ombre*, etc.), de ce vide tout à la fois ici étranger et maternel.

2. Puis la symbiose intime se déchire, un écartement se produit (une castration ? une naissance ?), qu'inscrit dans le texte même l'intervalle d'un grand blanc. Au rapport d'inclusion succède un dispositif inverse, fondé sur l'extériorité et la distance :

> *Je regarde le vide et l'éther fixement,*
> *Et l'ouragan, et l'air, et le sourd firmament*
> *Et les contorsions sinistres des nuées.*

Petite scène qui retourne en elle toutes les données de celle qui précède. Expulsé hors de l'objet de sa visée, le moi ne l'explore plus sous la forme d'une appréhension déconcentrée, diffuse, celle du rêve, mais à partir d'une ponctualité immobile, fixité qui s'écrit par un adverbe à la rime même. Une attention externe succède à une distraction interne : l'aigu de l'œil remplace la courbure et l'ampleur du front, cette surface mère de la rêverie.

De là tout un jeu nouveau d'oppositions, données comme des antagonismes. Celle, par exemple, rhétoriquement mise en œuvre, de la singularité et du nombre : face à l'unicité du *je* sujet se dresse désormais, formant le champ déployé de sa vision, toute une pluralité d'objets. *Vide, éther, ouragan, air, firmament, nuées* composent une série très riche dont le caractère cumulatif se souligne encore à travers une litanie de coordonnants *(et... et... et...)*. On sait que chez Hugo la variation, imaginaire et lexicale, aime ainsi à multiplier, et comme à entasser matériellement les unes sur les autres les diverses modalités de son objet — même, et surtout peut-être, s'il s'agit de cet objet ici superlatif, le rien.

Or ce rien choisit, après la non-lumière *(l'ombre)*, de s'incarner dans le domaine de la non-épaisseur, de la non-densité : isotopie du ciel astral et distant (le *sourd firmament*), de la substance infiniment subtile (l'*éther*), de l'invisibilité pneumatique ou de la transparence nébuleuse (l'*air*, les *nuées*). De là une autre opposition encore entre le *je* contemplateur et son nouveau paysage aérien : de l'ordre du dynamisme cette fois. Face à la stase de l'œil halluciné ouragan, air, nuées tracent les signes d'un mouvement, presque d'une violence. Les *contorsions*, surtout, de ces *nuées*, comme redoublées (phoniquement) dans leur vigueur en même temps que flétries (sémantiquement) dans leur valeur par le qualificatif *sinistres* (dans l'écho aussi du *triste*, de l'*agite* antérieurs), répondent, négativement, à la paralysie (inquiète ? désirante ?) du regard. L'écriture propage à travers une longue chaîne de vibrantes (l'éthe*r*, l'ou*r*agan, l'ai*r*, le sou*r*d fi*r*mament, les contor-sions sinist*r*es) l'impact d'une sorte de colère aérienne. Et certes le signifiant *regarde* se comprend lui-même dans l'orbe de cette vibra-tion ; par couplage il se lie même directement à ou*r*agan, puis, plus loin, à des mots ou syntagmes aussi essentiels que *gouffre*, *grève*, ha*g*a*r*d, ou va*g*ues entonnoi*r*s. C'est que le regard hugolien vit de tension, mais dans une énergie toujours tenue : elle lui permet de faire face à toutes les folies et déliaisons du rien.

Mais ces folies, ces souffles, ces agitations si puissantes, ne sont-ils pas marqués aussi d'un sceau libidinal ? Comment n'en pas former l'hypothèse, dès lors surtout que les diverses psychanalyses hugoliennes ont toutes souligné l'obsession scoptophilique qui marque cette rêverie ? Quelque chose de fascinant et d'interdit se donne pro-bablement ici sous les espèces d'un lointain coléreux, d'une trans-parence batailleuse, au regard qui s'en trouve sidéré. Quelque chose comme une scène primitive, où l'acteur paternel se trouverait incarné par tous les masculins grammaticaux de la série pneumatique, le vide, l'ouragan, l'air, le firmament, et le rôle féminin joué, au pluriel, peut-être pour en égaler la force, par ces *nuées* si lascivement (et sinistrement) ondulantes. Grande scène de séduction et de violence où le rien spatial tiendrait, en somme, tous les rôles à la fois. Il n'est pas besoin de lire anagrammatiquement *amant* dans *firmament*, ni, à la manière mallarméenne, *nue* dans *nuée* pour en reconnaître le secret. Chassé du giron de l'ombre-mère, le *je*-regard cherche main-tenant, hors et loin de lui, dans les divers jeux interdits du vide, l'origine ou le sens de son désir.

3. Puis la scène tourne encore, se renverse :

> *Mes paupières se sont au gouffre habituées.*
> *Toute l'obscurité du ciel vertigineux*
> *Entre en mon crâne, et tient dans mon œil lumineux.*

On reconnaît ici une suite immédiate de la scène précédente (2), avec une reprise du même point de départ subjectif et syntaxique *(je regarde..., mes paupières...)* — et en même temps un recommencement inversé de la scène initiale (1). Le dispositif d'inclusion s'y trouve en effet repris, mais avec un échange d'acteurs : au lieu du *je* au creux de l'ombre, c'est le vide désormais qui s'enferme dans l'espace du moi-corps. Et cet englobement s'opère, aspect nouveau, à travers le procès d'une durée. L'écriture, en une suite de termes prosodiquement marqués et phoniquement liés (*habituées* à la rime, *entre*, *tient* à l'attaque du vers ou de l'hémistiche, tout cela sous le signe de la dentale sourde), permet de suivre les phases principales de ce qui apparaît comme une pénétration, une invasion du vide dans le moi.

On pourra donc lire ce troisième mouvement comme une reprise transformée de la scène initiale. Certains éléments passent, puisque non modifiés, de l'une à l'autre : l'*ombre* y devient l'*obscurité;* d'autres s'y modulent différemment, le *trou* intime, par exemple, déchiré vertigineusement en *gouffre*. Le *front* surtout cesse d'y être une surface à caresser (et à rêver), pour se muer, sous forme dure et close, en cet organe nouveau de la contenance, le *crâne*... D'autres attaches relient ce vers au passage immédiatement précédent. Le syntagme du *ciel vertigineux* résume en lui toute la série aérienne : vide, éther, firmament, ouragan, etc. L'œil, surtout, qui regardait devient, parallèlement à la transformation *front-crâne*, des *paupières :* moyen pour le regard sans doute de se recouvrir, de se détourner de la tentation extérieure, de se renverser vers l'ombre de son propre dedans, mais aussi de se creuser, de se donner une capacité, ou un volume, de se rendre apte à accueillir en lui l'illimité.

Car cette intériorisation, ou introjection de l'objet libidinal ne peut s'imaginer bien évidemment sans paradoxe. Comment, en toute logique catégorielle, comprendre le mouvement en vertu duquel un contenu infini *(toute* l'obscurité du ciel *vertigineux)* entre dans un contenant fini *(mon* crâne, *mon* œil) et l'occupe, y *tient*, sans le faire éclater de sa pression ? Et comment admettre, à un autre niveau, l'intégration facile à l'espace positif du *je*, d'une instance aussi négative et dangereuse que le vide, sous sa forme ici d'*obscurité ?* L'*habitude* évoquée ne donne qu'un début de réponse sans doute insuffisante. Plus loin, dans la suite du texte, de telles apories donneront lieu, on le verra, à des débordements, des sorties hors du système établi de la dimension et de l'axialité. Mais ce n'est pas encore ici le cas. Le double paradoxe s'y règle en effet logiquement et dialectiquement à travers le geste (implicite) d'un dépassement et l'acte (explicite) d'un retournement. L'occupation du crâne par l'infini du vide infinitise sa qualité de contenant sous la forme nouvelle et implicite de *pensée :* une pensée capable de dialoguer avec le rien, ou d'en égaler, du moins, la vérité. Quant à l'ombre elle ne peut *tenir* dans le regard qu'en s'y convertissant aussitôt en son contraire, en y devenant l'espace de ce que le texte nomme un *œil lumineux.* Dépassement transcendantal (du corps vers l'esprit), renversement paradoxal (de l'ombre à la lumière) : ce sont là deux procédés, bien connus, de la stratégie hugolienne du salut.

4. Mais voici que la rêverie modifie sa base perceptive : délaissant pour un instant la fixité de l'œil-lumière, elle mobilise des formes plus obscures de contact :

> *Je sens frémir sur moi le bord vague du cercle,*
> *L'urne Peut-être ayant l'infini pour couvercle!*

Disposition spatiale inédite : du *je* à son *autre* vide elle n'instaure ni une inclusion (comme en 1 et 3), ni une extériorité lointaine (comme en 2), mais un voisinage, une contiguïté, une extériorité immédiate. Le je-corps s'y fantasme *au bord* du rien (et *sous* ce bord, comme le suggère curieusement le vers 10) : dans la proximité (la complicité ?) d'un *côte à côte* (qui serait aussi un *en-dessous*). Vide tangent, vide incube...

Cette nouveauté implique, ici encore, une refonte d'éléments connus. Le moi-regard, successeur lui-même du moi-rêve, y devient implicitement un moi-peau : apte non plus à voir, mais à toucher, à *sentir*, à éprouver obscurément une présence. Quant à l'espace vide, à partir de son agitation, puis de ses contorsions intérieures, il se donne l'activité plus secrète d'un *frémir*. Non certes sans un gain de vitalité : car qui peut frémir ici tout contre le moi (frémissement où se rejoignent sans doute horreur et délice) sinon quelque chose de semblable à une vaste chair, un être, en somme, pour la première fois accolé à son désir ? A moins que ce ne soit le *je* lui-même qui projette, ou partage en cet espace si voisin le tremblement de ce désir lui-même.

Cette situation brûlante, dangereuse, commande peut-être le travail d'imagination sensible dans le second hémistiche du vers 11, et dans la totalité du vers 12. Car ce vide si proche continue, comme dans la scène 1, à se donner sous la modalité éprouvée de contenance. Et cela même doublement, puisque à un contenant superficiel, le *cercle*, succède un enveloppement volumineux, celui de *l'urne*. Mais la rêverie s'efforce en même temps d'infinitiser ce contenant, de l'indéterminer, c'est-à-dire en un sens de l'éloigner, de l'ouvrir pour cela de toutes parts aux franges de la non-borne, aux doutes de la non-forme. C'est ainsi que la qualification, ou déqualification du *vague* efface quelque peu le frémissement trop précis du *bord*. Dans la petite construction allégorique qui suit, si hugolienne, *l'urne Peut-être* symbolise, à partir de sa connotation funéraire, l'ouverture d'une autre dimension virtuelle, celle du temps; ouverture close aussitôt sous le poids de la métaphore filée, et d'un très matériel *couvercle;* pour se rouvrir, il est vrai, dans le même instant, et sous une amplitude maximale, puisque ce couvercle est, paradoxalement, fait d'*infini...* Le texte opère ainsi, à toute vitesse, et presque dans l'immobilité d'un seul geste imaginaire, une sorte de battement de la limite et de la non-limite; il fait vibrer ensemble ces deux catégories spatiales incompatibles, du moins selon notre mesure habituelle : la forme déterminée *(urne/couvercle)* et l'indéfini sans forme *(vague/Peut-être/infini).* Face à cet effort « inouï » qu'en est-il de la libido personnelle ? A-t-elle à y perdre, à y gagner ? Immédiatement elle semble y perdre, puisque cette indétermination de l'objet est aussi un absentement : le vide frémissant, jouitif, s'y écarte du moi, il s'évide dans l'élan de son illimitation même. Mais celle-ci, troublant la mesure de l'espace, subvertissant la sécurité de ses coordonnées, attaquant en particulier, et presque jusqu'à la dissoudre, la catégorie si essentielle de contenance, n'offre-t-elle pas de nouvelles chances au langage poétique, et au désir ? S'y esquisse peut-être l'image d'un autre espace, tout à la fois primitif et potentiel. Et d'une autre façon d'aimer (la dira-t-on perverse ?). Est-il un *frémir* plus plein, plus libre, que celui d'une chair absolument absente, ou, cela revient peut-être au même, d'un corps illimité ?

5. Le mouvement suivant retrouve l'attache plus fixe d'un regard, et, du moins en son début, la sécurité d'un *vu* lointain :

> *J'ai pour spectacle, au fond de ces limbes hagards,*
> *Pour but à mon esprit, pour but à mes regards,*
> *Pour méditation, pour raison, pour démence,*
> *Le cratère inouï de la noirceur immense;*

A l'inverse de ce qui se passait dans la scène précédente du regard, la 2, c'est ici la multiplication des modalités subjectives, l'accumulation des formes personnelles d'attention *(esprit, regards, méditation, raison, démence)* qui viennent s'opposer, en un effet d'inutilité, à l'unicité, métaphorique, de l'objet : le *cratère inouï...* A l'intérieur de ce cadre reviennent des éléments familiers et transformés. *J'ai pour spectacle* reprend *mes regards; au fond de ces limbes hagards* module *au creux de l'univers*. Quant aux *limbes*, cette région théologiquement neutre, en marge, ni enfer, ni paradis, ni purgatoire, cette étendue hors-cadre, ce lieu hors-lieu, leur présence vient donner une sorte de sanction notionnelle au mouvement de perdition sensible, ou de désenclavement qu'avaient ébauché les deux vers précédents. Le vide, c'est bien le hors-définition, le vague, le neutre, et donc l'égaré, le sauvage : tout ce que Hugo vise dans l'épithète obsessionnelle de *hagard*. Folie de l'objet, à laquelle ne peut s'égaler dans l'esprit qu'un égarement semblable, que l'effort méditatif d'une raison devenue, l'ordre même du texte nous l'assure, une *démence*.

Surgit alors en bout de phrase, et comme au bout aussi de cet effort fou de la pensée, une nouvelle incarnation métaphorique de ce rien, le *cratère inouï de la noirceur immense*. L'ombre envahissante de la scène 3 s'y fait noir explosif, nuit détonante. Mué en volcan, le *gouffre* s'y retourne vers le haut, comme pour cracher toute la vigueur du négatif (*cratère : il crache la terre*, dit Leiris). A quoi tient la puissance de cette apparition ? Aux solidarités textuelles d'abord qui, attachant sémantiquement ce cratère à une longue série des contenants *(fronts, paupières, crâne, cercle, urne*, bientôt *entonnoirs)*, l'incluent aussi dans des lignes signifiantes névralgiques : de *crâne* à *cratère* le lien est évident, mais il existe aussi, dans la modulation sourd/sonore, vers *regards/ouragan/hagards*. Dans l'espace isolé du vers, *inouï/immense* ou *cratère/noirceur* forment de petits chaînons sonores où l'isophonie joue vers l'isosémie. Chacun des signifiés de la chaîne y projette immédiatement ses valeurs dans tous les autres. C'est le texte ainsi qui laisse librement, dira-t-on volcaniquement ? rêver sa littéralité.

A un autre niveau le pouvoir de cette entité nocturne tient peut-être à ce qu'elle enveloppe l'idée, toute nouvelle, d'une sorte de productivité du vide, ou d'une énergie cachée de la négation. La *noirceur* y renvoie, mieux que ses synonymes précédents, l'*ombre*, l'*obscurité*, à la saisie d'une sorte d'originalité matérielle, ou de substance-mère : elle est ce qui produit le noir, ce positif de la non-lumière, et cela en un lieu dont la connotation sexuelle est trop visible. Ce caractère contribue même peut-être à affoler quelque peu la vision, ou du moins, et à nouveau, à la dérégler, à en perturber l'ordre attendu. Car ce noir volcanique, rien ne dit s'il s'enfonce dans la bouche du cratère, ou s'il en surgit, pour faire éruption : la verticalité en demeure donc indécidée, en cela d'autant plus fascinante. Entrer, sortir, jouir, naître, n'est-ce pas après tout, nous dit l'inconscient, la même chose ? Quant à la logique de contenance, l'image du cratère la maltraite à nouveau, puisqu'une noirceur immense s'y enclôt dans l'étendue, forcément limitée, d'une bouche de volcan. Infini enserré en un fini, non plus cette fois pour l'indéterminer, mais pour se déterminer au contraire à partir de lui, pour y venir au monde. D'où l'ouverture d'une autre énigme : celle non plus d'un *peut-être*, mais d'un *être*, dans l'actuel, dans le déclaré de sa genèse même.

6. Le dernier mouvement s'enchaîne à celui-ci, comme déjà la troisième scène à la deuxième, par un redépart de la durée :

> *Et je suis devenu, n'ayant ni jour ni bruit,*
> *Une espèce de vase horrible de la nuit*
> *Qu'emplissent lentement la chimère, le rêve,*
> *Les aspects ténébreux, la profondeur sans grève,*
> *Et, sur le seuil du vide aux vagues entonnoirs,*
> *L'âpre frémissement des escarpements noirs.*

A travers l'image du *moi-vase* — celle du *cercle*, ou de l'*urne* passée de l'aire de l'objet à celle du sujet —, se rêve, comme en 3, le schème d'une intériorisation progressive de l'objet. Mais ce moi-récipient se donne en même temps comme un moi-seuil, par une logique venue cette fois de la scène 4 *(Je sens frémir sur moi le bord vague du cercle)*. Le rapport spatial du *je* au vide s'y parle donc pour finir comme une synthèse temporelle *(et je suis devenu* reprenant les *paupières au gouffre habituées)*, mais sans achèvement possible, de contenance et de marginalité.

Quant au vide objectal, il s'invente six modalités successives d'apparition : ce nombre déséquilibre, comme en 2, son rapport avec la singularité du *je (une espèce de vase)*, tout en retournant le déséquilibre inverse sur lequel s'était construite, on s'en souvient, la scène précédente... Les deux premières de ces modalités — *chimère, rêve* — relèvent assez nettement d'une isotopie mentale : si bien qu'au terme de la vision, au moment où ce sont des objets psychiques qui viennent lentement se déverser dans l'espace réceptif du moi, on ne sait plus, vraiment, ce qui est ici esprit et ce qui est monde, ce qui provient d'une intentionnalité externe et ce qui est produit par l'activité, plus ou moins consciente, d'un dedans. Dedans et dehors confondent ainsi à nouveau leurs territoires, et cela non sans conséquence pour le statut même du poème : car ces *rêves*, ces *chimères* où le moi s'emplit de sa propre invention, ne désignent-ils pas aussi, comme en un retournement final du texte sur lui-même, la plupart des scènes où nous avions cru voir un *je* viser la présence (ou le manque) d'un objet ? Il n'y a pas eu d'objet, semble dire ce vers 18, ni non plus de sujet : rien qu'une lente migration d'images, que la traversée, objective/subjective, d'un unique espace fictionnel.

Les trois derniers vers reprennent cependant, après ce moment de doute, la tension d'une vision d'objet. Mais de l'objet le plus élusif, le plus incertain que puisse appréhender l'activité aveugle d'un regard. Dans *aspects ténébreux* l'indétermination s'opère à travers la libre abstraction du substantif, et la seule valeur d'approfondissement que lui confère l'adjectif. Dans *profondeur sans grève*, c'est une détermination négative qui ouvre latéralement le profond, l'empêchant de s'enclore en *cercle* ou en *urne*. Quant à la qualité, ou l'inqualité du *vague* (elle glisse littéralement dans le *vide*, le *vase*, le *rêve*, la *grève*...), elle s'attache de manière explicite au dernier avatar métaphorique du néant spatial, l'*entonnoir*. On reconnaîtra en ce dernier objet, si curieusement familier et domestique, l'appel d'une forme obsessionnelle : mais c'est aussi, comme le cratère, et à sa suite, un cône descendant de noirceur, un trou convergent qui organise en lui, à la manière d'une sorte de piège, la fuite ou la perte incompréhensible de la nuit.

Et quel commentaire apporter au dernier vers de notre texte, si démesuré, si « inouï » lui aussi : *L'âpre frémissement des escarpements noirs ?* Il faudrait d'abord témoigner de son impact, accru encore par un effet d'attente, la mise entre parenthèse syntaxique du groupe déterminant antécédent *(Et, sur le seuil du vide...).* On reconnaîtrait aussi le caractère à la fois tendu et carré de sa puissance. Le *carré* tient sans doute à la symétrie parfaite de sa structure en chiasme, ou en miroir, chiasme prosodique, phonique, syntaxique, sémantique. Deux adjectifs de qualité y enchâssent deux substantifs abstraits, tous deux masculins; un écho phonique va d'un adjectif liminal à l'autre, d'*âpre* à *noirs;* un autre écho (en *s/m*) et un effet de rime relient les deux substantifs focaux, *frémissement* et *escarpements*; le premier adjectif, *âpre*, s'inclut en outre anagrammatiquement dans le second substantif, *escarpement*, et une chaîne de vibrantes homogénéise l'ensemble des quatre termes. La tension provient, elle, entre autres choses, du déséquilibre qui se crée entre les deux très brefs adjectifs enchâssants (bi- et monosyllabes), en position soulignée (attaque et rime), et la double masse quadrisyllabique des deux longs substantifs centralement enchâssés. « Abrupt » d'une réciproque mise en valeur par le maximum de différence. Et clôture de l'objet aussi, dans la résonance, initiale-terminale, d'une seule qualité primordiale, l'âpreté/noirceur. Tout cela permet à ce dernier vers d'arrêter en lui tout le mouvement textuel antécédent, de le poser sur une sorte de socle verbal inébranlable.

Mais le pouvoir de cette « vision » ultime, sa capacité, toujours si neuve semble-t-il, d'ébranlement, ou de contagion, tiennent peut-être aussi à des valeurs toutes différentes. A cette vertu en particulier de *trouble*, à ce *louche* catégoriel dont on a vu se marquer déjà quelques-uns des moments essentiels de la vision. Ainsi dans ce *frémissement*, affect ou espace, entité quasi vivante en tout cas, sorte de sensation-chose (elle remplit un vase...) devenue plus matérielle encore et plus proche du moi (de sa main, de sa peau), plus contagieuse donc aussi, par la qualification tactile de l'*âpre* (et par son ambiguïté : contact et déchirement, ouverture et révulsion). Ce *frémir* se propage longuement, physiquement, et se détermine, ou s'indétermine, dans l'espace final des *escarpements noirs*. Mais de ceux-ci, autres abstraits/concrets, autres qualités/objets, on ne sait trop, à nouveau, s'ils renvoient à l'abîme ou à la falaise, à l'enfoncement vide de l'espace ou à ce que Hugo nomme ailleurs « le gouffre d'en haut » : en termes libidinaux, peut-être, au plein de la jouissance ou à sa dénivellation essentielle, au tranchant de son altérité, à sa coupure, à la mort qu'elle se donne toujours pour horizon. Toute l'intensité de leur à-pic tient sans doute à cette indécision même, à la capacité qu'ils ont d'imposer en eux une sorte d'absolu pulsionnel, et comme non dimensionnel du vertical. L'*escarpé* hugolien, si fréquent, si lourd, toujours, d'affect et de fantasme, doit ainsi se lire comme un mode de dérèglement du paysage. Or le même type d'outrance, ou de débordement, affectait déjà ici, on s'en souvient, la relation d'extériorité (le rapport dedans/dehors) et celle de contenance (le lien de l'englobant et de l'englobé). Le texte hugolien s'invente ainsi un objet, ou un manque d'objet, en une suite cohérente de figures d'espace : mais pour défigurer en même temps la plupart de ces dispositifs, pour les gauchir, pour les in-disposer, et faire de cette indisposition le lieu d'une jouissance propre : ici, d'un *frémissement*, d'un *vertige*, d'une *âpreté*, d'une *noirceur*... Et lorsqu'il se clôt, sur le mot *noirs*, précisément, nous sentons bien que ce monosyllabe, condensant sous sa brièveté l'énergie de toutes les ombres et obscurités antécédentes, fixe la rêverie, et l'écriture, sur une dernière énigme : la clôture illimitée, ou l'intensité d'un point vraiment final.

La fiancée du vent

Il s'agira, dans les quelques pages qui suivent, de lire, ou de tenter de lire ce court passage de *la Sorcière* de Michelet (début du chapitre VII du livre I, intitulé *le Roi des morts*) :

Elle ne fut pas d'abord bien touchée de ces promesses. Un ermitage sans Dieu, désolé, et les grands vents si monotones de l'Ouest, les souvenirs impitoyables dans la grande solitude, tant de pertes et tant d'affronts, ce subit et âpre veuvage, son mari qui l'a laissée à la honte, tout l'accablait. Jouet du sort, elle se vit, comme la triste plante des landes, sans racines, que la brise promène, ramène, châtie, bat inhumainement; on dirait un corail grisâtre, anguleux, qui n'a d'adhérence que pour être mieux brisé. L'enfant met le pied dessus. Le peuple dit par risée :
« C'est la fiancée du vent. »
Elle rit outrageusement sur elle-même en se comparant. Mais du fond du trou obscur : « Ignorante et insensée, tu ne sais ce que tu dis... Cette plante qui roule ainsi a bien droit de mépriser tant d'herbes grasses et vulgaires. Elle roule, mais complète en elle, portant tout, fleurs et semences. Ressemble-lui. Sois ta racine, et, dans le tourbillon même, tu porteras fleur encore, nos fleurs à nous, comme il vient de la poudre des sépulcres et des cendres des volcans.
« La première fleur de Satan, je te la donne aujourd'hui pour que tu saches mon premier nom, mon antique pouvoir. Je fus le roi des morts... *Oh! qu'on m'a calomnié!... Moi seul (ce bienfait immense me méritait des autels), moi seul, je les fais revenir... »*

On distinguera dans cette page six séquences essentielles. La première recouvre la phrase initiale :

Elle ne fut pas d'abord bien touchée de ces promesses.

Phrase qui a, en premier lieu, valeur de charnière narrative. Elle appuie le mouvement d'écriture qui s'entame aux lignes finales du chapitre précédent, celles où Satan prédisait à la sorcière, chassée du village et de la société, la revanche et la royauté gagnée sur ses persécuteurs : « Voilà ton royaume, lui dit la voix intérieure. Mendiante aujourd'hui, demain tu régneras dans la contrée. » Sur ce dernier mot du chapitre VI, se relance, rebondit ainsi, négativement, le chapitre VII. Mais ce rappel a une autre fonction narrative encore : il est aussi une anticipation, un signe fait à quelque chose qui viendra plus tard, une *amorce*, destinée à créer une attente et à exciter l'intérêt de la lecture. Le *d'abord*, qui ouvre une première phase, négative, de l'histoire de la sorcière exilée, annonce implicitement en effet un *ensuite*, marque d'une seconde période où les valeurs posées dans ce premier moment seront modifiées, peut-être même renversées. Il nous amène donc à lire tout ce qui le suit immédiatement, le pathos de la femme abandonnée, à la lumière d'une évidence sue provisoire, d'une vérité destinée à être dépassée. Ce qui, d'une certaine façon, en soulage, ou en dément *a priori* l'horreur. Nous entrons avec lui, en toute connaissance de cause, dans l'espace d'une sorte d'intervalle diégétique négatif, d'entre-deux entre le moment, positif, où la promesse a été faite, et celui, plus positif encore, où elle sera tenue.

Car le dispositif thématique, qui dès le départ installe le motif de l'*avenir*, confirme ici la petite machine narrative. Il se fonde, comme d'ailleurs tant d'autres mouvements de *la Sorcière*, sur une reprise et un détournement, voire un renversement de la thématique évangéliaire. Cette « promesse » satanique d'un « royaume », d'un empire quasi spirituel (mais bientôt scientifique, médical) exercé sur les corps et sur les âmes, c'est bien l'équivalent retourné de la « bonne nouvelle », celle que le Seigneur apporte à ses élus. Nouvelle d'une domination et d'un salut, d'une euphorie finale accomplie par-delà les tribulations du négatif. La réalisation de la promesse implique pour la sorcière, comme pour son modèle christique, la traversée préalable du supplice, et c'est justement un tel supplice dont les lignes suivantes (séquences 2 et 3) s'appliqueront à rêver le décor, les acteurs, les souffrances.

Michelet imagine donc une sorte de Gethsémani, puis de Golgotha de son héroïne révoltée : le moment de l'abandon et de la torture, mis en scène par lui dans une décharge pleinement pulsionnelle, mais autorisée pourtant (c'est là peut-être l'une des fonctions du modèle biblique : permettre, couvrir la jouissance inavouable). Et certes cette scène obsédante se recommence souvent, sous des formes variées, et d'ailleurs bien plus terribles que celle-ci, dans toute l'étendue du livre (lapidation, lacération, viol, pendaison, brûlure, emmurement, enterrement, etc.) : ici elle est entièrement soutenue, il vaudrait peut-être mieux dire *contenue*, par le motif rédempteur de la *promesse*. Car le protocole supplicial sera, nous le savons à coup sûr, suivi d'une réparation et d'un triomphe. C'est à un tel retournement, sous forme d'ailleurs plus prophétique encore que réelle, que nous fera assister la séquence 5 de notre texte. Notre première séquence a pour fonction de l'annoncer : d'en poser (thématiquement) le motif et d'en programmer (narrativement) la venue.

Mais elle ouvre en même temps une autre série thématique importante, directement rattachée au pathos d'un corps souffrant : cela à travers le mot clef *touchée*. Ce prédicat premier de la sorcière, nous pouvons l'entendre de deux manières : il signifie d'abord que la promesse satanique est, pour l'instant, non seulement non tenue, mais non *crue* de celle à qui elle a été faite. Le Gethsémani ou le Golgotha de la sorcière s'aggraveront donc de ce malheur suprême : celui d'une incrédulité. Négativité intériorisée, si l'on veut, qui redouble la souffrance objective du contrat non rempli. Mais le même mot déclenche aussi, et sur un autre plan, une rêverie toute-puissante, qui va secrètement régir la suite immédiate du mouvement d'écriture. S'il est pris non pas figurativement, mais *à la lettre* — l'un des tours favoris de l'inconscient, on le sait —, c'est le paradigme, si sensible chez Michelet, du *contact* qui se trouve par lui mobilisé. Or toute la souffrance de la sorcière abandonnée se résumera bien ici en un drame du toucher. Toucher manquant de l'être désiré (solidarité physique rompue avec l'*homme*, et avec le monde); toucher insupportable des êtres indésirables (les persécuteurs qui battent, écrasent, moquent). Sans oublier les deux variations possibles de ce dilemme supplicial, variations d'ailleurs successivement essayées par notre texte dans ses séquences 2 et 3 : le manque comme agression (c'est la version sadique de la privation, éprouvée sous le chef d'une qualité spécifique, l'*âpre*), la persécution comme plaisir (version masochiste de la même scène, vécue sous le couvert d'une autre épithète de nature : le *triste*). Jusqu'à, troisième solution, tentée plus loin, à la séquence 5, l'assomption jouitive et narcissique d'un contact définitivement rompu. On voit la pertinence sensuelle, la puissance d'affect (indirecte, déplacée) de ce premier mot si discret, et pourtant si essentiel.

Et la textualité, qu'a-t-elle à nous donner à voir, ou à entendre ? Peu de chose encore : il lui faut plus d'espace pour lancer le jeu de ses connexions. On sera tenté de couper prosodiquement la phrase après l'adverbe *d'abord*, essentiel, on l'a vu, à la fonction narrative, souligné en outre par une allitération proche de labiales, d'a*b*ord *b*ien, elle-même modulée en un écho plus lointain et dévoisé : *p*as/*p*romesses. Tout tournerait alors autour de cette double labiale, de ce contact phonique effectué au moment même où le contact sensible (elle *ne* fut *pas* d'abord bien touchée) se trouve sémantiquement nié. Ce ne serait pas la première fois que le *dire* d'un texte contredirait, ou compenserait son *dit*. On en trouvera plus loin d'autres exemples. Ici cette articulation dessine aussi un rythme; elle instaure le battement équilibré de deux heptasyllabes, l'une des formules prosodiques les plus fréquemment utilisées, on le verra, dans la suite de notre texte.

II

Et voici maintenant ouvert le paysage même de l'épreuve :

> *Un ermitage sans Dieu, désolé, et les grands vents si monotones de l'Ouest, les souvenirs impitoyables dans la grande solitude, tant de pertes et tant d'affronts, ce subit et âpre veuvage, son mari qui l'a laissée à la honte, tout l'accablait.*

Dans les trois isotopies successives, et parallèles, non métaphorisées, où se développe le texte, celle du paysage extérieur (l'ermitage, les vents, l'Ouest), celle du corps psychique (les souvenirs, la honte), celle du corps intersubjectif et érotique (les affronts, le veuvage, le mari absent), domine le même motif directeur du *manque*, d'un manque peu à peu, et paradoxalement, modulé en *agression*.

Tout se donne donc ici sous la figure de l'absence. Au niveau du monde l'*ermitage* (nouveau renvoi au décor de la tradition religieuse) s'avoue explicitement *sans Dieu :* ce qui ruine aussitôt, ou renverse sa fonction habituelle. Détermination négative reprise et complétée par la notion de solitude fournie en *désolé :* l'accroissent encore la valeur privative du préfixe *dé* (de *dé-solé*), parallèle à la préposition *sans*, et la forte allitération proche *s/d-d/s*, qui la déporte, elle, du côté de la redondance textuelle, d'une emphase assimilante, donc du chant et de la poésie. On verra plus loin toute la puissance de développement anagrammatique de cette cellule consonantique, *d-s*, ou *d-s-l*.

Puis, première transformation, toujours opérée dans le paysage externe, l'espace se décline du plus clos au plus ouvert. De l'ermitage refermé on passe au vaste de la lande et des vents qui la parcourent : vastitude aérienne (les *grands vents*), océanique (ouverture implicite, horizon de l'*Ouest*), et même temporelle. C'est le thème, si maléfique chez Michelet, de la *monotonie*, expressif d'une durée sans relief ni limite, où la vie se perpétue sans qu'il lui soit jamais donné l'occasion de s'altérer. Dans ce nouveau dispositif spatial les mêmes thèmes se répètent : subtilement modifiés pourtant. La privation littérale (*sans* Dieu, *dé*solé) s'y concrétise en immensité vide, et celle-ci se dynamise en agressivité mauvaise, c'est-à-dire en *vent*. Vent : figure d'une privation retournée, activement, contre la créature privée. Nous touchons là à un motif majeur de toute l'œuvre, motif marqué, ce qui en facilite les riches développements ultérieurs, du signe satanique. Par séduction volatile, ou par pénétration pneumatique, c'est le plus souvent en effet sous forme aérienne — souffles, haleines, fumées, murmures — que s'opère ici l'approche diabolique. Satan, invisible, et pourtant partout présent, partout caressant, si vite insinué, c'est l'*air* même dans lequel baigne toute existence tentée. Ici cette valeur n'apparaît pas encore de manière explicite : les grands vents monotones ne sont qu'une modalité active du vide, qu'un retournement physique de l'absence en agression. Mais, présente dans la mémoire du lecteur, elle est posée à l'horizon implicite du motif. Et c'est cette prégnance, d'ordre thématique, qui commandera la si étonnante mutation ultérieure de notre motif, depuis le vent monotone jusqu'à la brise punitive, à cette brise dont la sorcière devient la « fiancée » (fiancée du vent, fiancée du diable), puis à ce tourbillon démoniaque où elle achève son émancipation, érotique et narcissique. Si bien que l'implicite du motif pèse de façon décisive sur toutes ses modulations textuelles, tous ses avatars narratifs.

Revenons-en à notre développement séquentiel. La modulation suivante opère une conversion d'isotopies. On y passe du paysage extérieur au paysage interne, mais sans rien modifier, ou presque, dans la machine, maintenant bien lancée, de la privation persécutrice, du manque agressif. Car les *souvenirs impitoyables*, instruments par lesquels une absence redevient présence, et présence cruelle, se donnent bien comme l'équivalent psychique des grands vents monotones de l'Ouest. Souvenirs, vents de la mémoire. Le travail du texte (on en reparlera précisément plus loin) souligne cette similitude, avec la répétition litanique de *grands/grande* et l'écho qu'*impitoyable* apporte à *monotone*.

La quatrième variation sémique du même motif nous en propose —

peut-être à partir d'une explicitation réclamée par le dernier mot de la variation précédente, *solitude*, mot déjà tourné vers plus d'abstraction — une formulation plus proche du concept. *Tant de pertes et tant d'affronts :* voilà un résumé cumulatif de tout le passé désastreux de la sorcière. Mais ce groupe de mots nous fournit aussi, toujours enveloppé dans un pathos de concrétude et d'agression (marqué par l'exclamatif, par le pluriel), une mise au point intellectuelle de son drame ; il pose explicitement sa double polarité de perte et d'affront, d'affront par la perte, ou de perte affrontante. Toujours le même tourniquet du manque et de la persécution.

Mais voici que le tourniquet semble s'arrêter et que le texte vise un point fixe, une position focale. Focale, mais vide toujours. A travers tous les pluriels où se multipliait pathétiquement, mais se dispersait aussi, se voilait peut-être l'acte persécuteur (*les* vents, *les* souvenirs, *les* pertes, *les* affronts), on en arrive à la vérité unique, singulière d'*une* situation tragique, d'*un* veuvage, situation elle-même liée à l'absence d'*un* objet particulier de désir, *un mari*, qui l'a *laissée*, et qui lui fait défaut. Voilà l'origine, et la vérité du manque, son trou brutal, et infini. La seule vraie torture du désir : à la femme ne peut véritablement manquer qu'un homme, c'est là ce que dit finalement cette énumération d'actants persécuteurs. On remarquera ici la précision cruelle des qualifications. Ce *veuvage* est dit *subit* et *âpre*. Le *subit* temporalise le fait de la coupure libidinale ; il aiguise la césure de l'*avant* et de l'*après* (dramatise, si l'on veut, la castration). L'*âpre*, adjectif aimé de Michelet, la tactilise en quelque sorte, la renvoie à une problématique toute charnelle du contact. L'âpreté marque la rupture du lien sensuel entre corps et corps, corps et monde : contact cassé, mais contiguïté continuée. D'où l'*âpre*, non-contact déchirant, rapport hostile entre l'objet rugueux et la peau hérissée.

Le *mari*, enfin, tache aveugle dans tout ce décor fantasmé du manque, supporte la double qualification dont on a chaque fois reconnu ici l'action. Il est l'actant personnel, historique de l'abandon, celui qui *a laissé* sa femme ; mais aussi celui de la persécution, puisqu'il l'a laissée *à la honte*, l'a livrée, dans une scène précédente, au troupeau hurlant de ses ennemis. Complice par là de l'agression et finalement aussi, par un détour, mais indubitablement, son auteur.

Toute cette conjuration, cette pression de sujets absents et tortureurs, réclamait un aboutissement : il est donné par le prédicat final, l'*accablait*. Terme signifiant à la fois au physique et au psychique. Pour mieux en apprécier l'horreur implicite, il suffit de se souvenir du caractère puissamment négatif, et même tragique, qui est attaché, dans toute l'étendue de l'œuvre, au thème de la *verticalité écrasante*, et à tous les motifs concrets chargés de le manifester : la tour, le château sur la colline, l'église, la prison scellée, le tombeau enterré, mais aussi, dans d'autres registres, le dogme, l'or, la scolastique... Toutes figures, dit Michelet, du même « cruel pressoir à briser l'âme ». C'est bien dans un tel pressoir, pressoir fait seulement d'absence et de désir frustré, que la sorcière se trouve, à ce point du texte, coincée et « accablée ».

Or cette machine à écraser, il faut bien voir qu'elle ne fonctionne pas ici au seul niveau d'une vérité signifiée. La lecture sémantique, ou thématique (thématisme : sémantisme de la série personnelle, de la singularité apriorique, d'une parole toujours implicitement ouverte vers un horizon particulier de sens), cette lecture est donc ici spontanément accompagnée, comme en tout objet littéraire, ou peut-être précédée, disons, en tout cas, redoublée, par l'acte d'une autre sorte de compréhension : attachée, celle-là, aux diverses formes ou figures signifiantes simultanément actives dans l'opération du texte.

Regardons, par exemple, à côté de l'architecture de la signification, comment fonctionne ici le dispositif syntaxique de la signifiance. Les six formes déjà analysées de la privation agressive se construisent en autant de sujets juxtaposés (les deux premiers seulement coordonnés par un *et*) venant aboutir au seul verbe final, où se dit l'accablement. Effet d'une cumulation grammaticale (résumée, concentrée au dernier moment dans un ultime sujet, le monosyllabe *tout*) que l'on peut juger homologue à l'effet signifié d'écrasement. Dans la scène écrasante l'imparfait *(accablait)* marque alors la durée du supplice. La sorcière elle-même n'y intervient que sous la forme d'un pronom personnel objet (*l'*accablait), pronom qui subit solitairement, et passivement, tout le poids amoncelé (poids syntaxico-sémantique) de l'instance opprimante. D'où un effet de déséquilibre entre le nombre, l'activité, la variété des rôles persécuteurs et la singularité, la passivité du rôle persécuté. Effet qui, sur ces deux plans, répond à la poussée d'un désir très précisément sadique.

Pourtant ce travail textuel de la cruauté (lié à la forme d'un déséquilibre, d'une inégalité entre les forces mises en jeu dans la scène supplicielle) se trouve en même temps ici réparé, ou compensé, par des forces signifiantes de direction inverse; allant, elles, dans le sens d'une régularité, d'un état quasi symétrisé de la parole, dirigées vers la limite d'un chant, voire d'une célébration de l'abandon.

Voyez, par exemple, la préférence évidente que le texte manifeste ici pour la construction paire et l'organisation binaire. Les actants persécuteurs sont au nombre de six, et chacun d'eux fait fonctionner, avec des modalités fort diverses, des couples de sujets ou de prédicats

61

parallèles. Ainsi : dans le premier, juxtaposé, un groupe prépositionnel et un adjectif participial : *sans Dieu, désolé;* dans le deuxième deux adjectifs épithètes situés de part et d'autre du substantif déterminé : *grands* vents, si *monotones;* dans le troisième, qui répète, on l'a vu, le deuxième, les adjectifs *impitoyables, grande,* se redoublent, mais aussi les substantifs, *vents, solitude* disposés avec les adjectifs en chiasme et en écho lointain *(les souvenirs impitoyables dans la grande solitude);* le quatrième, *tant de pertes et tant d'affronts,* réalise une symétrie parfaite, coordonnée, au niveau des exclamatifs et des substantifs, de la même façon que le cinquième, ce *subit* et *âpre* veuvage, au niveau des qualificatifs. Seul le dernier actant, le *mari...,* échappe à cette prégnance de la répétition duelle : il s'évade de la série formelle dont il constitue à la fois l'aboutissement et l'origine, ou, si l'on préfère, la vérité, jusque-là dissimulée.

Une étude de la prosodie (il n'est pas question de la mener ici sérieusement) confirmerait sans doute au niveau du rythme cette tendance à un parallélisme binaire. Ici encore prédominent les groupes réguliers, la scansion paire : dix, puis douze syllabes (en un véritable alexandrin ternaire : *et les grands vents si monotones de l'Ouest*); seize (déséquilibré en neuf/sept); puis deux octosyllabes parallèles *(tant de pertes et tant d'affronts; ce subit et âpre veuvage),* dix, et enfin quatre, en chute brève. Un discours situé, en somme, à la limite du vers régulier, et presque, on le verra bientôt aussi, de la rime, ou du moins de l'assonance. De quoi balancer l'accablement, le faire *battre,* revenir et résonner sur soi : de quoi en instaurer en tout cas la mélopée, en animer le lamento.

Mais cette mélopée, *qui* la chante ? Ce lamento, *qui* le pleure (ou le célèbre) ? Personne, bien évidemment, s'il s'agissait seulement ici de cette forme impersonnelle de présentation des événements passés que Benveniste nomme, on le sait, une *histoire.* Mais bien des marques textuelles entraînent aussi ces lignes vers le registre du *discours,* y faisant intervenir la voix de l'instance énonciatrice, celle, disons vite (trop vite), de « Michelet », ou du *je* écrivant lui-même. Ainsi les trois exclamatifs, *si, tant, tant,* et le déictique *ce.* La sorcière n'est donc pas seule en réalité dans son épreuve de la solitude, puisque le texte, la voix énonciatrice ne cessent de l'y accompagner et de l'y plaindre en sousmain. Une vibration toute michelettiste anime ici les malheurs de la frustration féminine. Vibration déplorante, ou peut-être, et inversement, jubilante, secrètement ravie, si l'on pense que l'instance énonçante profite du dispositif sadique si bien ici monté (monté par ellemême) pour y laisser, en quelques soupirs, glisser, parler sa jouissance. Cette nuance, le texte en tout cas ne la fixe pas : il oblige son lecteur (victime ou bourreau ?) à en assumer le trouble, l'indécidable.

Un dernier élément de jouissance, enfin, serait celui que procurerait à son lecteur la phonie de ce texte, la densité et la délicatesse tout à la fois de son tissage musical. Il mériterait d'être analysé dans l'extrême détail de ses nœuds, liens, échos. On y verrait que tantôt ceux-ci jouent en une organisation rapprochée, pour assurer phoniquement l'homogénéité de chaque unité syntaxico-prosodico-sémantique; tantôt ils se nouent d'une unité à l'autre, pour les entrelacer musicalement; tantôt ils courent à travers tout le volume acoustique du texte qu'ils unifient, régulièrement ou irrégulièrement, et à ses divers niveaux.

Quelques exemples seulement de ce travail si varié. A partir de l'allitération première *s*ans *D*ieu/*dés*olé, il semble que se forme une sorte de cellule consonantique mère, *s*/*d*, ou mieux peut-être *s*/*d*/*l*, modulable, par dévoisement du *d*, en *s*/*t*/*l*, qui se répète en des groupes syntagmatiques tels que : *de l'Oues*t, *soli*tu*de*, *le*s *s*ouvenirs (impi*t*oyable*s*), *l'*a *l*ai*s*sée à *l*a hon*t*e. Véritable chaîne phonico-sémique de la *solitude*, dotée en outre d'une fonction prosodique, puisque quatre de ses occurrences *(désolé, de l'Ouest, solitude, à la honte)* se trouvent en fin de quatre des groupes sujets, en position donc de rime, et d'accent. Dans les espaces laissés par cette chaîne maint autre maillage plus étroit : ainsi au début les échos vocaliques des *en* (s*an*s Dieu, les gr*an*ds v*en*ts, gr*an*de), des *o* (dés*o*lé, m*o*n*o*t*o*ne); plus importante, après *solitude*, et focalisée sur le syntagme *tant de pertes*, la combinaison consonantique *p*/*r*/*t*, partiellement présente déjà dans e*r*mi*t*age, im*pi*t*o*yable, puis active dans *t*ant d'aff*r*onts, s*u*bi*t* et â*pre*. Chaîne de l'agressivité, tissée, tramée à celle de l'abandon. Dernier exemple, qui joue sur l'interconnexion de deux segments prosodiques successifs, l'avant-dernier et le dernier de cette séquence 2 : une petite tresse consonantique *l*/*t* (reliée d'ailleurs à notre première cellule matricielle *s*/*l*/*t*) assure l'intégration du groupe formé de : *l*ai*s*sée à *l*a hon*t*e, à celui constitué par : *t*out *l'*accablait. Petit chiasme phonique, renversement dernier, par lequel la phrase confirme sonorement sa cohérence.

Il faudrait continuer. On le pourrait presque indéfiniment, sans épuiser la richesse de cette texturation sonore. Le dit de la frustration souffrante, c'est aussi (pour son lecteur, pour son dicteur) le dire de la pulsion gratifiée. Conclusion (provisoire sans doute) : l'objet sexuel manque, mais il est remplacé par le dire de son manque, par la littéralité, la corporéité, l'intensité de son écriture.

III

Puis la scène change, le dispositif libidinal se modifie, et d'une certaine manière se retourne. L'ordre rhétorique, surtout, connaît une innovation décisive (l'entame d'une longue comparaison). Changements par l'opération desquels le texte va être peu à peu porté, emporté au-delà de ses significations déjà atteintes :

> *Jouet du sort, elle se vit, comme la triste plante des landes, sans racines, que la brise promène, ramène, châtie, bat inhumainement ; on dirait un corail grisâtre, anguleux, qui n'a d'adhérence que pour être mieux brisé. L'enfant met le pied dessus. Le peuple dit par risée : « C'est la fiancée du vent. »*

Le supplice continue, on le voit, mais sous le chiffre, d'abord, d'une autre formule syntaxique, et actantielle. Au lieu d'une seule phrase, faite d'une suite de sujets accumulés, et aboutissant à une unique action finale, la lecture traverse plusieurs phrases indépendantes, parataxiquement liées (ou non liées), et plusieurs verbes variant concrètement cette action solitaire. L'*accablait*, situé en fin de séquence 2, semble donc avoir maintenant déclenché son propre monnayage sensuel en des actes tels que : *être promené, ramené, châtié, battu inhumainement* (série prédicative parallèle de la série subjective de notre séquence 2), *être brisé, se faire mettre le pied dessus, se faire moquer de soi*. Cette nouvelle phase d'écriture déploie donc activement le protocole devenu physique d'un supplice dont la précédente n'avait posé encore que le schéma spatial et que l'affect (l'accablement). D'où un enrichissement fantasmatique, lié aussi à une modification dans la nature des actants-bourreaux. Parmi ceux-ci il y a certes d'abord la *brise*, continuatrice des *grands vents*, affichant plus précisément encore qu'eux la nature punitive, « inhumaine », capricieuse (elle bat, promène, ramène...) de l'instance pneumatique : traits qui sont aussi, non par hasard, ceux de l'instance satanique... Mais on voit apparaître à côté d'elle deux nouveaux bourreaux, présents cette fois (non plus manquants), et animés. Sujets collectifs (trace du pluriel de tout à l'heure), et d'ailleurs couplés : l'enfant, le peuple. Par eux la scène supplicielle se réintègre, au moins mythiquement, dans la société et dans l'histoire : mais cela au prix d'une douleur supplémentaire, d'une autre déchirure. Car peuple et enfant, ces parents thématiques, ces alliés naturels de la sorcière, sont justement les forces qui se chargent ici d'assurer (métaphoriquement) sa ruine et sa brisure.

La cassure intersubjective et sociale confirme donc le bris physique. En même temps la prosodie se fait plus discontinue (plus « cassée » ?). Ou du moins c'est selon une suite d'unités moins parallèles que la phrase se construit : 8-9-3; 6-2-2-5; 8-3-13; 7-7-6. On remarquera pourtant la résurgence, en deux lieux essentiels du développement, des régularités, paires ou impaires. Dans la suite : *que la brise promène, ramène, châtie inhumainement,* la petite strophe 6-2-2-5; à la fin, à partir de l'*enfant,* symétrique du *peuple,* la triade 7-7-6. C'est là, si l'on veut, le moment non plus de la pression, mais de l'éclatement, du morcellement (dramatique, corporel) : à peine réparable encore par la régularité, diminuée, du chant.

Et *qui* vit ici le drame de l'éclatement, *qui* en jouit ? Il faut se poser à nouveau cette question, déjà soulevée à propos de la séquence 2. Or il semble bien que la voix énonciatrice, attachée au régime du *discours,* continue à se marquer à travers des qualifications pathétiques telles que *triste, inhumainement,* ou, anonymement, dans le *on* de *on dirait.* Mais cette voix est désormais soumise au pôle d'une autre subjectivité, nouvellement apparue, et qui gouverne, sur le plan à la fois grammatical et actantiel, tout le jeu libidinal de ce second acte. C'est celle de la sorcière elle-même qui, d'objet passif de l'*accablait,* devient sujet actif du voir, ou plutôt du *se voir.* Cette transformation du *la (l')* au *elle (elle se vit)* suffit à modifier le sens (la direction pulsionnelle) de ce qui est ici écrit. Toujours la même chose, bien sûr, mais contractée dans la ponctualité d'un passé simple (d'un acte de conscience), et pleinement récupérée par le regard de la victime : une victime se sachant, dès le départ de la phrase (et non plus en sa fin), et se voyant victime, « jouet du sort », puis battue, brisée, moquée. Ce voir-savoir lui permet d'une certaine manière de contrôler son supplice, et donc, au moins dans la logique de l'écriture, d'en jouir. A la position sadique succéderait ainsi, normalement — puisque c'est la même retournée —, une position masochiste : position qui induit chez le scripteur, et le lecteur, un autre type de jouissance.

Mais cette position se trouve en même temps travaillée de l'intérieur et ouverte, déplacée par un jeu d'écriture différent. C'est ce qu'il faudrait voir très vite maintenant.

Il y a d'abord le fait que s'entame ici un autre type de discours : métaphorique, ou plutôt comparatif. La négativité suppliciante ne se parle plus à travers les trois isotopies parallèles qui avaient stratifié le volume signifié de notre première séquence. Elle s'y métaphorise en une jonction imaginaire de deux de ces niveaux : un élément particulier du paysage, de la lande sauvage, devient le comparant du corps de la sorcière privée et persécutée. C'est une plante, d'ailleurs *a priori* paradoxale, puisque sans racines, dont le nom scientifique ne nous est pas donné, dont nous connaîtrons seulement la dénomination populaire, et dérisoire : « la fiancée du vent ».

Et voici le premier résultat de ce recours à la comparaison : la rêverie, d'abord fixée sur un corps féminin frustré, va dériver sur cet autre objet, la plante, objet porteur d'une logique, d'une virtualité imaginaire sûrement différentes. Comme toujours l'appel à l'image ouvre au texte de nouveaux horizons, cognitifs et pulsionnels.

Il faudrait apercevoir d'ailleurs en songeant au reste de cette œuvre, *la Sorcière*, que ce recours-là, l'invocation imaginaire à une plante sauvage, n'avait en soi rien de surprenant, ni de gratuit. On sait l'importance mythique du végétal dans le monde michelettiste, et plus particulièrement dans ce livre, sa complicité au désir, sa valeur de réserve libidinale, sa liaison à toutes les formes bénéfiques de l'extériorité (la triade forêt/prairie/lande), sa capacité d'intimisation érotique (la fleur), mais aussi d'ouverture émancipante (le bois, l'école buissonnière), sa virtualité humorale (tout le monde des sèves et des sucs), et bientôt épistémologique, sa complicité médicale au corps souffrant. Le végétal remédie de multiples manières aux censures de la légalité. Refuge, drogue, ressource infinie, il est le refoulé toujours prêt à faire retour, la substance qui permet la transgression de toutes les barrières (de la non-vie à la vie : celle de l'accouchement ; de la mort à la vie : celle de la résurrection des morts). Puissance euphorisante, salvatrice, de l'herbier michelettiste.

Citer une plante, si disgraciée fût-elle, pour figurer le corps désirant de la sorcière, c'était donc déjà lui offrir implicitement la chance d'un salut érotique ou du moins d'un certain *débouché* libidinal. Débouché différent, entendons-le bien, de celui que fabriquait déjà la scène sadomasochiste. Or cette issue se découvre en effet à la fin de notre séquence, lorsque la plante, et la sorcière avec elle, est dite mariée, ou du moins amoureusement promise à quelque chose, fût-ce au rien, devenue, formule décisive, la *fiancée du vent*.

Mais regardons, avant d'en arriver là, comment fonctionne exactement ici la comparaison. La double, ou même triple comparaison, à vrai dire : puisque « la triste plante », d'abord comparante de la sorcière, devient le comparé de deux autres objets à elle analogues, le « corail grisâtre », puis cet être, tout à la fois mythique et vivant, dont le dit populaire lui attribue la ressemblance, la « fiancée du vent ». Or ce dernier terme comparant retrouve, en une sorte de cercle refermé (mais avec une nouveauté essentielle, si bien que ce cercle serait plutôt spirale), les éléments constitutifs de notre premier terme comparé : le corps balayé par les monotones vents d'ouest.

Si l'on veut apprécier le surplus de sens apporté au corps persécuté par la connexion comparative de « la triste plante » (et donc ses virtualités textuelles d'évolution), il faudra reconnaître quels sont, entre l'un et l'autre terme de la comparaison, les éléments égaux et les éléments différents, ou transformés. Plante et femme se partagent d'abord les sèmes d'éventement *(brise* répète *vent)* et de souffrance sous l'impact d'une force cruelle *(inhumainement* renvoie à *impitoyable)*. Mais, premier changement intéressant, la *solitude* de la sorcière devient ici le motif du *sans-racines*, de la *non-adhérence* (ou, sa variation, de la demi-adhérence châtiée) : voilà l'épreuve du manque muée en celle du non-attachement, aisément transmutable bientôt en celle de la non-appartenance, puis de l'émancipation... De l'âpre, qui qualifiait le contact rugueux et hérissant, nous sommes passés à la limite d'un non-contact (peut-être voluptueux). Quant à l'*éventé*, il se dynamise sous la forme d'un *être-emporté (promené, ramené)*, d'une flottance, facilement moralisable en aliénation (la sorcière se voit « jouet du sort ») : mais un tel dessaisissement dynamique se donne aussi comme une figure possible de la libération, retournement qu'opérera, encore, la suite de notre texte.

Ces indications préparent donc secrètement le retournement paradoxal (de l'accablé au triomphant, du stérile au fécond). Mais d'autres semblent intervenir en sens contraire, comme pour en marquer à l'avance l'impossibilité, en prévenir la réalisation, et donc en aiguiser, lorsqu'il se produira, le paradoxe. Ce sont tous les attributs concrets de la « triste plante », connotés, sur le plan de l'humeur, à la demi-mort, ou du moins à la minéralité équivoque du *corail :* le *sec* (si contraire à la fluidité séminale et libidinale souhaitée de Michelet), l'*anguleux* (si opposé aux sinuosités du désirable), le *fragile*, le *cassant*, qui font de cet objet (phallique, mais dans la minceur, l'incertitude dangereuse) le support idéal des brisures, des risées, des castrations (le *pied dessus*). Comment tout cela pourrait-il jamais se traduire en termes de fécondité ?

Et pourtant la dernière phrase de notre séquence annonce, nous l'avons vu déjà, un mariage. *Le peuple dit par risée : « C'est la fiancée du vent.* » Formule insolite et belle dont on comprend comment elle a pu séduire Michelet. Elle signifie d'abord, bien sûr, tout le stérile, le dérisoire d'une jonction annoncée avec le négatif. Elle est en même temps, puisque insulte, l'un des éléments de la persécution négative. Mais cet élément est encore une parole, et une parole populaire, un de ces *dits*, de ces *on-dit*, si rares, et donc si précieux, qui rompent

67

le silence dans lequel a été toujours enfermé le peuple, ce véritable acteur de l'Histoire : silence auquel Michelet veut substituer, on le sait, sa propre écriture d'historien. Chaque fois que le peuple parle, fût-ce par risée, on peut soupçonner dans ce qu'il dit une richesse, même d'abord invisible, quelque chose comme une leçon, à moins que ce ne soit la vertu, évidente, pourvu qu'on sache la voir, d'une littéralité, d'une vérité d'ordre poétique. Remarquons d'ailleurs que cette formule citée (Michelet, on le sait, recherche les citations : il aime à y appuyer ou à y relancer son propre texte) peut se lire, à la suite de notre deuxième séquence, comme l'issue d'une série de transformations simples portant sur les propositions qui y sont impliquées. La sorcière est une femme *dépourvue de mari* : donc, par retournement sémique des deux termes, *mariée avec rien*. Comme elle est montrée en même temps *balayée par les vents* (les vents qui sont du *rien*), on aboutit aisément, par recouvrement des deux situations et par substitution des seconds termes, à la formulation *mariée avec le vent*, ou, sous la forme d'une union encore non effectuée, simplement promise (souvenons-nous de la prégnance générale ici de ce motif de la *promesse*) : *fiancée du vent*.

Mais le vent, c'est aussi la force, cette force bien active et positive (positive dans l'obstination, dans l'énergie même de sa négativité), qui n'a cessé, tout au long de la double version de notre scène, la masochiste comme la sadique, de battre, de persécuter le corps de la sorcière, ou de la plante, de la plante-sorcière. Devenir la fiancée du vent cela revient donc pour la femme torturée à épouser l'auteur de sa torture, à l'accepter amoureusement, à s'unir à lui. Adhésion sensuelle au négatif, mariage de la victime et du bourreau, où s'invente une autre jouissance. Ajoutons que, dans le paysage même, la simple rêverie du vent permet, ou soutient, un dénouement de cette nature. Car y a-t-il possession plus complète, dessaisissement plus amoureux que ceux d'un corps entièrement livré à la pulsion aérienne, parcouru, caressé (en même temps que battu), dénudé, pénétré unanimement par elle ? Corps éventé, c'est aussi corps inventé, refabriqué du dedans par la force même qui l'emporte. Corps découvert, dessaisi, oui, mais pourtant ressaisi, transi par la seule vitalité érotique de l'espace. Dans la formule *C'est la fiancée du vent*, il n'est donc pas interdit d'entendre la voix d'une jubilation beaucoup plus heureuse et plus puissante, quoique plus secrète, que toutes les « risées » populaires.

Une analyse phonique confirmerait ces conclusions, en montrant comment le jeu interne des phonèmes aboutit, dans ces quelques mots, à un effet multiple d'entrelacement des deux rôles sexuels, la fiancée, le vent, effet de conjonction littérale, pourquoi ne pas le nommer de *fiançailles ?* Dans la petite phrase mélodique *C'est la fiancée du vent,* le *c'est* initial se lie au *cée* final de fiancée, et la première syllabe de *fi*ancée assone et allitère (avec voisement du *f* au *v*) avec le monosyllabe terminal *vent.* Mais *fiancée* rime aussi avec *risée,* qui termine la phrase précédente. Effets de parallélisme entrecroisé, maillage, laçage littéral du corps mis en morceaux, du couple déchiré.

De tels effets se reproduisent d'ailleurs, il serait aisé de le montrer, dans toute l'étendue de cette séquence 3. Nombreux les reflets phoniques proches qui continuent à y assurer le battement d'une norme binaire : ainsi *plante/lande,* pro*mène/*ra*mène,* chât*ie i*nhumainement (étonnante conjonction-disjonction d'un hiatus assonancé), *grisâtre/* anguleux. Mais au-dessous de ces couples rapprochés court encore la trame de chaînes phonico-sémiques plus étendues. On proposera ainsi à titre d'hypothèse qu'à partir du premier syntagme « jouet du *sort,* elle *se* vit » fonctionne une cellule séminale consonantico-vocalique *r/s/i,* éventuellement appuyée sur la dentale *t* (ici graphiquement présente, ailleurs phoniquement) : cette matrice relierait les uns aux autres des mots ou groupes de mots aussi importants (et homogènes sémantiquement) que *triste, sans racines, grisâtre, brisé, risée* (qui rime avec lui). A côté de celle de la *solitude,* ce serait la chaîne phonico-sémique, disons, de la *brisure.*

IV

Ici, sur la formule du *on dit,* se scelle un paragraphe, s'arrête une première nappe d'écriture. Comment dès lors le texte va-t-il se relancer ?

Elle rit outrageusement sur elle-même en se comparant. Mais du fond du trou obscur :

Le paragraphe repart ici, procédé fréquent chez Michelet, en s'appuyant sur ce qu'a déjà posé le paragraphe précédent : sur le fait final de la *risée* populaire, une risée désormais réassumée par la sorcière, portée par elle-même sur elle-même (avec l'écho phonico-prosodique : *outrageusement en se comparant*), si bien qu'elle n'est plus seulement masochiste et persécutée, mais autopersécutrice, persécutée-persécutrice, attachée à son propre malheur et à la dérision de celui-ci.

Mais l'appui pris par ce redépart d'écriture porte plus haut aussi dans le paragraphe précédent : en son début même. *Elle rit outrageusement* rappelle par le sens *Elle ne fut pas d'abord bien touchée de ces promesses;* et le *fond du trou obscur* renvoie localement à l'ouverture de l'*ermitage sans Dieu, désolé*. Si bien que le texte reprendrait d'une deuxième manière encore son élan : en se reportant cette fois à l'origine du chapitre, au lieu de son (re)commencement.

A peine pourtant le contact est-il repris que la divergence s'opère. L'adversatif *mais* suffit à marquer, à annoncer un écart avec tout ce qui précède : axé jusque-là autour du motif d'une solitude supplicielle, le texte bascule avec l'apparition d'un *autre*, d'un interlocuteur, d'un partenaire peut-être, d'une voix en tout cas qui vient tout à la fois combler le manque et le justifier, l'exalter même comme tel.

Ce *mais* signale donc ici une rupture; il est l'entame d'un processus quasi général d'inversion. Et d'abord dans le choix des orientations spatiales destinées à gouverner la scène. Jusqu'ici tout se passait dans le plan, ou la surface, dans l'ouvert d'une horizontalité balayée (le vent), ou écrasée (le pied), de toute manière souffrante, et sans recours. Or voici mobilisée la dimension nouvelle du *trou*, de l'en-dessous obscur où tous les révoltés romantiques préparent (du titan jusqu'à la vieille taupe) leur résurrection et leur revanche. Schéma dynamique très puissant chez Michelet, où il valorise, et ici même, à la fin de notre paragraphe, des motifs de profondeur énergétique tels que le *tombeau ouvert*, et, surtout, que le *volcan*. Il faut songer aussi que, pour le lecteur de *la Sorcière*, ce motif de la cavité obscure possède une connotation peu douteuse, qu'il renvoie presque inévitablement à une présence soupçonnée du diable. Satan, on l'a déjà surpris caché au creux d'une fleur, dans l'espace d'un pot de beurre, dans la fente d'une cheminée. Signifiant général du désir, du désir féminin, il est dans tout le livre l'occupant sournois de la faille, l'hôte favori, et souvent invisible, du trou.

Et comme le trou s'était brusquement creusé dans l'espace du plan, le discours lui aussi s'ouvre, change soudain. Il passe sans autre marque qu'un : d'un régime de narration à la troisième personne à la voix d'un discours direct parlé à la première personne.

V

Et voici ce qu'articule cette voix souterraine :

> *Ignorante et insensée, tu ne sais ce que tu dis... Cette plante qui roule ainsi a bien droit de mépriser tant d'herbes grasses et vulgaires. Elle roule, mais complète en elle, portant tout, fleurs et semences. Ressemble-lui. Sois ta racine, et, dans le tourbillon même, tu porteras fleur encore, nos fleurs à nous, comme il vient de la poudre des sépulcres et des cendres des volcans.*

Le discours direct rompt donc ici le fil du discours à la troisième personne, ce qui n'aurait en soi rien de remarquable. Mais il le fait, et voilà le facteur de rupture, sans avoir annoncé par aucun verbe indiquant cette prise de parole, sans afficher non plus au moment où il commence aucune marque permettant de repérer son locuteur. Ce discours si brusquement adressé, nous ne savons pas d'abord qui le prononce. Il s'offre comme une parole sans porteur ni origine autre que le « trou obscur » d'où elle sort. Voix donc peut-être de ce trou lui-même, parole anonyme de la terre. Ce n'est que peu à peu, à travers l'approximation successive d'un *tu*, puis d'un *nos*, puis d'un *nous*, que ce discours si violemment direct va construire le *je* de son énonciation : *je te la donne*, je complété lui-même d'une nomination (indirecte il est vrai : *la fleur de Satan;* ou périphrastique : *Je fus le roi des morts*). Subjectivité produite en quelque sorte par le texte, issue du discours anonyme, un peu comme, sur un autre plan, sortent, « viennent » au jour les poussières des tombeaux et les cendres des volcans. Et nous comprenons alors qui parle, ou plutôt qui a parlé.

Ce discours sans sujet, ce n'est pas cependant un discours sans modèle. Oraculaire de par son cadre physique (le trou tellurique), il est, de par sa forme, biblique, et, à nouveau, évangélique. Ce Satan parle comme Jésus, comme un contre-Jésus : il affiche lui-même d'ailleurs cette parenté à la fin du texte (dans la séquence 6) par sa revendication cultuelle (« ce bienfait immense me méritait des autels ») et par l'affirmation de sa fonction essentielle, qui est, elle aussi, salvatrice, lazaréenne (« faire revenir » les morts). Ce discours antichristique, c'est-à-dire encore christique, se nourrit d'une thématique présente en mainte parabole : celle qui oppose, et surtout dans le monde végétal, fécondité à stérilité, chance de renaissance à risque de mort et de néant. Mais alors que le discours du Christ n'utilisait que symboliquement ces thèmes de sexualité pour signifier l'aventure spirituelle, le discours satanique, ou plutôt le discours du Satan michelettiste les prend, lui, à la lettre. Il parle directement de sexualité et de naissance. D'où sa valeur, aussi, de subversion (elle tient au procès de dé-métaphorisation, de dé-symbolisation). La forme conservée de la parabole évangéliaire sert ainsi de moule à la mise en place d'une nouvelle scène pulsionnelle, celle où va se rêver une parthénogenèse, et se satisfaire, pleinement, un narcissisme.

Cela dit, on repère assez facilement ici les modalités successives du discours parabolique :

— D'abord la dénégation violente de l'opinion commune, de la doxa aveugle (celle dans la perspective de laquelle s'étaient placées les trois premières séquences). Négativité itérativement marquée dans les préfixes : *i*gnorante, *in*sensée, puis dans la négation elle-même : tu *ne* sais (cf. : « ils ne savent ce qu'ils font »). C'est la dénonciation d'un non-savoir sur le seul rejet duquel pourra se fonder le savoir véritable.

— Puis, positivement, à partir de *Cette plante qui roule ainsi...*, la révélation de la vérité, dissimulée jusqu'ici sous l'apparence et méconnue par l'ignorance. C'est le moment du retournement, thématique et axiologique, la découverte que la valeur se trouve à l'opposé du lieu où on la croyait placée; moment de l'inversion, de la bascule du négatif au positif, moment si souvent recommencé dans le texte de *la Sorcière*, au point d'y apparaître comme le ressort obsessionnel, cardinal, de la rêverie et de l'écriture. Ici le renversement prend appui sur le motif, tout à l'heure utilisé comme comparant, de la « triste plante » stérile. Celui-ci fonctionne donc comme une sorte de comparaison continuée : continuée, puisque des sèmes nouveaux apparaissent dans le même objet, se voient extraits de lui, s'appliquant aussitôt au terme comparé, le corps de la sorcière. Sèmes, fonctions à partir desquels s'instaure aussi un trajet narratif : *mépriser* les autres plantes, *rouler, compléter, porter* fleurs et semences. Ainsi s'écrit une petite fable botanique.

— Mais dans ce développement sémique, dans cette fable comparative, il apparaît bien vite que le comparé n'est pas resté au niveau du comparant, qu'il n'a pas été *égal* à lui. D'où un troisième mouvement, jussif. Après les indicatifs de l'assertion parabolique, les impératifs du commandement : *ressemble*-lui, *sois* ta racine. L'objet comparant de la sorcière devient, dans sa mutation, l'objet auquel elle doit elle-même se comparer pour l'égaler, pour devenir semblable à lui. La plante devient symbole (d'une vérité) et modèle (d'une action). On glisse, historiquement, de l'ordre du fait à celui de la règle, ou de la loi. On passe de la comparaison à l'*exemple*.

— Après l'injonction vient naturellement un quatrième moment, celui de la prophétie, marqué par un retour à l'indicatif, mais à l'indicatif futur : *et, dans le tourbillon même, tu porteras*. Ce temps ouvre une série d'événements consécutifs à la réalisation de l'ordre *(sois ta racine) :* son résultat, mais aussi sa récompense (l'équivalent d'un salut évangélique). Ainsi se réitère, après tout un parcours supplicial, tout un temps d'épreuve négative, la *promesse* faite à la fin du chapitre précédent.

Ce discours, il est aisé d'en entendre la régularité, le rythme très égal, au point qu'on pourrait presque, sans trop de scandale, le transcrire graphiquement comme un poème, ou une suite de versets. La première « strophe », par exemple, s'en réécrirait aisément ainsi :

> *Ignorante et insensée* 7
> *Tu ne sais ce que tu dis...* 7
> *Cette plante qui roule ainsi* 8
> *A bien droit de mépriser* 7
> *Tant d'herbes grasses et vulgaires* 8

On remarquera aussi l'égalité de coupe des deux premiers « vers », ainsi que du « vers » 4 (3.4); le jeu, à la rime, des assonances (d*is*, ain*si*; in*sensée*, mépri*ser*), redoublé par des échos à l'intérieur des « vers » : in*sensée* / *tu ne sais;* ou plus loin : a *bien droit de* mépriser *tant d'her*bes... (avec, sur les labiales et les dentales, des modulations voisantes et dévoisantes); l'importance encore des couples qualitatifs : *ignorante* et *insensée, grasses* et *vulgaires.* Dans ce dernier cas les deux épithètes sont en outre soudées par une allitération de gutturales et de vibrantes, *g/r, l/g/r,* allitération qui renvoie peut-être d'ailleurs aussi au couple, déjà posé, des deux qualités antithétiques de celles-ci : *gri*sâtre, angu*l*eux.

Puis, au moment du renversement et de l'injonction, le rythme s'accélère, les unités se raccourcissent. A partir de *elle roule* on peut lire la phrase comme une suite de segments coupés 3.5.3.4.4.4. Relance dynamique du discours, qui continue à s'appuyer sur de forts éléments de régularité, la triade finale le montre bien *(fleurs et semences / ressemble-lui / sois ta racine).* Là où le rythme se déséquilibre un peu, la solidarité phonique continue à tenir le tissu textuel. Ainsi dans la suite : « *elle roule, / mais complète en elle, / portant tout, / fleurs... »* l'entrelacs complexe des groupes consonantiques *l/r/l, p/l/t/l, p/r/t/t, l/r.* Le syntagme *fleurs et semences* instaure une nouvelle dominante musicale toujours liée au *r*, c'est celle des sifflantes. D'où la suite : *res*semble-lui, *s*ois ta *r*acine (avec l'allitération secondaire des *l* dans ressemb*l*e-*l*ui). Dans le trait mélodique *sois ta racine* l'écho initial/final des deux sifflantes semble bien clore, refermer pleinement sur lui-même le vœu d'auto-engendrement.

Enfin le moment de la prophétie s'invente des rythmes plus larges, bien que coupés d'éléments brefs; semblables surtout, ainsi dans le choix de l'heptasyllabe, à ceux de la première strophe : 7.7.4.3.7.7. Les deux distiques heptasyllabiques sont particulièrement homogènes pour l'oreille, sans doute parce qu'ils recouvrent des unités sémantiques et syntaxiques. Dans le premier : *et, dans le tourbillon même, / tu porteras fleur encore /* se lit le parallélisme sémantico-prosodique de *même* et d'*encore*, ainsi que le couplage de *tourbillon* et de *porteras.* Deux termes trisyllabiques, où l'homophonie consonantique *(t/r/b, p/r/t)* soutient et résout le paradoxe de l'hostilité sémique (c'est-à-dire encore de la parenté) des deux concepts. C'est l'une des bascules du texte, bascule littérale, on le voit : elle marque la solidarité/rupture de l'*être emporté* et du *porter;* elle suggère même la fécondation, apparemment absurde, du second mouvement par le premier. C'est que, là où les signifiés tendent au maximum le paradoxe de la distance, les signifiants, eux, opèrent la liaison, la continuité.

Le second de ces distiques, qui clôt le paragraphe, / *de la poudre des sépulcres* / *et des cendres des volcans* / est plus homogène encore, en raison de sa construction syntaxico-prosodique parallèle, à cause aussi de la densité de son maillage phonique : ainsi le rapport $l/p/d/r$, $d/p/l/r$ dans *la poudre des sépulcres;* l'hexagone des *d;* les vibrantes à l'accent (pou*d*re, sépul*cr*es, cen*dr*es); les attaques en sifflantes (*s*épulcres, *c*endres), le rapport des $v/l/c$ (comme i*l v*ient dans l'unité précédente, *vol*can) et surtout, à la position-rime, du couple répété *l/c* : sépul*c*res, vol*c*ans...

Tout ce travail soutenu de la signifiance, auquel il faudrait ajouter le jeu des reprises, chargées de greffer chaque mouvement sur un point d'un mouvement antérieur *(elle roule, tu porteras fleur, nos fleurs à nous)*, il va bien dans le sens d'une assimilation, d'une intégration textuelle continuée : et cela au moment où le sens signifié dit le contraire, où il indique la rupture la plus hardie, le retournement le plus complet.

C'est ce paradoxe dont il faudrait suivre, sur le plan thématique maintenant, l'opération. Passons sur la dénégation initiale, qui a seulement pour fonction (narrative) de préparer le renversement du sens. Celui-ci commence à s'effectuer sous le motif, dramatiquement et psychologiquement retourné, du *mépris : Cette plante qui roule ainsi a bien droit de mépriser tant d'herbes...* De méprisée la voici devenue méprisante, c'est-à-dire en position de force, retranchée dans l'espace d'une intériorité nouvelle, d'un *dedans* où vont pouvoir se produire les plus étonnantes gestations. D'autre part l'ancien rapport sadomasochiste du *un* au *tous* (la femme seule face au nombre de ses ennemis) se conserve ici, mais avec une valeur bien différente : l'*un* se voit investi d'une valeur de rareté (donc de supériorité), le *tous* (le *tant*) signifie le partout rencontré, le commun, le *vulgaire*. D'où, déjà, une assez complète conversion axiologique.

Mais ce qui change surtout, c'est l'évaluation des qualités et des substances mises en jeu dans la scène supplicielle. Le *sec*, par exemple, l'*anguleux*, tout à l'heure négatifs en raison de leur pauvreté libidinale, se valorisent implicitement en s'opposant à des espèces haïes de Michelet comme le *gras*, marqué du dégoût de la *pléthore* (de la richesse impuissante), ou le *vulgaire*, porteur des stigmates de la multiplicité prostituée. Pour dépasser la négativité d'une notion sensible, il suffit en effet de l'opposer à une autre notion, située dans la même pertinence qu'elle, mais plus négative encore : la maigreur se voit ainsi dotée, *a contrario*, de toutes les vertus refusées au gras infâme.

Et, première parmi ces vertus, la désirabilité, la fécondité. Mais comment celle-ci — et l'on touche ici au plus vif du paradoxe, ainsi sans doute qu'au plus focal de l'élaboration fantasmatique —, comment celle-ci pourrait-elle s'actualiser en dehors de toute possibilité pour la femme de jonction sexuelle (la sorcière n'a pas d'homme), ni pour la plante, qui métaphorise la femme, d'adhérence au sol, d'enracinement ? La racine figurerait imaginairement l'attache nourricière à un sol (à une terre-mère), en même temps peut-être que la pénétration, la greffe inséminante (et paternelle). Dans une mythologie romantique dévoyée, appauvrie par une idéologie de type nationaliste (ainsi chez Barrès), déracinement a pu s'égaler automatiquement à stérilité. Mais c'est tout l'inverse pour Michelet : comment procréer, comment se procréer soi-même, sans père, sans mère, dans la répudiation donc de toute hérédité, de tout lignage familial, comment devenir à soi-même sa propre origine, sa propre semence, voilà ce que désire ici rêver le texte michelettiste.

Il y parvient à travers plusieurs « percées » imaginaires. Et d'abord par la transformation d'un motif déjà posé à la séquence 2, celui de la flottance, de la non-résistance au vent (la plante, « jouet du sort », que la brise « promène, ramène »), en un autre motif, qui en paraît l'exaspération, mais qui en prépare et permet aussi le renversement, celui du *rouler*. *Elle roule, mais complète en elle, portant tout, fleurs et semences...* On devine la rentabilité rêveuse de ce *rouler*. Il porte certes à son comble l'opposition avec un état stable et enraciné de l'existence. Mais la forme implicite de son mouvement nous induit à imaginer aussi un arrondissement progressif, un tassement, un recourbement, puis un refermement en soi de ce qui roule, en somme la clôture circulaire, accomplie et immobile — immobile jusque dans le mouvement le plus frénétiquement accéléré, le tourbillon —, d'une *suffisance*. Pierre qui roule n'amasse pas mousse, mais s'amasse sans doute elle-même autour d'un centre de plus en plus dense et personnel. Ainsi de notre plante : partout roulante, mais du coup toujours davantage enroulée sur elle-même; stérile communément, mais prête à accueillir, au creux nouveau de son involution, le travail d'une *autre* fécondité, les germes d'une jouissance totalement narcissique.

Le *mais* (« elle roule, *mais* complète en elle ») se charge donc d'indiquer la charnière d'un renversement déjà à demi motivé au moment où il intervient. A partir de là on voit quelles fonctions nouvelles se découvrent dans le corps autofécondé : la *complétion* (« elle... *complète*,... portant *tout*... »), l'*achèvement*, ce qui renverse la thématique de rupture et de partialité posée dans la scène supplicielle; ce qui aboutit aussi à concentrer en un seul point (et en un seul moment ?) l'ensemble des êtres biologiques *(fleurs* et *semences)* opérateurs de la sexualité. Puis l'*intériorisation (en elle)*, ce qui soustrait la gestation à toutes les atteintes possibles du dehors (vents, enfant, peuple). Enfin la *contenance*, doublée, pourrait-on dire, de *soutenance (portant tout)* : ce porter fonctionnant aussi comme réponse à l'*accablement* de tout à l'heure.

Entre semence et fleur il manquait pourtant une pièce à ce dispositif : celle dont le texte avait, directement ou indirectement, répété jusqu'ici l'absence. Or c'est cette absence dont la formule décisive *sois ta racine* élimine définitivement l'hypothèque. La racine, ce motif d'origine, de greffe phallique/maternelle, s'y trouve réintégrée, réassumée dans le cercle, ou peut-être la *roue* d'un sujet sans attaches ni entraves, sans attaches autres du moins que celles de son propre désir de soi. Et c'est à partir de cet auto-enracinement que se produit la floraison, singulière d'abord, puis plurielle *(tu porteras fleur, nos fleurs à nous)*. Il faut apercevoir l'insolite de cette rêverie. Il me paraît aller de deux côtés : celui d'abord d'une liaison, fort peu habituelle, entre le fantasme d'auto-insémination interne, narcissique, et celui de dissémination externe, de dessaisissement volatil, de nomadisme (tout cela suggéré par le *tourbillon*, mais aussi par l'analogie de type granulaire, posée entre l'organisme fécond et la *poudre*, ou les *cendres)*. Ainsi s'indique le désir d'une gestation errante; le vœu de situer la clôture sexuelle au plus emporté, au plus incontrôlable de l'ouvert. Alors que le narcissisme se construit d'ordinaire sur un désinvestissement d'objet, il s'inscrit ici, et plus encore dans la suite de *la Sorcière* (ainsi au chapitre VIII, *le Prince de la nature)*, sur fond d'exaltation panique, voire de communion cosmique. Aucune médiation ici entre ces deux tentations extrêmes.

Mais voici une autre note encore, ou plutôt la reprise, différente, d'une note déjà entendue : celle d'une négativité créatrice. Elle est apportée par la comparaison finale, où les deux objets producteurs (puisqu' « il vient » quelque chose d'eux, comme il sort une fleur de la « triste plante ») sont aussi deux êtres négatifs, deux lieux de profondeur et d'antivie. L'un abrite littéralement la mort, le *tombeau*, avant de la laisser se dégager en *poudre;* l'autre l'expulse, la crache énergiquement hors de lui, sous forme de *cendres*, le *volcan*. C'est à eux que la sorcière ressemble : négative donc, mortuaire dans son intimité aussi, et jusqu'au plus secret de sa vitalité créatrice. Vivante morte, en somme. Ou ayant, contre les vivants absents ou ennemis, choisi la mort, les morts. Ce qui va ouvrir au texte d'autres lignes de développement et de rêverie.

VI

Voici, en effet, qu'après la clôture du paragraphe, et avant de se terminer sur un autre paragraphe — bordé, souligné, celui-là, par le silence d'un large blanc typographique —, l'écriture se déporte, encore, vers la scène d'un autre, d'un dernier désir :

> « *La première fleur de Satan, je te la donne aujourd'hui pour que tu saches mon premier nom, mon antique pouvoir. Je fus le roi des morts... Oh! qu'on m'a calomnié... Moi seul (ce bienfait immense me méritait des autels), moi seul, je les fais revenir...* »

C'est bien encore le désir d'*origine* qui, sous une forme un peu différente, à travers les motifs itérés du *premier* (la *première* fleur, le *premier* nom) ou de l'*antique* (mon *antique* pouvoir) commande cette relance d'écriture. Mais ce vœu a changé de support humain, et, si je puis dire, d'acteur. Tout se déplace de la sorcière à Satan; il dit *je* pour la première fois; il annexe la « triste fleur » pour l'offrir à la sorcière sous la forme de « fleur de Satan » (troisième transformation donc de celle-ci : non plus objet de comparaison, non plus exemple, mais *don*, destiné à consacrer une relation nouvelle); il s'annonce lui-même enfin dans sa royauté mythique, et, semble-t-il, perdue (je *fus* le *roi des morts*); mais aussi dans sa fonction essentielle, et toujours actuelle : « faire revenir » ces mêmes morts.

C'est donc vers une libido spécifique de la mort que tout le texte va maintenant glisser. Mouvement déclenché par l'appel aux *tombeaux* et aux *volcans*, mais préparé par la logique même de toute la scène antérieure. Car du fantasme des vivants nés tout seuls, autocréés à travers la mort (la négativité) de leur génitrice, on passe aisément à celui des morts redevenus vivants, rappelés à l'être par la seule magie, nécrophile, d'une parole et d'un désir. Un peu plus loin, dans le même chapitre, un paysan qui sème son blé dans un sillon rêve d'y voir se lever, non pas sa descendance vivante, mais ses *parents*, défunts, et ressortis tout entiers de la mort. Rêve d'un fils, non plus délivré comme tout à l'heure de son père, mais devenu, ce qui est sans doute beaucoup mieux, par un renversement jubilant des rôles, le propre père de son père... La limite égotiste, personnelle, de la clôture narcissique se trouve ainsi débordée finalement par le désir d'une refécondation, d'une réanimation transtemporelle, sans commencement ni fin possibles. Et d'ailleurs sans direction non plus, puisque entièrement réversible, dirigeable aussi bien en arrière, vers le passé (ici), que (dans d'autres textes) en avant, vers un futur, vers une révolution à faire naître.

Mais ce désir, n'est-ce pas aussi, tout simplement, le désir d'Histoire, ou du moins le désir d'écrire l'Histoire, tel que Michelet l'a si souvent prononcé ? Dans le programme consistant à « faire revenir les morts », dans la formule victorieuse surtout, « je fus le roi des morts », il n'est pas difficile de retrouver l'écho d'un vœu très personnel. C'est bien l'écrivain qui figure ici, caché, et par Satan interposé, au centre de cette nouvelle scène pulsionnelle. Michelet, qui semblait avoir renoncé depuis la séquence 4 aux interventions indirectes du *discours*, pour donner franchement la parole à l'*autre* d'une interpellation directe et anonyme, ne cesse en réalité de se glisser dans cette voix, de se faire annoncer par elle à lui-même, jusqu'à se reconnaître enfin dans le *je* qu'elle en arrive ouvertement à prononcer.

A partir de cette reconnaissance toute une autre lecture de ce texte deviendrait sans doute possible, qui le renverrait directement au questionnement d'une écriture, de sa propre écriture. On y verrait l'emblème d'une réflexion menée, dans la pratique même, et aux limites du fantasme, sur les rapports de l'historien avec ses créatures, mythiques ou réelles, et avec la matière même, le langage, qui lui permet de les « faire revenir », de les animer libidinalement en objets d'art.

Car il est vrai que l'écriture peut être rêvée par son scripteur — à moins que ce ne soit elle qui le rêve — comme l'instrument et l'espace d'une autocréation continuée. Elle est bien le moyen, surtout pour quelqu'un se flattant d'avoir les deux sexes de l'esprit, d'une parthénogenèse. Le texte ne cesse, érotiquement, de créer son propre créateur, tout en le portant sans cesse aussi plus loin, et hors de lui, en l'y déportant, en l'y écartant, scripturalement, vers son horizon jamais atteint, ou sa définition jamais close. C'est bien là l'une des valeurs aussi de notre *fiancée du vent :* celle d'un plaisir d'autogenèse, littéralement donc narcissique, réalisé à travers la « semence », la « poudre », la « cendre » toujours éparpillée, et pourtant toujours sur soi refermée, de l'écriture. Mais dans le cas d'une écriture d'historien cette machinerie se complique. Il ne s'agira plus seulement pour lui de jouir et de naître, comme sujet d'écriture, à travers la suite fantasmée d'un train singulier de mots, d'images, de figures, de fictions. Il lui faudra aussi, selon la forte expression michelettiste, fabriquer un médium où faire *revenir les morts*, ces êtres manquants, mais objectivement, humoralement, véridiquement manquants, si l'on peut dire, ces acteurs en creux, ces signifiés absents, absents jusqu'à ce qu'ils soient écrits, du récit historique.

Avec de tels êtres, avec ces *morts* à rendre *fictifs*, de nouvelles relations libidinales deviennent possibles : relations dont notre passage nous apporte encore un bon exemple. Car Michelet *désire* bien évidemment ici, comme tout au long du livre, l'héroïne de son récit, cette sorcière qu'il se plaît à placer au centre de ces divers décors libidinaux (sadique, masochiste, narcissique). Mais comme ces décors sont d'abord des constructions de langage, c'est par l'écriture, ou plutôt en elle, dans son espace spécifique — un peu comme chez Sade —, que se mène et s'opère ici le jeu sexuel. Elle est, si l'on veut, le *vent* qui ne cesse de caresser de diverses manières le corps désiré, et d'en jouir. La sorcière est bien aussi, de ce point de vue-là, une fiancée de l'écriture. Mais il faudrait peut-être aller plus loin encore, et ajouter, si absurde cela puisse-t-il paraître, que Michelet lui aussi est désiré par sa sorcière : ou du moins que le mouvement de désir, parti de lui, porté vers elle, revient d'une certaine manière en sa direction, retour où il se découvre écrivain et historien.

C'est peut-être un tel trajet qu'opère et qu'allégorise à la fois notre texte. Cette voix en effet, qui, à partir de la séquence 5, parle si véhémentement à la sorcière, nous pouvons l'identifier, la fin du chapitre précédent le suggérait, à une « voix intérieure », à sa propre voix donc, secrète, inavouée, ou plutôt à la voix d'un désir non reconnu encore, et soudain démasqué, affranchi, adressé du dedans, par elle, ou par l'*autre* d'elle, à elle-même. N'est-ce pas pourtant Satan qui parle en cette voix, objectera-t-on peut-être ? Mais Satan, justement, est-il autre chose, dans tout le livre, qu'une pure instance de discours, ou qu'une modalité singulière de désir ? Du désir de la sorcière, du discours de son désir. Il est l'interlocuteur interne, la voix personnalisée de sa propre tentation, il faudrait dire, peut-être, la parole libre, extrême, paradoxale de sa pulsion (de son *ça* ?). Or n'est-il pas curieux que ce soit justement sous le couvert de cette parole, parole de désir, du désir de la femme fictive qu'il désire, que Michelet en arrive à formuler sa propre vocation d'historien ? C'est comme si l'historien ne pouvait ici dire *je* qu'en reprenant les mots d'une créature par lui érotiquement, historiquement, romanesquement émancipée. Nos quelques lignes évoqueraient donc comme un incessant va-et-vient de la libido scripturale. D'abord dirigée vers un objet, un corps à investir, à placer imaginairement dans diverses positions de jouissance, elle s'intérioriserait en lui, pour revenir ensuite, dépliée, redoublée, sur

79

elle-même (l'articulation de ce repli étant peut-être ici marquée par le brusque passage d'un régime de discours à l'autre : au début de la séquence 5), jusqu'à y découvrir finalement son *je*, son origine énonçante : origine inoriginelle donc, toujours destinée à se relancer pulsionnellement vers d'autres objets, d'autres phrases infinies.

Le même schéma se répéterait au niveau du désir transtemporel : du rapport aux morts, qui est bien évidemment ici un rapport d'amour. Dans la suite immédiate du chapitre on verra comment le retour « diabolique » des morts est provoqué par l'insistance très précise d'un désir : ainsi chez la jeune veuve, à qui la magicienne donne le moyen, une drogue, d'être au cours de la nuit visitée et possédée, en songe, par son mari revenu. Il en est de même du rapport de l'écrivain d'histoire avec tous les morts qu'il s'épuise à recréer. Il les crée pour qu'ils le créent à leur tour, dans le désir qu'il a de les écrire. Cette relation implique épuisement et jouissance. Jouissance *de* la mort — aux deux sens, objectif et subjectif, de la préposition *de* —, de la solitude, du manque, projetés ici, de manière concrète, et autrement encore symbolique, dans le décor suppliciel d'un personnage. L'historien n'est-il pas en effet une autre « fiancée du vent », un fiancé, un époux de la mort même ? Rôle à la fois sacrificiel et libidinal, dont le paradoxe est peu compris *(Oh! qu'on m'a calomnié!)*. Il n'existe en tout cas, chez Michelet, et ne dit *je*, à la fin de notre texte, que dans le « bienfait immense » d'un peuple de morts, par lui, en lui tout à la fois écrits et écrivants, inséminés et inséminants.

Histoire d'un dégel

... Un matin, tout se réveille paré d'aiguilles brillantes. Dans cette splendeur ironique, cruelle, où la vie frissonne, tout le monde végétal paraît minéralisé, perd sa douce variété, se roidit en d'âpres cristaux.

La pauvre sibylle, engourdie à son morne foyer de feuilles, battue de la bise cuisante, sent au cœur la verge sévère. Elle sent son isolement. Mais cela même la relève. L'orgueil revient, et avec lui une force qui lui chauffe le cœur, lui illumine l'esprit. Tendue, vive et acérée, sa vue devient aussi perçante que ces aiguilles, et le monde, ce monde cruel dont elle souffre, lui est transparent comme verre. Et alors, elle en jouit, comme d'une conquête à elle...

... Apre liberté solitaire, salut!... Toute la terre encore semble vêtue d'un blanc linceul, captive d'une glace pesante, d'impitoyables cristaux, uniformes, aigus, cruels. Surtout depuis 1200, le monde a été fermé comme un sépulcre transparent où l'on voit avec effroi toute chose immobile et durcie.

On a dit que « l'église gothique est une cristallisation ». Et c'est vrai. Vers 1300, l'architecture, sacrifiant ce qu'elle avait de caprice vivant, de variété, se répétant à l'infini, rivalise avec les prismes monotones du Spitzberg. Vraie et redoutable image de la dure cité de cristal dans lequel un dogme terrible a cru enterrer la vie. Mais, quels que soient les soutiens, contreforts, arcs-boutants, dont le monument s'appuie, une chose le fait branler. Non les coups bruyants du dehors; mais je ne sais quoi de doux qui est dans les fondements, qui travaille ce cristal d'un insensible dégel. Quelle ? l'humble flot des tièdes larmes qu'un monde a versées, une mer de pleurs. Quelle ? une haleine d'avenir, la puissante, l'invincible résurrection de la vie naturelle. Le fantastique édifice dont plus d'un pan déjà croule, se dit, mais non sans terreur : « C'est le souffle de Satan. »

Tel un glacier de l'Hécla sur un volcan qui n'a pas besoin de faire éruption, foyer tiède, lent, clément, qui le caresse en dessous, l'appelle à lui et lui dit tout bas : « Descends. »

Michelet, *La Sorcière*, I, vɪɪɪ, *Le Prince de la nature*,
Garnier-Flammarion, p. 99-100.

Je voudrais, dans les quelques lignes qui suivent, tenter de commenter cette page de *la Sorcière*. La rêverie qui s'y développe, avec une cohérence rigoureuse, mais jusqu'au délire aussi, et presque la folie de cette rigueur même, y est commandée par une logique interne des substances : plus particulièrement de deux substances mises en un contact tout à la fois polémique et amoureux, glace et feu. C'est dans l'espace du cristal gelé comme dans celui du volcan brûlant, ou plutôt c'est dans la relation, la confrontation matérielle de ces deux instances oniriques que le désir michelettiste cherche ici sa voie, même son aventure.

1. Tout y débute par la manifestation climatique du *glacé;* nous sommes à la fin d'un dur hiver :

Un matin tout se réveille paré d'aiguilles brillantes. Dans cette splendeur ironique, cruelle, où la vie frissonne, tout le monde végétal paraît minéralisé, perd sa douce variété, se roidit en âpres cristaux.

Apres cristaux : en fin de phrase se pose le motif dont tout le reste du développement a peu à peu construit le spectre thématique. Toutes les qualités, sensibles et morales, mobilisées par le travail du texte s'unissent, se *prennent* elles aussi, se roidissent dans la turgescence de cet objet final, de ce cristal phallique, tout à la fois brillant et âpre.

Il faut donc énumérer ces qualités, les classer, catégoriellement. Au niveau du vécu temporel, ici le premier opératoire, frappe d'abord la rapidité, le caractère instantané de la prise glaciaire, il faudrait dire peut-être plutôt de sa *surprise.* « Un matin, tout se réveille paré... » : une sorte d'enchantement négatif se pose soudain aux surfaces du monde, le temps connaît une brisure, un éveil, qui n'est en réalité qu'un ensommeillement. Nous voici loin des modèles positifs de la temporalité michelettiste tels qu'a pu les établir, par exemple, Roland Barthes, la lenteur cyclique, la fluidité, le rythme d'un cosmos pulsatile et féminin.

Spatialement aussi le gel est une ingratitude, et à nouveau même un bris. Ce qu'il défait, ici, c'est la tenue des choses. Dans le tissu du lieu la cristallisation glaciaire introduit une force infinie, et infiniment éparpillée, de crispation. L'ancienne unité topologique, perçue comme une nappe de prairies et de forêts, le « *tout* » initial, « *tout le monde* végétal » s'y rétracte, s'y fendille, et cela même syntaxiquement, en une pluralité discontinue et monotone : les « aiguilles brillantes », et les « âpres cristaux ». Le gel multiplie ainsi l'insularité, le morcellement; il promeut le maléfice du *nombre*.

Dans des données spatio-temporelles aussi hostiles fleurissent naturellement les qualifications sensibles les plus dangereuses. Ainsi l'*acuité* des aiguilles brillantes, liée à un paradigme sadique fort actif dans tout l'espace fantasmé de *la Sorcière*. Il y engendre une angoisse de la pointe déchirante (griffure, excision, entame), commune à toute une série de petits objets acérés, couteaux, scalpels, ronces, cactus, épines, tout un petit attirail domestique du supplice et de la castration. Cette vertu déchirante de l'aigu, on la voit, un peu plus loin dans le texte, se généraliser et s'étaler aux surfaces de l'objet sous forme d'une âpreté : l'âpre est-il autre chose en effet qu'un aigu privé de sa pointe, mais élargi, étendu jusqu'à la totalité de l'objet saisi d'aspérité ? L'âpre, en tout cas, porte jusqu'à qui le perçoit la marque d'un hérissement sourd, et comme d'un refus profond de la matière. Il s'oppose bien sûr à l'ancienne douceur. Traduite en valeurs lumineuses, cette même acuité/âpreté devient *brio*, mode incisif et éclatant de la clarté. Transcrite en un registre tactile et calorique, elle s'éprouve comme *froideur* (la vie y « frissonne »), et finalement comme *raideur* (la vie « s'y roidit en âpres cristaux ») : passage exemplaire alors du végétal au minéral, mutation d'une souplesse vivante à la rigueur, éréthisée, d'un monde inanimé.

Cette petite constellation sensible, nous la voyons en même temps, et à mesure qu'elle s'établit, se transcrire en qualités morales qui la redoublent sur le plan du « caractère » et de l'affect. C'est là pour l'écrivain une manière d'*éprouver* dans l'objet, d'y vérifier, explicitement, telle ou telle nuance de sa pulsion, angoisse ou désir. De là sans doute, peut-être, l'ambiguïté du résultat, disons le « portrait psychologique » de la glace. Dans l'objet gelé le brio peut s'éprouver en effet comme *parure*, comme *splendeur*, ce qui le connote positivement de gloire et de charme. Mais la triade maudite d'acuité, de froid et de raideur ne se vit, elle, que comme *cruauté* irrémédiable. Comment faire exister alors ce couple ennemi du splendide et du cruel, comment lier ces deux essences du séduisant et du déchirant ? En en unissant les termes en un mixte nouveau : cette vertu d'une agressivité distante, contenue, ce geste tout mental où c'est, dirait-on, le retrait lui-même qui fascine et qui attaque (songeons à Mallarmé), l'*ironie*.

2. Ainsi se dessine à peu près, au niveau de l'objet, le spectre de la cristallisation glaciaire. Mais, face à cet objet, le texte pose aussitôt un sujet, ou plutôt un corps, une chair personnelle qui le perçoit, subit, et imagine. Le paysage gelé n'est là, nous le comprenons bien vite, que pour glacer le cœur de la sorcière (et le cœur sorcier de Michelet) :

> *La pauvre sibylle, engourdie à son morne foyer de feuilles, battue de la bise cuisante, sent au cœur la verge sévère. Elle sent son isolement.*

Mélopée de la souffrance solitaire, chantée à travers un rythme d'allitérations proches (foyer/feuilles; battue/bise; verge/sévère; elle sent/isolement) ou d'échos plus lointains (battue/cuisante; sibylle/la bise). Au niveau thématique on y assiste au déplacement vers un espace domestique et subjectif de toutes les qualités jusque-là saisies dans l'extériorité du paysage. L'inanimation, par exemple, du paysage glacé y devient l'engourdissement de la sorcière; le frisson s'y déplace dans la forêt jusqu'à l'intimité du « morne foyer de feuilles »; l'insularité du cristal se transforme en la solitude d'une femme abandonnée; et l'aigu, l'agressif du monde cristallin s'installe dans le même temps au « cœur » de la sorcière, dans l'espace de son secret le plus féminin peut-être, pour y faire peser la pointe de sa « verge sévère ». Pénétration punitive qui peut passer aussi, l'ambiguïté du mot *verge* permet cette interprétation, pour une sorte de viol. Ou bien l'on songe à l'intromission irrésistible d'un « mauvais objet » fantasmatique. Mais c'est au contact aussi de cet objet que la sorcière ressent sa solitude et son malheur, donc se ressent, ou « se sent » elle-même. Et ce sentiment va lui donner les moyens d'une reconquête personnelle.

3. A partir d'ici, en effet, tout se retourne. Notre stock premier de qualités est conservé; mais au lieu d'être seulement *déplacées* dans l'espace d'un sujet, elles s'y trouvent aussi *intériorisées*, c'est-à-dire assumées par celui-ci, et même pour la plupart d'entre elles *renversées*, c'est-à-dire modifiées du tout au tout dans leur valeur, leur marque axiologique. L'indice de ce renversement se trouve dans le texte même, sous forme d'une articulation adversative :

> *Mais cela même la relève. L'orgueil lui revient, et avec lui une force qui lui chauffe le cœur, lui illumine l'esprit. Tendue,*

vive et acérée, sa vue devient aussi perçante que ces aiguilles, et le monde, ce monde cruel dont elle souffre, lui est transparent comme verre. Et alors elle en jouit, comme d'une conquête à elle.

Le geste du renversement (qui est aussi un *relèvement*, et un *retour* d'énergie) peut être décrit ici selon une double ligne d'analyse. On voit bien, d'abord, que les diverses vertus éprouvées comme positives dans l'objet sont transposées telles quelles dans le corps sujet, en y subissant simplement une reprise personnelle. Ainsi la *splendeur* du cristal glacé se transforme humainement en de l'*orgueil*. Elle s'anthropologise encore, selon la logique tenue du *brio*, en une *lumière* de l'esprit et du regard : lumière déplacée d'ailleurs, par glissement et connotation sensible, en cette nuance nouvelle qu'ignorait le gel (et qui vient même démentir sa froideur), la *chaleur* du cœur.

Quant aux valeurs souffertes comme négatives dans l'objet torturant, il est curieux de les voir explicitement, thétiquement se retourner pour devenir, au niveau du sujet réactivé, des vertus positives. C'est là la transformation la plus spectaculaire — et spectaculaire même d'ailleurs en ce qu'elle intéresse d'abord l'acte du *voir*. Elle permet par exemple à la *raideur*, dysphorique dans le cristal glacé (parce que connotée d'inanimation, de mort), d'apparaître, dans le corps sorcier, comme la *tension* d'une énergie personnelle retrouvée (et donc connotée d'intensité, de virtualité dynamique). Ou bien l'*acuité* douloureuse de l'aiguille se retourne en la qualité *perçante* du regard. Un tel retournement a valeur aussi bien de réplique ; il est une récupération d'initiative ; il a partie liée avec l'invention d'une *vivacité* qui déjoue l'ancienne paralysie objectale. Tout cela a peut-être été aidé, il faut le remarquer, par un changement de registre de la prise perceptive elle-même. L'ancienne saisie tactile de l'objet, qualifiée par la froideur, l'âpreté, l'acuité malheureuse, se voit relayée par une compréhension plus purement scopique. D'où un changement radical dans la polarité de l'agression : c'est le paysage glacé désormais qui la subit, et sans pouvoir lui opposer le moindre obstacle. Hostile, déchirant pour la main, il est en effet pleinement *transparent* pour le regard. On comprend que cette nouvelle qualité du gel, la transparence, absente de notre premier spectre thématique, se mobilise maintenant pour permettre à l'objet de s'ouvrir, ou de s'offrir. Et cela d'autant mieux que le texte lui donne l'appui métaphorique du *verre*, substance neutre ici, absolument transitive, soustraite en tout cas aux malédictions glacées. Le plus accablant, le plus fermé, tout en continuant, à son niveau, à exercer son hostilité agressive, devient donc, sur un autre plan et d'une autre manière, le plus favorable, le plus aisément traversable, le plus heureusement maîtrisé. Inversion exemplaire de tout le dispositif stratégique d'abord dessiné : elle aboutit chez son auteur, et son bénéficiaire, à une reconquête, suivie, dit le texte michelettiste, d'une véritable *jouissance* du glacé : glacé, pourtant, dont elle souffre encore. C'est bien dans la nécessaire déchirure d'un jouir-souffrir que se possède, ici, la vérité sensuelle du cristal.

4. Je laisse maintenant de côté deux paragraphes qui divergent quelque peu de notre région maîtresse, la matérielle, pour interroger le rapport du corps sorcier à un autre registre essentiel, celui de l'animalité sauvage. C'est pour notre personnage une façon encore de redécouvrir son autonomie, ou, comme le dit mieux Michelet, sa suffisance. Autre modalité, moins expansive, plus incurvée sur soi, de la même énergie dont nous avons vu plus haut la réapparition.

Puis, comme en un battement, un recommencement nécessaire, le texte revient à son point de départ. Oubliant la sorcière conquérante, ou la laissant, après lui avoir adressé son salut, à sa solitude exceptionnelle (et allitérativement exaltée : *liberté, solitaire, salut...*), il fait retour à l'espace de l'objet tragique lui-même, qu'il interroge à nouveau et, cette fois, par voie de métaphore :

> *Apre liberté solitaire, salut!... Toute la terre encore semble vêtue d'un blanc linceul, captive d'une glace pesante, d'impitoyables cristaux uniformes, aigus, cruels. Surtout depuis 1200, le monde a été fermé comme un sépulcre transparent où l'on voit avec effroi toute chose immobile et durcie.*

Le texte, comme souvent chez Michelet, travaille d'abord ici par litanie, par redondance : il récite dans l'objet certains thèmes qui y avaient déjà été posés, ainsi l'uniformité, l'acuité, la cruauté (devenue superlative, impitoyable), ou l'âpreté (passée de l'objet cristallin au sujet solitaire). Mais il innove aussi en nommant dans le paysage glacé deux vertus inédites : la pesanteur, puis, par rapport au sol qu'elle recouvre, la puissance enveloppante et captivante de la couche glaciaire. Celle-ci ne s'imagine plus seulement alors comme paralysant le relief varié des formes végétales, mais comme obturant jusqu'à l'asphyxier la surface même de la terre. Du gel à l'objet gelé le rapport n'est plus seulement de *prise* minéralisante, mais de superposition et d'écrasement. D'où le déclenchement de l'un des paradigmes les plus terribles, les plus durement nourris et fantasmés de *la Sorcière*, celui de la verticalité opprimante, avec toute la série des motifs, concrets ou abstraits, qui lui sont attachés : le château, l'école, la scolastique, la prison, le dogme, l'*in-pace*, l'or, la tour, le tombeau, le cercueil, toutes figures du même « cruel pressoir à briser l'âme ».

Il est normal alors de voir une liaison métaphorique s'opérer entre notre chape glacée et l'un des objets les plus fortement attachés à ce paradigme d'oppression : le sépulcre, ou « blanc linceul ». A moins, autre façon de dire la même opération, que ce ne soit l'acte du rapprochement analogique qui provoque la manifestation du paradigme. On pourra, quoi qu'il en soit, juger cette liaison bien peu originale, porteuse de peu d'information nouvelle. Elle est réactivée pourtant par la présence d'une qualité peu fréquente en un tombeau, et qui suffit à le frapper d'étrangeté, voire d'horreur, la transparence. Cette vertu de transparence, elle s'hérite, bien sûr, de notre première transformation positive : du moment textuel où le regard sorcier parvenait à traverser de part en part l'objet glacé. Mais à quoi sert désormais cette transparence sépulcrale, sinon à ouvrir la dimension morte de l'objet ? Le verre n'autorise plus ici un impérialisme du regard, il donne lieu seulement à un « effroi » du voir. Nouveau renversement, cette fois négatif, d'une qualité utilisée d'abord comme amicale : c'est qu'elle est prise ici dans un ensemble d'un tel poids maléfique qu'elle n'a plus le pouvoir d'y faire jouer sa bienfaisance, ou que celle-ci ne peut plus s'y exercer qu'en faveur de l'angoisse, et du refus. Le gel tout à la fois étouffe, écrase par son poids, et ouvre par sa transparence. Mais il n'ouvre en réalité qu'à cette clôture même, ou plutôt à son terrible résultat, la mort.

Mais quelle mort ? L'expansion intérieure du texte, le jeu rhétorique de ses comparaisons nous font peu à peu glisser du plan du paysage à celui de l'Histoire : le paysage, c'est bien pour Michelet d'ailleurs la métaphore permanente de l'Histoire, ou peut-être sa vérité sensuelle, son corps allégorique. La *terre* ici s'humanise bientôt en *monde*. L'*encore*, le *surtout depuis 1200* temporalisent, puis datent la glaciation; et mieux encore le syntagme verbal *a été fermé* qui l'assigne au geste prémédité d'un acteur historique, anonyme sans doute, mais repérable peut-être (c'est là toute la tâche de l'Histoire). La couche de glace se comparait d'abord à un « blanc linceul » mortuaire : mais celui-ci, élargi en « sépulcre transparent », sert finalement de comparant à cette autre entité, culturelle, économique, sociale, l'*époque* où se parle pour Michelet la plus dure oppression du monde médiéval, le XIIIe siècle.

5. Une fois ainsi lancée, aucune raison pour que l'imagination métaphorisante, le démon michelettiste de l'analogie, s'arrête de travailler

et de produire. D'autres comparaisons, situées sur des isotopies très variées — culturelle, géographique, religieuse —, vont venir confirmer et redoubler l'œuvre de glaciation. Tout repart, comme si souvent dans *la Sorcière*, sur l'appui d'un texte-objet, avec le relais d'une citation :

> *On a dit que « l'église gothique est une cristallisation ». Et c'est vrai. Vers 1300, l'architecture, sacrifiant ce qu'elle avait de caprice vivant, de variété, se répétant à l'infini, rivalise avec les prismes monotones du Spitzberg. Vraie et redoutable image de la dure cité de cristal dans lequel un dogme terrible a cru enterrer la vie.*

Nous voici face à face avec ce nouveau cristal maudit : la cathédrale. Objet favori, on le sait, du ressentiment michelettiste, l'église ne cesse de faire passer d'un plan à l'autre de son existence la même teneur stérile et oppressive. Réalité autosymbolique donc, qui se parle, à tous les niveaux de son être, dans les mêmes termes mortuaires. Mais comment le texte en est-il venu à elle ? Par métonymie, d'abord, et plus précisément par synecdoque : la cathédrale est la petite partie concrète qui renvoie au grand tout moyenâgeux. Et qui y renvoie, jeu de mots possible, en en résumant, en en « cristallisant » parfaitement en elle l'essence. Mais c'est par similitude surtout, et par analogie avec notre modèle cristallin que surgit le grand bâtiment gothique. Ou, mieux, car le texte permet ici de suivre comme une intentionnalité auto-architecturante de l'objet (il « sacrifie », il « rivalise »), qu'il se forme, qu'il se cristallise sous nos yeux. Blanche, pierreuse, acérée, prismatique, on rêve alors son érection comme une sorte de crispation avaricielle, un autoresserrement angoissant et agressif à la fois du paysage. Cette construction, cette blancheur correspondent à la raideur, au brio du gel, mais l'église s'orne aussi de nuances spécifiques. Certes la non-singularité, la non-variété (le caprice refusé), l'uniformité se répètent encore dans la cristallisation gothique. Mais il s'y ajoute une particularité autre, de nature morale : le *sacrifice* (« *sacrifiant* ce qu'elle avait de caprice vivant »). Nuance répressive et autopunitive, qui fait écho à toutes les pratiques mutilantes de la vie et du désir si cruellement décrites par le texte entier de *la Sorcière*. La seule activité positive de la cathédrale consiste, sur le plan d'une sorte de symphonie des formes maléfiques, à entamer une surenchère, délirante, avec « les prismes monotones du Spitzberg », à « rivaliser » avec eux : *Spitzberg*, rime d'*iceberg;* c'est une limite géographique, populaire, de la glaciation, la grandeur vide, désespérante d'un bout du monde, d'un bord de l'inhumain. D'un bord infini, comme est infini l'ennui de la répétition cléricale. De ce bord un saut hyperbolique nous fait passer à une hauteur spirituelle, glorieusement élargie, mais tout aussi stérile et vénéneuse. Le Spitzberg appelle comparativement la « dure cité de cristal » : autre figure périphrastique de la cathédrale ? Plutôt peut-être nom de la Jérusalem Céleste, en laquelle Michelet découvrirait alors l'archétype dernier du catéchisme, de la fixation dogmatique, de « l'enterrement » vital.

6. « Enterrer la vie » : nous voici au plus bas, au fond du trou en somme. Mais le texte michelettiste ne peut s'en tenir à ce point zéro de l'existence : il y trouve, comme toujours ici, la force d'un redépart nouveau. Toute la fin de notre page met en scène l'acte d'un autre retournement, d'une nouvelle bascule de la négativité en bienfaisance. Ce salut ressemble assez peu, pourtant, à celui qu'avait opéré, au deuxième paragraphe de notre texte, le ressaisissement conquérant de la sorcière. Là un matériel thématique de signe négatif avait, tout en conservant sa teneur, renversé sa valeur en glissant, quasi intégralement, du côté de l'objet à celui d'une subjectivité retrouvée et euphorique. Ici les mêmes thèmes maléfiques vont se voir remplacer par d'autres thèmes, leurs opposés, qui seront vécus, eux, dans le plaisir : et qui se projetteront dans un *autre* objet, ou dans une autre région, bienfaisante, de l'Objet. Ce qui aura changé dans chaque terme, ce ne sera donc plus sa *marque* axiologique, mais sa *place* sur les quelques directions signifiantes contribuant à constituer ici une présence au monde singulière. Au paysage originel dysphorique s'opposera dès lors un contre-paysage, qui en sera à la fois l'antithèse et le verso. Redonnons la parole à notre texte :

Mais, quels que soient les soutiens, contreforts, arcs-boutants, dont le monument s'appuie, une chose le fait branler. Non les coups bruyants du dehors; mais je ne sais quoi de doux qui est dans les fondements, qui travaille ce cristal d'un insensible dégel. Quelle ? l'humble flot des tièdes larmes qu'un monde a versées, une mer de pleurs. Quelle ? une haleine d'avenir, la puissante, l'invincible résurrection de la vie naturelle. Le fantastique édifice dont plus d'un pan déjà croule, se dit, mais non sans terreur : « C'est le souffle de Satan. »
Tel un glacier de l'Hécla sur un volcan qui n'a pas besoin de faire éruption, foyer tiède, lent, clément, qui le caresse en dessous, l'appelle à lui et lui dit tout bas : « Descends. »

Il est facile d'apercevoir d'abord ici comment tous les éléments, qualités ou motifs de ce paysage nouveau correspondent à un renver-

sement des termes constitutifs du premier décor, cristallin et malheureux. A l'*âpreté* glaciaire répond par exemple le *doux :* un *je ne sais
quoi de doux*, qui en indétermine, en adoucit davantage encore la
douceur. A l'*immobilité* du gel succède l'animation d'un sourd *travail*.
L'*orgueil* crispé du cristal devient l'*humilité* des larmes. La *rapidité*,
la *froideur* de la prise glaciaire cèdent la place à une *tiédeur* lacrymale,
à la lenteur d'un « *insensible* dégel ». Au lieu surtout de la douloureuse
pluralisation d'espace à laquelle aboutissait le gel (*les* aiguilles brillantes, *les* âpres cristaux), on se retrouve face à des entités singulières,
homogènes, liées : *l'*humble *flot* des tièdes larmes, *la* mer de pleurs
(où le pluriel originel se trouve exemplairement résorbé en un
singulier vaste et collectif : le *flot*, la *mer*), *une* haleine d'avenir,
la puissante résurrection de *la* vie naturelle. L'ancien tout brisé
(« tout le monde végétal ») se trouve ainsi réaccolé, réunifié à
soi.

Mais voici mieux : ce paysage, qui constitue l'exacte contrepartie
imaginaire du premier, ne se contente pas de lui répondre terme à
terme, comme le positif au négatif, ou comme l'espérance au désespoir. En une nouvelle avancée de rêverie Michelet invente qu'il
coexiste avec celui-ci, qu'il s'inscrit *spatialement* à ses côtés : ou,
mieux, qu'il se dispose *au-dessous* de lui, dans son sous-sol (qu'il s'y
sous-pose, s'y suppose ?). Bref, qu'il s'établit dans cette dimension
même de verticalité souterraine productrice jusqu'ici de la plus violente
angoisse. C'est peut-être le syntagme *enterrer la vie*, final du paragraphe précédent, qui, aidé par le rebond de l'adversatif *(Mais,
quels que soient les soutiens)*, a servi de déclencheur à tout l'horizon
de profondeur, de profondeur retournée vers le haut, *relevée* (« cela
même la relève »...), dans laquelle va se développer maintenant la
rêverie. Quoi qu'il en soit, la dimension du dessous y retrouve toute
sa ressource énergétique. Au montré torturant elle oppose un caché,
un invisible, jusque-là refoulé vers le bas, et dont on va inaugurer
la remontée, ou le retour. Et comme le monde du haut, ou du dressé
(le cristal phallique, la cathédrale, la Jérusalem Céleste) figurait la
machine d'une loi écrasante, celui du bas va devenir l'espace, uto-
pique, du soulèvement libidinal, le lieu d'un désir enfin affirmé et
libéré.

Mais s'il doit y avoir libération, il faudra bien aussi que se produise
quelque action, ou quelque réaction, quelque relation dynamique
en somme, liant entre eux les deux niveaux ennemis du paysage. Ni
le schème de coexistence, ni même celui de superposition ne suffisent
à opérer cela. Il faudra donc imaginer dans la matière, dans les deux
matières en contact, d'autres gestes : ceux par exemple d'une *attaque*,

d'une démolition du monde du dessus par le monde du dessous (jeter à bas la cathédrale, la faire tomber comme une Bastille déconstruite), ou, mieux, et de façon plus réconciliante, ceux d'une transformation, ou d'un passage, bref d'une *modification* sensuelle du glacé. Il faudra donc désirer en réalité un *devenir :* un glissement continu, immanent (non effectué par chocs, « coups bruyants du dehors ») du haut au bas (on rêvera donc une descente), de l'immobile à l'actif (on rêvera une émotion, ce que Michelet nomme un « branle »), du froid à la tiédeur (on rêvera un échauffement), de la crispation à l'expansion (on rêvera un amollissement, une détente).

A cet imaginaire de la transformation deux formes instrumentales essentielles vont être fournies par le travail du texte : celle de l'*écroulement,* celle de la *fusion.* La première correspond à une tonalité sadique du désir; elle rappelle, souterrainement, l'agressivité tout à l'heure manifestée par le regard violent de la sorcière. Ce qui introduit dans le texte le vœu d'écroulement, ou du moins ce qui l'y provoque syntagmatiquement (son pré-texte), c'est sans doute une particularité architecturale de la cathédrale elle-même : ces « soutiens, contreforts, arcs-boutants, dont le monument s'appuie » y figurent, à côté du surgissement prismatique, la notion d'une fragilité; ils y suggèrent l'idée d'un quelque chose ne demandant en réalité qu'à s'effondrer. D'où la tentation de la petite poussée supplémentaire qui, en renversant l'édifice, en achèverait la logique, et le destin. On voit pourtant la phrase refuser, après l'avoir envisagée, la solution de ce « branle » extérieur (« non les coups bruyants du dehors ») pour lui préférer la forme d'un écroulement interne et progressif : une sorte d'effondrement dû à l'érosion, ou mieux peut-être, à la succion de la profondeur émue. Non plus une violence, mais une douceur, persuasive, corrosive. Moins une révolution qu'une involution, ou qu'une inspiration : « je ne sais quoi de doux qui est dans les fondements, qui travaille ce cristal d'un insensible dégel ». Et nous voici conduits au rêve de fusion.

Dégeler, fondre : cela voudra dire dénouer, résoudre liquidement la dureté (polysémique ici : concrète, morale, intersubjective, idéologique) de tous les cristaux regardés et rêvés par le texte : le gel hivernal, mais aussi la cathédrale, le Spitzberg, le Moyen Age, avec toutes ses modalités glaciales, et jusqu'à la crispation réactive de la pauvre sorcière elle-même. Deux formes se donnent parallèlement ici à la fusion : la répétition du *Quelle ?... Quelle...* marque leur similitude. La première est, assez logiquement, liquide. Mais c'est une liquidité surprenante aussi, en ce qu'elle s'identifie à une humeur, et même à une humeur puissamment pénétrée d'affectivité, ces *larmes* abondantes, irrépressibles, infiniment expansives, ce tiède *flot* de larmes, cette *mer* de pleurs où se parle, et en même temps se résout, se guérit toute la souffrance d'un « monde ». On sait l'euphorie des larmes pour Michelet, leur valeur de fécondité, le génie de toutes les créatures qu'elles marquent : cette valeur est ici bien sûr présente. Mais elle s'enrichit d'une autre note particulière, celle, à tous les sens du mot, d'une *émotion*. Car ce qui meut, ce qui émeut finalement la rigueur médiévale, ce qui fond sa glace impitoyable, c'est la souffrance même qu'a causée ce manque de pitié. La dureté succombe ainsi à l'excès d'une faiblesse (d'une « humilité »), à l'accès d'une tendresse (d'une « tiédeur ») : révolution fondée sur un *pathos*. Ou disons que les larmes, réponse à la cruauté médiévale, sont l'effet moral du gel; mais qu'elles deviennent aussi le moyen, historique et sensuel (calorique), de sa fusion; et comme, enfin, le chiffre heureux, la preuve de sa défaite. Par les larmes le cristal s'ouvre en effet, sa gangue devient flot et mer. Magnifique résonance d'un motif poursuivi à tous les niveaux de sa virtualité imaginaire, à tous les plans de l'aventure matérielle, et de l'affect.

Après les larmes, voici leur doublet aérien, l'*haleine*. Force d'une diffusion plus grande encore, mais qui répond à une phénoménologie corporelle différente. La fonction qu'elle mobilise n'est plus le simple laisser-aller, l'effusion à sens unique du pleurer : mais le respirer, c'est-à-dire à la fois l'inspirer et l'expirer, avec leur définition rythmique, leur don d'alternativement creuser le corps et d'en propulser le souffle jusqu'au lointain d'un monde. Ici ce lointain prend aussi forme temporelle : l'haleine continue les larmes comme un futur prolonge un passé (c'est une *haleine d'avenir*, s'opposant aux larmes qu'un monde *a versées*), et comme une puissance de soulèvement achève l'œuvre de « résurrection » qu'avaient entamée les forces du dégel. Il faut se souvenir aussi de l'importance du thème pneumatique dans toute l'étendue de *la Sorcière*. Ici même l'haleine répond à la bise cuisante qui, dans le paysage hivernal, battait et châtiait le corps de la sorcière. Ailleurs les vents, les souffles, les fumées, toutes ces formes d'une vie invisible, et pourtant bien vivante, fort active, s'imaginent comme les modes de présence de celui qui est partout et nulle part, inexistant et surexistant, impalpable et unanimement insinué, Satan lui-même. De la caresse aérienne à l'insufflation excrémentielle, c'est souvent à travers des thèmes de volatilité que s'opère sa possession. L'haleine délivrante est donc elle aussi marquée du signe diabolique, ce que confirme la notation finale du paragraphe, et ce qui renforce la cohésion rêvée de notre texte (puisque Satan n'est guère ici qu'un avatar particulier de la sorcière).

Arrivé d'ailleurs à ce point de sa révolution on remarquera que le texte ne peut plus préserver l'anonymat de ses diverses forces émouvantes. Il lui faut les y singulariser, et aussi les y dramatiser dans des acteurs. Personnages collectifs certes, comme « la vie naturelle », ou encore puissamment ambigus, « un monde » (sa généralité est à la fois humaine et naturelle). En face « l'édifice » glacé se personnalise lui aussi, prend « conscience » de sa ruine prochaine, et en nomme l'acteur, ou l'actant suprême, cet actant diabolique qui accueille en lui, dans *la Sorcière*, toutes les rêveries interdites du désir. « Le fantastique édifice se dit, mais non sans terreur : " C'est le souffle de Satan ". »

7. Cette terreur est-elle vraiment fondée ? Les trois dernières lignes de notre texte semblent bien vouloir nous dire le contraire. Tout ce travail de transformation, cette défection du gel en pleurs et en haleine n'ont pas été en réalité une démolition de l'ancien monde. Il faut les comprendre plutôt comme une séduction de celui-ci : comme le résultat d'une attraction du paysage cristallin négatif par le contre-paysage positif qu'il tenait au-dessous de lui bloqué et refoulé. C'est une action de nature amoureuse qu'a subie en réalité notre monde glacé : dissolvant peu à peu ses résistances, cette action l'a fait s'écrouler, se fondre, s'en aller bienheureusement vers l'autre, vers *son* autre... Sa défaite, on peut donc la comprendre comme une abdication très sensuelle, comme la réponse donnée à un *appel*, à cette voix qui, tout bas (tout bas : dans la double profondeur de l'espace et du secret charnel), a chuchoté le mot ensorcelant : « Descends. » Descente devenue une aspiration érotique vers, ou par le bas. La douceur qui œuvre dans les fondements n'y a donc pas vocation véritablement destructrice : ce qu'elle prodigue à l'ancien monde, à son ennemi bientôt défait, c'est, selon la belle franchise du texte, une « caresse en dessous ».

Mais qui appelle ici, qui caresse, quel est l'auteur final de la séduction ? Des bouleversements si puissants et si divers réclament un moteur qui les anime. Et toute cette conjuration de désir devra bien renvoyer à un foyer. Le texte nous met enfin en sa présence : c'est le volcan, cœur du contre-paysage, pôle igné opposé au Spitzberg polaire, second interlocuteur, jusqu'au bout différé et enfoui, de notre dialogue matériel. Il n'avoue son ardeur qu'à l'ultime mot de notre page, au moment où tout, et jusqu'au lecteur même de ce texte, a déjà succombé à son ensorcellement. Dans cette figuration dernière le volcan séduit donc en lui la glace, et il le fait, nouvelle invention excitante, en se tenant immédiatement *au-dessous* d'elle. En Islande rien ne sépare les cratères des glaciers, ce qui permet au texte de rêver de la manière la plue *nue*, la plus crue, le contact amoureux des deux substances [1].

Encore faut-il remarquer, pour finir, toute l'étrangeté de ce contact, et la singularité du volcan michelettiste. Presque un anti-volcan, si l'on y regarde d'un peu près. Certes, il conserve du volcan traditionnel sa valeur essentielle de réserve libidinale et de brûlure. Mais cette vertu il l'adoucit, la virtualise, surtout la féminise. Car c'est bien une voix de femme qui, comme dans *Barbare* de Rimbaud (« la voix féminine arrivée au fond des volcans et des grottes arctiques »), prononce ici l'appel voluptueux. Au phallisme exaspéré et insupportable du monde gelé répondent ainsi des valeurs de déturgescence, d'effusion chaleureuse, de résorption intime. Mais le plus curieux dans ce volcan, c'est encore sa latence. Il « n'a pas besoin, dit Michelet, de faire éruption ». Cela le sauve des déchirures de l'éjaculation, si bien décrites encore, deux pages plus loin, dans les amours africaines de l'agave, et sans doute liées à toutes nos aiguilles érigées. C'est que l'espace féminin n'est pas, pour Michelet, le lieu d'une affirmation (ni de sa caricature : une éruption), mais d'un enveloppement et d'un accueil. D'un accueil sans violence, sans excès : sa note calorique est la *tiédeur* (tiédeur déjà jouie dans les larmes, dans l'haleine, ces prémices humorales du volcanisme); son temps est la *lenteur*, son climat la *clémence* (le contraire de l'agressivité, de la possessivité). Le vrai volcan, la femme, n'est pas pour Michelet celui qui fait éruption, ni irruption dans l'espace de nos vies, mais celui qui nous aspire dans

---

1. Cette immédiateté de la jonction érotique, il faudrait voir aussi comment le travail même de la lettre peut l'*opérer*, en faire un élément de jouissance, puis la dépasser vers des formes verbales de fusion ou de coalescence. Ainsi, dans les trois dernières lignes du texte, g*lacier*/Hé*cla*/vol*can* forment une triade anagrammatique rapprochée qui se continue et se dénoue vers *clément*, et *le* caresse. Cette triade appartient elle-même à une chaîne phonico-sémique commandée par la cellule consonantique *cl* (modulable en *gl*, peut-être en *cr*, ou en *gr*), et traversant toute l'étendue du texte. Elle contient nombre de ses mots clefs : ainsi g*lace*, é*glise*, cathéd*rale*, *cristal*, *cruel*, sépul*cre*, *croule*. La solidarité phonétique et sémantique de ces divers *pilotis* permet d'opérer, à mesure que l'écriture les produit, et que la rêverie les développe, à mesure, disons, que l'écriture rêvante les *découvre*, leur enchaînement, puis leur résolution onirico-textuelle. Ainsi, ici, la bascule du négatif *(cruel, sépulcre, glacier, église)* en la même identité devenue voluptueuse et positive *(Hécla, volcan, clément, caresse)*.

Une autre chaîne phonico-sémique, partiellement liée à celle-ci, et fondée sans doute sur le nom-foyer *Satan*, fait courir à travers le texte la prégnance signifiante d'une cellule *st*, voisée en *sd*, ou *zt* (avec un vocalisme insistant sur les nasales). Ainsi à travers cri*stal*, *soutiens*, pui*ssante*, ré*surrection*, fan*tastique* (anagramme plein de *Satan*), se *dit*, non *sans terreur*, in*sensible dégel*, en *dessous*, *descends*. Chaîne de la puissance satanique, finalement dénouée en une douceur.

son propre espace, nous y inspire, et nous y conserve capturés. Volcan *inverse* en somme, d'une énergie tout intériorisée. Volcan régressif ? Peut-être. Mais le texte de *la Sorcière* donne à entendre que la vraie libération se situe tout autant en arrière qu'en avant. Là où il ne faut en tout cas pas la rechercher, c'est *au-dessus*. D'où la puissance, ici, de ce *dernier mot* du texte : « Descends. »

La sorcière dedans/dehors

Je me propose ici de mener un rapide parcours à travers le livre I de *la Sorcière*, texte dont la critique michelettiste s'accorde à reconnaître l'homogénéité, l'unité spécifique, la densité, tant poétique que fantasmatique. Cette traversée s'effectuera selon un choix d'ordre thématique, c'est-à-dire catégoriel : celui que suggère l'opposition, si forte ici, si évidemment marquée et agissante, des deux régions primordiales d'espace que sont le *dedans* et le *dehors*.

Les rapports, le jeu multiple de ces deux instances matérielles pourraient être étudiés dans le système, synchronique et étalé, d'un *paysage*. Mais ce ne sera pas ici mon propos. Je chercherai plutôt à en décrire la manifestation progressive, à les voir se lier l'un à l'autre à travers la succession même qui est la leur dans le développement temporel d'une fiction. Car c'est bien comme une fiction, comme un petit roman ethnologique que Michelet lui-même présente ce livre I de *la Sorcière :* il veut y suivre, dit-il, « un petit fil biographique et dramatique, la vie d'une même femme pendant 300 ans ». Cette vie connaît un certain nombre de phases dramatiques, elle traverse une suite de scènes qui mettent toutes en jeu de manière essentielle, ce sera là mon postulat, le rapport spatial structurant d'un dedans et d'un dehors. Suivre la modulation, et comme la déclinaison de ce rapport, voilà le projet des petites analyses qu'on va lire. Si elles ont quelque validité, il faudra bien se demander s'il n'existe pas ici (peut-être ailleurs, peut-être partout) une fonction narrative de la structure thématique, et de la position pulsionnelle qui lui est toujours conjointe. Dans *la Sorcière*, en tout cas, la suite des événements racontés (la diégèse) pourra se lire comme le développement réglé ou, si l'on préfère, comme l'exploitation d'une opposition (parmi d'autres) posée au niveau des signifiés personnels : disons la tension entre une libido de l'illimitation, et le désir inverse d'une frontière, d'une limite, d'une loi.

Pour apercevoir cela, il faudra « raconter » à nouveau l'histoire de la sorcière, à travers les quelques scènes successives (j'en distingue six)

97

où la fixe le récit. Dans chacune de ces scènes un dispositif particulier d'espace répond à une disposition particulière du désir.

1. *Première scène :* nommons-la celle de la *liberté captée,* ou de la *première clôture.* Le décor anthropologique originel y est celui d'une extériorité encore libre, ouverte, mais dangereuse aussi, car placée sous la menace permanente de ces hommes du dehors, de ces étrangers archétypaux et agressifs que sont ici les Barbares.

Pour fuir le danger de l'extériorité barbare l'homme médiéval se voit donc obligé d'opérer une conversion d'espace : il fait appel à l'abri d'un lieu focalisé et clos. C'est là le premier rôle de la *tour* (construite verticalement sur une colline), et, avec elle, du *château* (qui en est l'expansion horizontale) :

> *[...] sur la montagne s'élève une tour. Le fugitif y arrive. « Recevez-moi au nom de Dieu, au moins ma femme et mes enfants. Je camperai avec mes bêtes dans votre enceinte extérieure. » La tour lui rend confiance et il sent qu'il est un homme. Elle l'ombrage. Il la défend, protège son protecteur.*

Trois points sont ici à remarquer :

— le lien imaginaire du dedans protecteur avec une verticalité dressée : pas d'abri féodal sans une tour dominante;

— l'équilibre soigneusement ménagé de la protection : femmes et enfants vivent à l'intérieur de la clôture; hommes et troupeaux restent à l'extérieur;

— le caractère, enfin, de réciprocité et de légalité de cette première installation. Elle s'opère en vertu d'un pacte consenti entre celui qui est dedans et celui qui reste dehors, entre suzerain et vassal, chacun s'engageant, dans une hiérarchie reconnue (le dedans y dominant le dehors), à défendre les intérêts de l'autre.

Telle est, dit Michelet, la « grande, la noble origine du monde féodal » : fondée, on le voit bien, sur l'euphorie d'un juste partage spatial (et social), d'une balance fonctionnellement instituée entre l'extériorité (vassale) et l'intériorité (suzeraine).

2. Mais soudain cette balance disparaît, le pacte féodal se brise : et cela sous la poussée conquérante, avide, expansive, de la puissance du dedans, des hôtes du château, de l'instance seigneuriale :

> *Mais un matin, qu'ai-je vu ? Est-ce que j'ai la vue trouble ? Le seigneur de la vallée fait sa chevauchée autour, pose les bornes*

*infranchissables, et même d'invisibles limites. « Qu'est cela ?... Je
ne comprends point. » — Cela dit que la seigneurie est fermée :
« Le seigneur, sous porte et gonds, la tient close, du ciel à la
terre. »
Horreur! en vertu de quel droit ce* vassus *(c'est-à-dire, vaillant)
est-il désormais retenu ? — On soutiendra que* vassus *peut aussi
vouloir dire* esclave.

Substitution d'étymologie qui consacre une nouvelle configuration
d'espace, et une nouvelle forme aussi du rapport social. De protectrice
qu'elle était, la clôture y devient soudain emprisonnante; elle ne se
dresse plus contre la menace de ceux qui vivraient en dehors d'elle,
mais pour la contention et l'oppression de ceux qui demeurent en son
sein. D'abri la voici donc devenue moyen d'aliénation. La valeur du
thème d'intériorité y pivote brusquement ainsi, et comme structuralement, du positif au négatif, de l'euphorique au dysphorique.

Il faut ajouter que, devant cette soudaine prédation du dedans seigneurial, aucune résistance n'est possible. Celui qui essaie de s'y opposer est saisi, de l'intérieur de lui-même cette fois, et comme si ce nouveau principe de clôture s'attachait aussi, et peut-être essentiellement,
à la substance secrète de sa chair, par le charme d'une magie mauvaise :

*L'air s'épaissit autour de lui, et il respire de moins en moins.
Il semble qu'il soit* enchanté. *Il ne peut plus se mouvoir. Il est
comme paralysé. Ses bêtes aussi maigrissent, comme si un sort
était jeté. Ses serviteurs meurent de faim. Sa terre ne produit plus
rien. Des esprits la rasent la nuit.*

Corrélative à celle de l'emprisonnement se produit donc, sur le corps et
sur la terre du vassal, une sorte d'invasion d'impuissance : il est
paralysé, il ne peut plus agir, ni produire. D'où est venu ce maléfice ?
La suite de notre texte n'hésite pas à lui attribuer un caractère punitif,
à voir en lui la sanction (ou la conséquence) d'une faute, d'ordre
ouvertement sexuel. Écoutons les propos du seigneur :

*Rappelle-toi, mon bonhomme, qu'étourdiment, jeune encore (il y
a cinquante ans de cela), tu épousas Jacqueline, petite serve de mon
père... Rappelle-toi la maxime :* « Qui monte ma poule est mon
coq. » *Tu es de mon poulailler. Déceins-toi, jette l'épée... Dès
ce jour, tu es mon serf.*

« Qui monte ma poule est mon coq. » Comprenons bien ici l'ambiguïté de ce *ma*, qui signifie la propriété financière, mais aussi la
possession sexuelle. Le serf est puni de l'*étourderie* (merveilleux

euphémisme) qui l'a fait autrefois se marier, et épouser le bien sexuel, la « poule », la « femme » de son seigneur (de son père, nous souffle la psychanalyse). De là cet enchantement punitif, cet abandon symbolique de tous les signes de la virilité (« Déceins-toi, jette l'épée »). De là aussi l'écho affectif que ce châtiment œdipien provoque chez Michelet en train de le raconter :

> *Ici, rien n'est d'invention. Cette épouvantable histoire revient sans cesse au Moyen Age. Oh! de quel glaive il fut percé! J'ai abrégé, j'ai supprimé, car chaque fois qu'on s'y reporte, le même acier, la même pointe aiguë traverse le cœur.*

Glaive, acier, pointe aiguë : bien étonnant attirail d'objets blessants et castrateurs. Par un redoublement caractéristique de l'émotion, la blessure punitive liée au premier enfermement (égale à lui) se trouve ainsi répétée et transférée du plan de la fiction jusqu'à celui de qui la raconte, jusqu'au niveau de l'instance énonçante elle-même. Ce « cœur percé », c'est bien celui de qui écrit, et qui n'écrit, peut-être (avec l'aigu de sa plume déchirant le papier), que pour répéter, et exorciser (en le déplaçant) ce « percement ».

Ainsi s'ouvre, sur un fantasme de castration, la *deuxième scène*, statique et durable : scène du grand enfermement, qui occupe pour Michelet l'essentiel du Moyen Age. Toute tentation du dehors désormais interdite, et d'ailleurs impossible, ne subsiste pour l'homme médiéval que l'espace d'un dedans despotique, défini par l'absolu de sa circonscription et par son caractère immobile, fixe, uniformément écrasant.

C'est bien là la condition du serf : attaché légalement à son champ, physiquement collé à sa terre, et comme libidinalement englué en elle, il n'a plus le droit, ni d'ailleurs le moyen de sortir de son village. Celui-ci vit sous la menace permanente du château perché sur la colline (motif, donc, d'une verticalité devenue opprimante, écrasante). Dans le château la même situation se répète : car ses murs trop étroits compriment une foule trop nombreuse, une masse d'hommes à qui ne sont permises, de temps en temps, que des sorties brutales, des giclées de viol et de rapine. Dans les salles de la demeure féodale l'intériorité se vit comme le contraire exact d'une intimité : le malaise de la constriction (constriction de l'espace, constriction du désir) s'y aggrave du déplaisir de la *promiscuité*, c'est-à-dire d'une proximité vécue comme altérité, ou même comme hostilité, d'une proximité qui serait une distance : « Cette vie dans un étroit espace où l'on se voyait sans cesse, où l'on était *si près, si loin* devenait un véritable supplice. » L'équivalence paradoxale de ce *si près/si loin* définit bien l'espace d'une sorte de contre-intimité infernale. Impossible d'y communiquer, *a fortiori* de s'y aimer : on ne peut que s'y désirer vainement, de loin, et toujours sous le regard des autres.

Aucune réciprocité possible donc, aucun équilibre non plus entre les divers termes de cette société. Elle ne comporte en réalité que deux acteurs : l'un anonyme, collectif, inorganisé, réprimé, la *foule;* l'autre individuel, dominant, et souverainement libidinal, le *seigneur* (ou son doublet féminin, la châtelaine), détenant le pouvoir et proférant la loi, la loi, entendons bien, de son propre caprice érotique, toujours assorti de menace et de sadisme punitif.

Il serait facile de montrer la force et l'universalité, dans tout le texte de *la Sorcière*, de ce paradigme imaginaire de l'enfermement. Le *château* y est en effet redoublé par toute une série de figures maléfiques, qui sont à la fois des lieux et des institutions : ainsi l'*école*, « à voûte basse, éclairée d'un jour borgne », où se dit l'asphyxie de la pensée scolastique; la *cathédrale*, rêvée par Michelet comme une sorte de crispation concrète, un vaste cristal stérile où s'illustre la paralysie du dogme; et toutes les formes, si obsédantes dans ce livre, de la *prison* et du *tombeau*.

C'est contre ce cauchemar du dedans emprisonnant (mais aussi à partir de lui : à la fois donc produit et réaction) que va surgir le personnage salvateur de la sorcière. Ce personnage sera donc lié de par son essence au choix contraire, celui d'une extériorité, d'une ouverture, d'un désir libéré. Mais il est trop rapide de parler ici de *la* sorcière : trois sorcières se succèdent en réalité dans notre texte, correspondant chacune à un certain choix de paysage et à une certaine modalité de désir.

3. La première de ces sorcières (en réalité une future sorcière) apparaît dans ce qui sera donc notre *troisième scène* spatiale et libidinale. Dans la foule féodale a fini par s'organiser, imagine Michelet, une petite cellule autonome, une famille, qui a pu échapper à l'attraction maléfique du château et aller s'installer dans la demi-liberté des champs. Michelet évoque donc la jeune paysanne, seule dans la demeure dont elle est véritablement désormais la maîtresse. Le mari travaille aux champs, ce qui exclut de cette scène tout impérialisme phallique et masculin, et laisse la femme en tête à tête avec elle-même, et avec le monde.

Or ce tête-à-tête est heureux. Pourquoi cela ? D'abord parce que cette demeure, toute fragile qu'elle soit, permet de vivre en elle les valeurs d'une intimité véritable. Elle a « certains coins obscurs où la femme va loger ses rêves ». L'espace s'y fixe autour de quelques objets ayant valeur d'enveloppement tendre, le *lit*, le *coffre*, ou valeur d'expansion, calorique ou parfumée : le *feu*, le *buis* au-dessus du lit, un bouquet de *verveine*. Cette maison sait en même temps s'ouvrir vers un dehors, avec lequel elle communique librement. La paysanne nous y est montrée en train de filer, *assise sur sa porte*, en surveillant quelques brebis. Devant elle tout un petit paysage contrôlé : la forêt, un peu de pâtures, des abeilles sur la lande, voilà sa vie.

Mais cette vie paysanne s'équilibre de façon bien plus complète encore puisque d'une certaine manière chacune de ses deux dimensions, externe et interne, en vient à y contenir, à y inclure en elle-même l'autre. Dans l'extériorité du paysage, mais *dans* le tronc des arbres, *dans* l'épaisseur des pierres vivent en effet les « esprits », les petits dieux païens auxquels la paysanne va secrètement apporter son offrande. Et ces petites divinités, flottant à d'autres moments autour de la maison, en pénètrent peu à peu l'espace, comme ils hantent en même temps l'esprit de la jeune femme. Satan, le petit démon du foyer, rôde autour du berceau, se glisse *dans* le pot de beurre, s'installe *dans* une faille du foyer. Le dehors occupe donc invisiblement le dedans domestique; tout comme un certain dedans continue à former le cœur de l'extériorité sauvage. Moment précieux où aucune dimension n'écrase plus (ou encore) l'autre, où toutes deux peuvent être vécues, et jouées, en même temps.

4. Mais voici que cet équilibre se rompt à nouveau, sous la poussée cette fois du dehors envahissant et libidinal. Satan, le petit démon devenu grand, attaque en effet de multiples manières, et non plus pour le visiter, mais pour le posséder, le corps mal défendu de la jeune paysanne. Il l'envahit par des paroles chuchotées, mais aussi par des brises, des souffles, des vapeurs, voire par des fumées infâmes. Tout en restant invisible, il mène contre elle l'assaut d'une sorte de pénétration subtile et aérienne :

> *Il entrait invinciblement, comme une fumée immonde. Il est le prince des airs, des tempêtes, et, tout autant, des tempêtes intérieures. C'est ce qu'on voit exprimé grossièrement, énergiquement, sous le portail de Strasbourg. En tête du chœur des* Vierges folles, *leur chef, la femme scélérate qui les entraîne à l'abîme, est pleine, gonflée du démon, qui regorge ignoblement et lui sort de dessous ses jupes en noir flot d'épaisse fumée.*

Ainsi le diable « lui met au sein, au ventre, aux entrailles, un charbon de feu ». Et sous l'effet de cette invasion la paysanne grandit, grossit :

« gonflée déjà de lui, de sa superbe, de sa fortune nouvelle », « grasse et belle », « elle va par la rue, tête haute, impitoyable de dédain ».

Ce qui définit le comportement de cette deuxième sorcière, c'est donc son agressivité, et sa manipulation souveraine aussi d'une substance magique : l'*or*. Car elle peut désormais découvrir de l'or, ou même le fabriquer, l'arracher en tout cas aux autres occupants du village : si bien que le seigneur les utilise, elle et son mari, comme les collecteurs, despotiques, de ses impôts.

Dans ce quatrième dispositif tout se soumet, on le voit, à la loi du désir sadique : Satan tourmente la sorcière, qui tourmente les autres villageois, tous restant situés sous la menace seigneuriale. Ce n'est point hasard d'ailleurs si tout cet épisode se trouve placé sous le signe dominant de l'*or*, dont Freud nous a appris la valeur d'agressivité, ainsi que le lien fantasmatique à la vie excrémentielle et à l'analité. Michelet ne va-t-il pas jusqu'à comparer la possession démoniaque à la souffrance d'un malade occupé par un ver solitaire, hanté par un *ténia* ?

5. S'entame alors, à partir du chapitre VI, une *cinquième scène*, construite sur une autre rupture d'équilibre, exactement inverse de la précédente. C'est que, malgré son nouveau pouvoir, la sorcière s'intègre mal au monde féodal. Redoutée de tous, elle finit, au cours d'une scène de chasse et de demi-lynchage, où s'opère le virage classique de la dominante sadique à la masochiste, par être obligée de fuir le village pour se réfugier dans la solitude de la lande et des forêts.

Le corps sorcier n'est plus dès lors envahi — involontairement, douloureusement — par les puissances démoniaques du dehors. Tout au contraire. Chassée par tous les occupants conjurés de l'intériorité, villageois, seigneur, curé et même mari, la sorcière choisit ce dehors comme son domaine propre, comme son espace véritable de vie et d'activité. C'est ce choix qui se consacre bientôt par le *pacte satanique :* il est, on le remarquera, le symétrique exact, et le contraire de celui qui avait prévalu dans la scène I, aboutissant au pacte féodal. La sorcière s'y réfugie dans le dehors du paysage, comme le fugitif de tout à l'heure l'avait fait dans le dedans de la tour et du château. L'histoire de la sorcière michelettiste, car cette troisième sorcière est bien pour lui la vraie, est celle d'un être qui, obligé de vouloir l'extériorité, en fait le lieu d'un nouveau règne, l'espace de fondation d'une autre morale et d'un autre savoir, ceux-mêmes qui vont gouverner notre modernité.

Comment s'exprime donc, dans toute cette fin du livre I, le choix michelettiste du dehors ? L'extériorité sorcière y apparaît essentiellement comme la rencontre vécue de trois notions : l'*ouverture*, l'*inversion*, la *subversion*. L'ouverture d'abord : le site d'installation de la sorcière est un espace sans entrave ni cloisonnement interne, le lieu d'une circulation absolument libre. Liberté plate de la lande des pays d'Ouest, balayée par l'anarchie des grands vents du large. Ou, autre figure de la même dimension, profondeur inextricable, infinie, de la forêt sauvage. C'est que la sorcière, ou Satan, son fils, sont des êtres sans territoire propre, de partout et de nulle part, des instances pleinement aterritoriales. Ainsi Satan : « Il va, vient, se promène. A lui la forêt sans limite! à lui la lande aux lointains horizons! à lui toute la terre, dans la rondeur de sa riche ceinture. » Jouissance d'un dehors qui est aussi déjà, on le voit, une totalité : objet donc, loin de tous les provincialismes médiévaux, d'une pensée presque œcuménique, ou encyclopédique, toute proche déjà de l'universalité scientifique.

Ce dehors intérieurement affranchi, Michelet le rêve aussi comme un envers, comme le verso de toutes les valeurs cultivées dans le dedans haï et ennemi (château, église, école) : d'où l'accès de la sorcière à la liberté de la pensée et à l'assomption du désir, mais aussi sa pratique d'une contre-religion (le choix du mal, la messe satanique), et nous dirions presque aujourd'hui d'une contre-culture (savoir populaire, chansons, échos d'antiquité païenne). Extériorité : c'est pour elle tout à la fois passage au-dehors *et* passage à l'envers, échappée plus *in*version, il faudrait sans doute dire *éversion*.

Et cette éversion se complète enfin d'une subversion. Cela veut dire que la sorcière ne se contente pas d'éluder ou d'inverser les limites dans lesquelles s'enfermait l'existence médiévale. Ces limites, par un mouvement d'agression en retour, elle essaie aussi de les attaquer, de les critiquer, elle s'emploie même à les dissoudre par l'activité d'une pratique nouvelle qui est justement la sorcellerie, et qui va peu à peu devenir la science. Ainsi se transgressent, en sorcellerie, les frontières tenues jusque-là pour les plus naturelles et qui n'étaient en réalité que culturelles — celle par exemple qui, dans les plantes, séparait les poisons des plantes inoffensives : la sorcière utilise les poisons comme remèdes, fondant ainsi toute la médecine moderne. Et ce renversement transgressif lui permet d'effacer d'autres barrières encore : celle par exemple qui semblait séparer quasi fatalement vie et mort. Les drogues nouvelles qu'elle emploie facilitent les accouchements, font glisser doucement le nouveau-né du ventre de sa mère à la lumière du jour. Elles permettent aussi, et inversement, aux jeunes veuves de rêver la nuit à leurs maris morts, et d'être possédées par eux en songe. De façon plus générale elles lèvent tous les obstacles qui s'opposaient, dans le champ proprement mondain, à la satisfaction naturelle des désirs. Pour attendrir un être aimé, pour le rapprocher de soi (ainsi dans le cas du jeune page amoureux de sa châtelaine), comme pour guérir une maladie (causée le plus souvent par un excès d'austérité ou de chasteté), il suffira désormais d'aller trouver une sorcière.

La sorcière devient ainsi d'une certaine manière le symbole et le moyen de la réunion des règnes, de la fusion amoureuse des individus, des régions, des espèces mêmes : par elle se défait tout cloisonnement, s'abolit toute séparation. A la limite l'univers entier se rencontre et s'accouple en elle, sur l'espace offert de son corps :

> *Cependant, où paraît la femme, c'est l'unique objet de l'amour.*
> *Tous la suivent, et tous pour elle méprisent leur propre espèce.*
> *Que parle-t-on du bouc noir, son prétendu favori ? Mais cela est*
> *commun à tous. Le cheval hennit pour elle, rompt tout, la met*
> *en danger. Le chef redouté des prairies, le taureau noir, si elle*
> *passe et s'éloigne, mugit de regret. Mais voici l'oiseau qui s'abat,*
> *qui ne veut plus de sa femelle, et, les ailes frémissantes, sur elle*
> *accomplit son amour.*

Toute livrée à « l'immensité du désir ». Site et instrument de naissance de ce grand « tout universel », de cet espace plénier d'extériorité que Michelet nomme, on le sait, *nature*.

6. Et nous voici arrivés enfin à la *dernière scène*, qui achève et récapitule en elle toutes les autres : scène non plus mythique, mais rituelle, sur l'évocation de laquelle s'achève notre livre I, la scène du *Sabbat*. Comment s'articulent en cette scène nos deux dimensions clefs de dehors et de dedans ?

Le plus évident, c'est que le Sabbat michelettiste continue à être dominé par un principe d'extériorité et d'inversion. Il réunit en effet la nuit, sur une lande sauvage, à la lisière d'un bois, des foules mélangées qui bravent toutes les interdictions pour assister à une messe satanique (la sorcière symboliquement accouplée à un Satan de bois). Elles communient en outre sur le mode oral dans l'ingestion d'une sorte de gâteau magique, préparé et cuit sur le corps même de la sorcière, avant de s'y livrer à divers débordements amoureux.

Pourtant le sabbat n'exclut pas l'organisation spatiale : il a même besoin de limite et de clôture. D'abord parce que le théâtre de la messe sabbatique comporte *deux* scènes, soigneusement séparées : la nocturne, la sylvestre où ne vivent que la sorcière et ses démons; l'éclairée, dans la lande, coupée de l'autre par « une ligne de feux résineux à flamme rouge et de rouges brasiers », où la foule se livre au plaisir de son banquet commun. Première césure qui, au sein même de la fête libidinale, marque le retrait d'un espace trop brûlant, trop violent, et toujours défendu.

Et puis il y a aussi le fait que les foules du Sabbat ne sont pas des étendues d'hommes homogènes, ni véritablement perméables entre elles. Au Sabbat se rencontrent des groupes humains fortement structurés, et surtout des *familles*. « Ainsi nul entraînement général, point de chaos confus du peuple. Tout au contraire, des groupes serrés et exclusifs. » Et c'est à l'intérieur même de ces groupes préservés, c'est à l'abri de leur « exclusion », et aux dépens de leur structure interne que s'exerce le désir de transgression. Il y prend la forme de l'acte interdit par excellence, l'acte autour duquel Michelet ne cesse de rêver dans toute cette fin du livre I, l'inceste. Encore ne s'agit-il, au Sabbat, que d'un inceste léger, comme euphémique, rejoignant des cousins, ou des parents éloignés, interdits de mariage par la loi religieuse et trouvant là enfin le moyen de naturellement s'aimer.

Ainsi pourrait à peu près se décrire le jeu successif de nos deux catégories élues. Essaiera-t-on maintenant de formaliser quelque peu cette description, de mieux en mettre en évidence la logique interne, et cela en la situant davantage au niveau d'une fantasmatique du corps, et du corps pulsionnel ? On pourra dire alors que chacune des deux instances ici à l'œuvre possède deux modes de manifestation négative, tous deux liés à un geste originel d'agressivité : la *captation* et l'*expulsion*. D'où quatre figures possibles de souffrance : captation par le dedans, captation par le dehors, expulsion par le dedans, expulsion par le dehors (faudrait-il écrire, paradoxalement, *im-pulsion ?*). Face à ces deux modes négatifs qui correspondent, on le remarquera, aux deux grands modes freudiens de contact archaïque avec l'objet (l'*avaler* oral, le *rejeter* anal), s'inscrivent deux modalités positives qui en sont l'opposé, la face inversée et euphorique : l'*accueil*, introjectif, frère bénéfique de la *captation*, l'*expansion*, projective, opposé amical de l'*expulsion*. Chacune pourra fonctionner aussi à partir de la double polarité *dehors/dedans*. A l'euphorie d'expansion du dehors vers le dedans correspondra donc, au moins théoriquement (car le geste expansif est ici assez peu utilisé, sans doute en raison du caractère presque toujours conflictuel de l'histoire contée, et de la faiblesse de ce que Winnicott y nommerait l'*aire transitionnelle*), une continuité dynamique menant de l'intériorité à l'extériorité. Mais l'*accueil* y joue au contraire un grand rôle, qu'il s'agisse de l'accueil en chaque instance séparée (accueil inclusif par le dedans, accueil exclusif, ou *inexclusif,* par le dehors — c'est là l'aspect le plus original de *la Sorcière*), ou de l'accueil double, par les deux instances conjuguées.

On pourrait montrer alors comment les six scènes successives de l'histoire correspondent à une exploitation des diverses possibilités de cette structure simple, et comment le passage de l'une à l'autre s'opère à travers le changement de signe (thymique, et/ou thématique) affectant chaque fois un ou plusieurs de ses éléments constitutifs.

1) C'est ainsi que la scène I, celle qui aboutit au pacte féodal, s'établit à partir d'une *expulsion* de départ *par le dehors* (c'est le danger redouté des *Barbares,* ces hommes du dehors absolu, ces persécuteurs premiers, ces autres de l'extériorité elle-même), suivie d'un *accueil par le dedans* (la tour seigneuriale, puis le lien du suzerain et du vassal).

2) La scène II, celle du grand enfermement, correspond au virage négatif (castrateur) de cette position d'accueil, devenue captatrice et opprimante *(captation* donc *par le dedans),* puis à sa longue immobilisation temporelle.

3) La scène III, celle de la jeune paysanne dans sa cabane, renverse la double négativité de I et de II (dehors expulsant, dedans captateur), pour instaurer un *double accueil* par l'intériorité *et* par l'extériorité, donc un équilibre très euphorique. Ce bien-être se complète même d'une double et réciproque *expansion* de nos deux instances l'une dans l'autre (dehors intimisé, dedans extérieurement visité).

4) Mais le signe de cette deuxième expansion tourne à son tour, et l'épisode de la possession diabolique marque, cette fois, une *captation par le dehors* (symétrique, donc, de la captation par le dedans réalisée en II). On remarquera que cette aliénation s'inscrit au niveau qu'on pourrait dire littéral du récit, celui du corps de la sorcière, alors que les autres figures évoquées se situaient sur un plan moins immédiatement fantasmé, en des motifs d'habitation ou d'institution (prolongements classiques d'ailleurs, expansions métaphoriques du corps libidinal).

5) La scène V, celle du pacte diabolique, s'entame à partir d'une *expulsion par le dedans* (la société féodale), le *dehors* (la nature) redevenant le lieu, positif, de l'*accueil* (et le récit motive alors la captation satanique de IV comme médiatrice vers l'accueil, définitif, de V). Cette scène V renverse donc la structure développée en I (dehors expulsé, dedans accueillant) avec une note supplémentaire d'*expansivité :* celle que le travail subversif de la sorcellerie retourne, à partir des ressources ouvertes de la nature, vers la clôture du monde féodal.

6) La scène finale, celle du Sabbat, complète et ritualise cette scène V, puisqu'elle se fonde sur un *accueil* absolu par le *dehors* (la lande, la forêt), et sur le refus, l'*expulsion* par celle-ci de toute *intériorité* légale. Sa fin rêvée, l'inceste, marque un achèvement, mais peut-être aussi une perversion de ce double mouvement : n'est-elle pas en effet le vœu d'une double expansion simultanée vers (et d'un double accueil par) le plus radical du dehors (disons vite : le « hors-la-loi »), et le plus intime du dedans (disons, plus vite encore, le « dans la mère ») ? D'où la structure, tout à la fois exotique et close, du paysage de Sabbat. La satisfaction maximale du désir y réclame, fût-ce pour les violer, ou pour en sortir, le maintien d'un cadre (la ville, la famille), et la barrière d'une loi. Mais cette sortie orgiaque de la loi y renvoie aussi, au moins symboliquement, la pulsion à l'espace le plus clos et le plus *un* qui soit, celui d'un séjour originel. Si le désir d'inceste réclame donc un partage entre dedans et dehors, c'est pour en abolir en même temps d'une certaine manière la différence ou la démarcation, pour les égaliser dans le mouvement d'un seul vertige.

Or c'est d'un tel vertige que sort, selon Michelet, toute notre modernité. L'égalisation incestueuse des deux territoires primordiaux, se sublimant en effet en désir de connaissance (« l'amour curieux, le désir effréné de voir et de savoir »), fonde les premiers gestes de ce qui va devenir notre science. L'intérieur s'y extériorise désormais sans péché (le corps « ouvert » de la première femme disséquée), l'extérieur s'y pénètre sans censure (les hommes du Moyen Age, « perçant la voûte » où les enfermait la scolastique », entrent dans le secret du ciel et des étoiles). « L'université criminelle de la sorcière, du berger, et du bourreau » fonde incestueusement donc le travail de notre université, de notre savoir présent, du savoir historien de Michelet, de Michelet en train de conter cette histoire (et de s'y interroger, on l'a bien dit, sur les origines de son désir de la savoir et de la raconter).

Voilà écrit, ou réécrit, sous un parti pris spatio-catégoriel, le petit « roman » de *la Sorcière*. Tout s'y superpose, finalement : une histoire de la société, une aventure du désir, un théâtre de l'intersubjectivité, un album de paysages ; tout s'y ordonne aussi (peut-être) selon l'articulation polyvalente (polysémique) de ces deux directions, de ces deux signifiants primitifs de la présence : dedans, dehors.

Feu rué, feu scintillé

On sait l'importance du motif du *soleil couchant*, ou du soir enflammé (glorieux et désastreux) dans la poésie mallarméenne. Ses commentateurs ont pu le situer soit dans la grille d'un paysage, d'une présence au monde singulière *(l'Univers imaginaire de Mallarmé)*, soit dans le système d'une mythologie plus générale (Gardner Davies, *Mallarmé et le Drame solaire*, Paris, Corti, 1959), soit dans l'ordre spécifique du fantasme. C'est à ce dernier niveau, on le sait, que Charles Mauron avait choisi de le regarder, l'interprétant comme un écran chargé de manifester et d'occulter tout à la fois une formation inconsciente. « Cette formation psychique autonome, maintenue en grande partie en dessous du seuil de la conscience, et chargée d'affects ambivalents » lui paraissait disposer en dernière analyse la variété de ses figures tout autour du personnage de Maria, la jeune sœur morte, elle-même reflet de la mère disparue. Lecture désormais classique, et, finalement, peu contestée. Certains textes mallarméens permettraient pourtant peut-être de la compléter et de la nuancer de façon intéressante : nous amenant à reconnaître cette formation comme l'un des fantasmes originaires les plus universellement décelés par l'interprétation ou la reconstruction analytiques.

Parmi ces textes, celui, décidément inépuisable, qui soutiendra le commentaire ci-après, le sonnet dit en *Yx*, *Ses purs ongles très haut dédiant leur onyx*. Le drame du soleil couchant y est en effet mis en scène par deux fois, sous un double enveloppement métaphorique : d'abord dans le spectacle d'un « rêve vespéral brûlé par le Phénix », puis à travers l'apparence du « décor/des licornes ruant du feu contre une nixe/elle, défunte nue en le miroir »... On notera au passage que ces deux versions différentes de la même scène sensible, mythique, mais aussi, et c'est ce qui nous occupera ici, libidinale, se font écho, se « réfléchissent » l'une l'autre, selon l'intention générale du poème, en se situant en deux de ses lieux prosodiques équivalents : troisième vers du premier quatrain, troisième vers du premier tercet. Mais on remarquera surtout le fait que toutes deux évoquent un débat dynamique, une lutte entre deux acteurs nommés, une *rixe*, comme le disait un premier état du sonnet, datant de 1868, *la Nuit approbatrice*. Cette lutte noue l'un à l'autre deux partenaires à la fois amoureux et ennemis (le rêve et le Phénix, les licornes et la nixe), qui semblent s'entraîner mutuellement dans la mort (descente vers l'eau du Styx, ensevelissement noyé dans le miroir). Dans cette scène d'agression ardente et catastrophique on reconnaîtra ici, au moins à titre d'hypothèse heuristique, le fantasme nommé par Freud *scène primitive*, où celui-ci aimait à fixer l'un des points de départ les plus sûrs, ou, pour reprendre son mot, l'une des « sources du Nil » de la névrose. Scène, on le sait, d'amour parental surpris, soit effectivement, soit imaginairement (les analystes en discutent encore), par le très jeune enfant, et où il découvrirait dans l'identification (flottante, jamais assurée) à l'un ou l'autre acteur, dans le désir donc, mais aussi dans la révolte, la culpabilité et l'angoisse, le secret reporté de sa propre origine. La jouissance s'y lie à l'acte d'une indiscrétion, oculaire ou auditive, et l'on sait à quel point, du faune par exemple vers les nymphes, ou de saint Jean vers Hérodiade, cette tentation fut chez Mallarmé forte, et avouée. Mais c'est la scène tout entière qui, par son double pouvoir d'attrait et de refus, de fuite et d'appel, ne cesse peut-être ici de fasciner l'autre scène, celle du texte ou de l'écrit. Ainsi, on essaiera de le montrer, dans le sonnet en *Yx*. Mais il faudra mettre en évidence un autre caractère aussi de ce même poème : comment non seulement le fantasme s'y écrit, mais comment il retrace le procès de cette écriture même, comment il permet à son lecteur de suivre sa propre genèse de texte lu ou dit — de « scintillation » stellaire, ou d' « inanité sonore » — depuis sa figuration originaire jusqu'à son déplacement final, sa réinscription, et sa lecture.

Un petit détour d'abord. Si scène primitive il y a dans le sonnet en *Yx*, on devrait en retrouver ailleurs d'autres traces analogues. Et d'abord dans les trois sonnets qui le précèdent, textes auxquels il est très visiblement apparenté[1]. *Quand l'ombre menaça de sa fatale loi*

---

1. On aurait tort en effet, tombant dans un piège tendu par Mallarmé lui-même (visant la structure là où elle n'est pas, dans son œuvre irréalisée; la niant là où elle est peut-être, dans son œuvre réellement écrite), de croire à l'hétérogénéité complète du recueil des *Poésies*. Inorganique, certes, dans son ensemble, ce recueil, mais avec des sous-ensembles homogènes, marqués, par exemple, par le *titre* de chaque section : ainsi *Feuillets d'album*, *Hommages et tombeaux*, *Autres poèmes et sonnets*, et, ce qui nous intéresse ici, *Plusieurs sonnets*. Ceux-ci, numérotés, non par hasard, I, II, III, IV, forment un intertexte cohérent dans l'horizon duquel peut se lire chaque poème singulier de la série.
Cette parenté, dont on analysera plus loin une preuve formelle (le parallélisme syntaxique de la fin de ces sonnets), apparaît nettement au niveau thématique

permet en effet de retrouver la scène, « guirlandes célèbres » d'étoiles dansant sensuellement devant un « roi », sous l'influence peut-être aussi d'un autre fantasme voisin, celui de *séduction* (« Luxe, ô salle d'ébène où, *pour séduire un roi Se tordent* dans leur mort des guirlandes célèbres »...) : toute cette scène se place évidemment dans la mouvance du mythe d'Hérodiade (dansant érotiquement devant Hérode), ce que confirme encore la nature de la sanction redoutée (la décapitation, « désir et mal de mes vertèbres »). Dans le sonnet dit du *Cygne, Le vierge, le vivace et le bel aujourd'hui*, le fantasme peut se lire à travers le dynamisme du *coup d'aile ivre*, ou du col *secoué*, aussitôt puni, paralysé en *transparent glacier*, ou en *blanche agonie*. Mais c'est *Victorieusement fui le suicide beau* qui apporte sans nul doute l'évocation la plus pleine, la plus circonstanciée du coucher du soleil comme lutte amoureuse et interdite. Au deuxième vers d'un premier état de ce poème s'en offrait la formulation suivante : *Soupirs de sang, or meurtrier, pâmoison, fête*. Soupirs, pâmoison : toute l'expressivité charnelle du plaisir. Fête : toute l'exaltation affective de la jouissance. Sang, or meurtrier : toute la matérialité humorale (littérale ou métaphorisée), et toute la violence aussi de l'union sexuelle. La réécriture finale de ce vers en gomme quelque peu la crudité : la scène voluptueuse s'y donne comme *Tison de gloire, sang par écume, or, tempête*. Cette formulation réussit certes à camoufler l'aspect proprement corporel de la jouissance, avec un enrichissement compensateur vers l'onirisme des substances (feu du tison, écume, eau de la tempête) et celui des affects sublimés (gloire). Mais la métaphorisation voilante qui s'y opère s'y affiche aussi, par un autre côté, comme une extraordinaire mise en évidence de l'essentiel : ainsi à travers ce *tison*, si précisément libidinal (et l'on sait que chez Mallarmé toujours « l'amour tisonne », qu'il est, comme le dira Char, une « bataille de tisons »), ou à travers la violence de cette *tempête*, d'un dynamisme si sensuel (de quoi lire ensuite d'un autre œil tant d'autres scènes

---

par exemple. Trois de ces textes, I, III et IV, fonctionnent en effet sur le motif premier d'une extinction lumineuse et de la mort d'un jour. Le deuxième, *Le vierge, le vivace et le bel aujourd'hui* se construit sur le même motif inversé : celui d'une non-manifestation lumineuse, d'un jour non né. Tous s'achèvent sur le motif connexe d'un éclairement lié à cette extinction même (ou à ce non-allumage : c'est en assumant, en « vêtant » cette négativité que le cygne lui-même se met à resplendir).

A remarquer enfin la liaison explicite, au moins dans trois de ces sonnets, de cet éclairement final avec un avènement d'art : « génie » de l'astre en « fête » (I); « songe » fantomatique de celui qui « n'a pas chanté » (II); « Maître » descendu au Styx et stellairement ressuscité (IV).

d'agitation maritime : dans *Salut*, par exemple, *A la nue accablante et*, bien sûr, le *Coup de dés*).

Revenons-en à nos *licornes ruant du feu contre une nixe*, pour tenter de distinguer, au plus vif de leur combat igné, les quelques éléments ici constitutifs du fantasme originaire. Deux d'entre eux appartiennent à l'immanence même de la scène : une certaine définition relative de ses acteurs, définition liée à une certaine manipulation onirique des matières (feu, eau); une certaine figure gestuelle de l'éros (*ruant* du feu). A cela s'ajoutent, dans la suite discursive du fantasme, deux autres moments structuraux : celui de la sanction *(elle défunte nue)*, et celui du refoulement/déplacement marqué par l'*oubli* dans la glace et la réinscription finale, le retour du *septuor* d'étoiles. Quatre points à étudier séparément, en traçant très vite leur rapport avec d'autres formations fantasmatiques mallarméennes.

1. *Les Acteurs.* On peut les lire, licornes contre nixe, comme apparus au terme d'un long travail d'élaboration. On se souvient comment, derrière la simple formule *Un enfant est battu*, Freud savait entendre, par renversement des voix verbales, et par permutation d'acteurs, toute une archéologie d'autres phrases tues ou murmurées, variations ingénieusement obstinées d'un seul désir (ainsi : le père m'aime moi seule; je hais l'autre enfant; le père hait l'autre enfant; le père bat l'enfant; je suis battue par le père, etc.). Pourquoi, toutes choses égales (ou inégales...), ne pas regarder de manière un peu analogue la rixe mallarméenne de la nixe et des licornes ? On en suivrait la modification de texte en texte, non pas, ici, à travers une série variée de *libellés* verbaux, mais dans une suite de combinaisons scéniques différentes, toutes construites autour d'un même scénario pulsionnel (sa formule, peut-être : « quelqu'un(e) agresse quelqu'une(e) »). Pour aller vite on retiendra seulement trois de ces mises en scène : celle du premier *Faune* (version de 1865, Bibl. de la Pléiade, p. 1450-1452), celle de *la Nuit approbatrice* (1868, p. 1488), celle du sonnet en *Yx* (1887, p. 68).

a) Quel est donc, au niveau de sa dramaturgie d'acteurs, le dispositif pulsionnel monté dans le premier *Faune ?* Nous y voyons un personnage masculin particulièrement actif surprendre au bain deux nymphes, les y regarder, les y attraper, en jouir, avant de rêver, en un second moment, la possession de la déesse Vénus elle-même. Tout cela dans un paysage à la fois fluvial et volcanique (la Sicile, l'Etna), commandé par une sensualité conflictuelle de l'eau et du feu (du sang, de la lumière) :

> *Tout s'offre ici : de la grenade*
> *Ouverte, à l'eau qui va nue en sa promenade.*
> Mon corps, *que* dans l'enfance Éros illumina,
> *Répand presque les* feux rouges *du vieil Etna!*
> *Par ce bois qui, le soir, des cendres a la teinte,*
> *La chair passe et* s'allume *en la feuillée éteinte.*
> On dit même tout bas que la grande Vénus
> Dessèche les torrents *en allant les pieds nus,*
> *Aux soirs* ensanglantés, *par sa bouche, de roses!*

Voici déjà, à côté de la métonymie de l'eau nue (le corps féminin nu dans l'eau), la constellation familière du sang, du feu, de la rose, du pied transgresseur (absents, ces deux derniers motifs, du sonnet en *Yx*, sauf si l'on tient la ruade de feu pour un prolongement de ce pied assécheur de rivières...). Reste que, malgré ce climat d'ardeur, un doute plane, aux yeux du faune, sur la réalité de sa jouissance. A-t-il réellement possédé les nymphes ? Rien ne lui permet de l'affirmer avec certitude. Quant au deuxième assaut sexuel envisagé, celui de la « déesse », il en subit, ou du moins en rêve aussitôt la punition :

> Les mains jointes en l'air :
> Comme parant de ses mains disjointes
> une foudre imaginaire :
> *Mais ne suis-je pas foudroyé ?*

Résumons : un acteur masculin (le faune) est ici mis en scène comme attaquant (ou désirant attaquer, ou croyant avoir attaqué, ou croyant avoir désiré attaquer... : la modalité, pour notre propos présent, importe peu) trois acteurs féminins : deux nymphes, puis une déesse. Sur le plan des substances les qualifications de ces deux groupes se disjoignent d'abord, puis se conjuguent : face aux deux nymphes aquatiques, le faune se pose comme ardent et igné. Mais sa deuxième proie rêvée, « la grande Vénus » (si anagrammatiquement elle *va nue,* comme l'eau, elle est aussi sans doute l'épouse mythique du « vieil Etna », vieux père, vieux volcan brûlant), possède également le feu, qu'elle partage donc avec son agresseur. Et c'est de ce feu (de cette « foudre ») qu'après la formulation du désir impie arrive la punition.

Mais celle-ci est aussitôt déniée, puis prolongée par un ensommeillement destiné, semble-t-il, à en effacer l'image :

> *Non,* [la foudre n'est pas tombée] *ces closes*
> *Paupières et mon corps de plaisir alourdi*
> *Succombent à la sieste antique de midi.*
> *Dormons...*

Étendu :
> Dormons : je puis rêver à mon blasphème
> Sans crime

La scène se trouve ainsi congédiée, innocentée, mais en même temps assumée, opérée à un autre niveau de conscience : *Adieu, femmes; duo de vierges quand je vins* [1].

b) Et voici, dans *la Nuit approbatrice*, avant-texte de *Ses purs ongles très haut*, la reprise modulée du même scénario :

> *Et selon la croisée au nord vacante, un or*
> *Néfaste incite pour son beau cadre une rixe*
> *Faite d'un dieu que croit emporter une nixe*
>
> *En l'obscurcissement de la glace, Décor*
> *De l'absence...*

Laissons de côté les changements extrinsèques qu'apportent au dispositif son transfert en un espace clos et sa situation nocturne. L'important est ici de voir ce qui, de la version précédente, a passé intégralement dans celle-ci, et ce qui s'y est transmis modifié. Parmi les éléments identiques : la *rixe* amoureuse, le fait que celle-ci est encore frappée de doute (que *croit*), le caractère toujours enflammé de la punition (un *or néfaste*).

Plus remarquables pourtant les points de transformation. D'abord le feu amoureux semble ici s'éteindre progressivement dans l'espace,

---

1. Dans la version définitive du *Faune* (1875) l'essentiel de ce dispositif est maintenu, mais avec deux changements :

— La punition sensuelle semble s'inclure immédiatement dans la problématique charnelle elle-même :

> *Quand tonne un somme triste ou s'épuise la flamme.*
> *Je tiens la reine!*
> *O sûr châtiment...*

La punition de la jouissance (de ce qui fait « tonner »), c'est l' « épuisement » de la flamme, la fatigue, la tristesse à laquelle elle aboutit. La sanction devient intrinsèque à l'activité même du désir. On passe d'une mythologie à une psychologie.

— Le sommeil final du faune se donne comme le moyen de retrouver *sous une autre forme* l'objet défendu du désir :

> Couple, adieu : je vais voir *l'ombre que tu devins?*

Ambiguïté féconde de ce motif de l'*ombre* : égal ici d'un objet rêvé (et presque synonyme de *songe*), il pourra bientôt signifier aussi le *fantôme*, « défunt » de ce qui a disparu dans la scène de jouissance, de ce qui s'y est effacé (par départ dans la mort, le miroir, l'oubli ou le sommeil), et sa réapparition esthétique, typifiée, désincarnée dans la scène nouvelle du poème (« Fantôme qu'à ce lieu son pur éclat assigne »).

obscurci, de la glace, et c'est dans cette profondeur nouvelle de ténèbres, d'*absence*, qu'a lieu l'*emportement* de la mort, et de la jouissance. Au lieu de la succession tout à l'heure perçue entre l'instant du plaisir et celui du foudroiement, il y a recouvrement temporel du geste érotique et de l'acte punitif. Un rapt, mais dans et vers l'absence. L'éros se vit, désormais, comme anéantissement. La jouissance est une mort (une « petite mort »).

Autre modification importante : un renversement dans la définition et la fonction des deux acteurs libidinaux. A l'opposition faune/nymphes-déesse se substitue l'opposition nouvelle d'un dieu et d'une nixe. La nixe prolonge certes les nymphes de la première scène (avec déplacement vers le contexte mythique d'un *nord*, et la servitude supplémentaire que lui vaut son insertion dans le système de rimes propres au sonnet en *Yx*); mais elle est une, et non plusieurs. Passage au singulier qui équilibre mieux les rôles de la jouissance : ils sont désormais à un contre un, non plus un contre trois. Plus important le déplacement effectué, depuis le pôle féminin vers le masculin, de la qualification d'éminence : le faune devient un *dieu*, la nixe n'est plus une déesse. Bascule de la hiérarchie. Et ce changement en autorise peut-être un autre encore, tout à fait essentiel celui-là : l'inversion sexuelle des fonctions d'agresseur et d'agressé. Car c'est bien ici l'acteur féminin, la nixe, qui s'en prend à l'acteur masculin, le dieu, qui croit l'emporter dans l'espace obscurci du miroir. Tout le *sens* du fantasme s'en trouve dès lors renversé; la scène devient dynamiquement commandée par le rôle féminin lui-même, posé comme suprêmement actif et dangereux. C'est la femme désormais qui attaque et rapte l'homme, et qui, la faute érotique commise, ou en la commettant, l'entraîne dans le noir de sa propre mort. Version pessimiste, où se parle une peur évidente de la femme et de la sexualité. Par rapport au dynamisme œdipien du *Faune*, on se retrouve ici, comme dans *Hérodiade*, dont le travail est contemporain de ce sonnet, à un niveau plus tragique, peut-être plus ancien. Celui où, dans la scène d'origine, l'enfant voyeur s'identifie à un Père violé et détruit.

c) La troisième figuration du fantasme apparaît dans le sonnet en *Yx* lui-même, qu'il faut, ici, au moins partiellement citer :

> *Mais proche la croisée au nord vacante, un or*
> *Agonise selon peut-être le décor*
> *Des licornes ruant du feu contre une nixe,*
> *Elle, défunte nue en le miroir...*

Version dominée, bien plus que les deux autres, par un travail spécifique de la *lettre*, une « initiative », ou du moins un pouvoir

115

donné aux mots. Deux petites transformations de détail le montreront. La première concerne la disparition du mot *rixe :* étonnante, si l'on songe à l'importance sémantique de ce terme dans tout le système de la scène, et, en outre, à sa valeur prosodique (une rime en *ixe*, infiniment précieuse étant donné la rareté des occurrences lexicales de ce type). La *rixe* disparaît donc, censurée sans doute en raison de la trop grande netteté du sens qu'elle proposait, mais elle semble bien survivre en même temps de façon déguisée dans le terme *agonise*, où l'étymologie grecque permet d'en retrouver la notion. Dans *agonise* s'entendent à la fois la mort, la lutte et la présence aussi, en écho, de l'autre partenaire du combat mortel, la *nixe*. *Agonise* relie *agon* à *nixe*, tout en les incluant encore par reflet phonico-prosodico-sémique dans un vaste réseau comprenant par exemple *angoisse* et *aboli* [1]. Directement censuré, l'or ancien de la rixe s'efface donc, mais il perdure par déplacement dans l'espace voisin de l'*agonise*, avant de se disséminer, à travers celui-ci, dans tout le volume signifiant du texte.

Voyez maintenant le syntagme : *selon peut-être le décor des licornes...* *Selon*, hérité de *la Nuit approbatrice*, mais déplacé de la *croisée* au *décor*, instaure un type assez particulier d'ambiguïté, que l'on pourrait dire *rhétorique*. Cette préposition joue en effet chez Mallarmé, on le sait, le rôle d'une sorte d'opérateur général de la relation, mais d'une relation pure, vide, non déterminée. Elle désigne l'articulation nécessaire de deux termes, sans préciser la forme de celle-ci. Ici, par exemple, *selon* relie l'or solaire au *décor* animé de la bataille, mais sans indiquer clairement *selon quoi :* relation de ressemblance, ou de contiguïté ? Dans le premier cas, l'or, déjà en lui-même métaphorique du soleil couchant, se dessine dans le miroir *à la manière* d'une lutte entre licorne et nixe. Dans le second il s'y inscrit *à côté de* celle-ci, matériellement figurée, par exemple, dans le cadre du miroir. Entre métaphore et métonymie le sens reste de toute façon indécidable, et c'est ce flottement même dont le modalisateur *peut-être* vient accroître encore

---

1. Le rapport d'*agonise* à *angoisse* s'établit à travers un couplage d'une grande force. Ces deux termes, de même origine sémantique, de phonie très rapprochée (phonie qui rejoint aussi en un autre couplage *l'angoisse* à « ses *purs ongles* » et à « *leur onyx* »), se trouvent en des positions prosodiques analogues et (syntaxiquement) soulignées : début du deuxième vers du premier quatrain, début du deuxième vers du premier tercet.
Un autre couplage, compliquant celui-ci, relie *agonise* à *aboli* : sens voisin (mort en acte, mort achevée), complet parallélisme vocalique *(a/o/i)*, place prosodique équivalente : début du deuxième vers du premier tercet, et, cette fois, début du deuxième vers du deuxième quatrain. On remarquera dans cette perspective l'exact parallélisme (sémantique, prosodique, syntaxique) des vers 5 et 8 : jusqu'aux deux monosyllabes terminaux, *un or* faisant écho à *nul ptyx*.

l'insistance. Or ce *peut-être* s'hérite directement du motif du doute présent dans les deux versions antérieures : le faune *incertain* d'avoir joui des nymphes, la nixe *croyant* emporter un dieu. Mais on voit aussitôt le champ et la force de son déplacement : au lieu d'affecter la définition d'une subjectivité individuelle, d'un acteur (le faune, ou la nixe), sans doute représentatif du poète lui-même, il sert à souligner un effet d'ambiguïté, à mieux indiquer l'incertitude rhétorique déjà machinée par le *selon*. Son sens n'est plus de préciser une position, psychologique ou esthétique [1], mais de dire que, dans la scène qui s'offre, et au niveau même de sa figuration écrite, il ne saurait y avoir fixation du sens. Le doute passe donc, si l'on peut dire, du sujet dans le texte, contribuant à y troubler la signification, mais à y renforcer du même coup, ou à y « inciter », comme eût dit Mallarmé, et comme on le verra un peu plus loin, les pouvoirs de la signifiance (entendons par ce terme : l'ensemble des effets de sens produits au niveau du signifiant).

Venons-en aux deux rôles amoureux, ici tenus par les licornes et la nixe. Quelles transformations ont-ils subies par rapport aux scènes précédentes ? Un nouveau changement, d'abord, de leur équilibre numérique : au féminin, toujours unique, s'oppose maintenant un rôle masculin pluriel. Ce pluriel ouvre et indétermine quelque peu la fonction paternelle; il brouille en tout cas les cartes du fantasme, en nous faisant revenir à la situation du premier *Faune* inversée. Puis il y a modification d'identité, ou du moins de masque corporel, avec cet acteur nouveau, la *licorne*, remplaçante du *faune*, puis du *dieu*. Du faune la licorne hérite l'attribut sexuel, la corne, devenue chez elle unique et quasi emblématique, ainsi que l'anatomie animale, en particulier le *sabot* qui lui permettra de ruer. Mais cette bestialité, cette virilité presque provocantes ne se séparent pas dans la licorne, au moins au niveau de sa légende la plus générale, des attributs inverses renvoyant à une pureté, à une chasteté, voire à une féminité (celle que

---

1. Dans le cas du *Faune*, on sait que l'incertitude du vécu libidinal (une jouissance ? mais pas de preuves : pas de baiser, pas de morsure...) servait à formuler un certain moment de l'expérience esthétique : y a-t-il une extériorité, un objet (un Dieu), que doive viser la production d'art ? L'accès à l'incroyance (ou à ce que Mallarmé nomme « la mort du rêve ») ouvre la porte à l'invention poétique véritable. C'est bien là ce que répète, au même moment, la *Correspondance*, en une problématique qui marque encore, en 1868, *la Nuit approbatrice* (une nixe *croit* y emporter un dieu). Mais en 1887 ce n'est plus la question *croire* ou *ne pas croire* qui intéresse Mallarmé. La poésie s'est définie depuis longtemps pour lui comme *mensonge*, *fiction* (réinventrice de l'*essence* objective). D'où le déplacement du motif du *doute*, et son affectation à un autre niveau du poème : non plus le représentatif, mais le rhétorique.

suggère, par exemple, son genre grammatical). Elle est l'être magique dont la corne dénonce les poisons, et qui ne saurait être chassé, puis capturé qu'en s'arrêtant au giron d'une jeune fille. L'un des êtres donc les plus ambigus du zoo fabuleux mallarméen (à côté de la chimère, de la stryge, de la sirène, de la guivre, etc.), et dont le flou connotatif lui-même va peut-être permettre l'opération d'un autre brouillage, l'acte d'une autre censure : celle qui concerne la direction de l'agression. Car on ne sait plus ici qui attaque, ni qui est attaqué : l'agresseur est-il masculin, comme dans le premier scénario, ou féminin, comme dans le second ? Rien ne permet de le dire avec un commencement de certitude. La ruade de feu peut évoquer en effet aussi bien une attaque érotique masculine que la défense contre une femme prédatrice et captatrice (ainsi dans l'épisode de la *Chasse* de la Licorne actuellement aux Cloisters). Au vers suivant la litote du verbe *emporter* dans la suite si rapide *elle, défunte nue en le miroir*, litote qui empêche de savoir si la nixe est *emportée*, ou *emportante*[1] (comme

1. Cette litote n'est pas le seul élément d'obscurité de ce vers 12. Le syntagme *elle, défunte nue* reste grammaticalement, et même sémantiquement ambigu. *Défunte* et *nue* sont-ils pris comme substantifs, comme adjectifs ? Lequel est déterminant, lequel déterminé ? Ou tous deux déterminent-ils à égalité l'inhabituelle apposition du pronom *elle* ? Petit piège supplémentaire : une ambiguïté se crée, au moins un court instant, sur le sens du mot *nue*, soit substantif désignant un *nuage* (et métaphorique alors de *nixe*), soit féminin de l'adjectif *nu*, et signifiant alors *dénudée, déshabillée*.

Ajoutons que la thématique mallarméenne implicite raffine peut-être ici sur l'effet d'ambiguïté, puisqu'il lui arrive de relier très étroitement (et très sensuellement) les deux termes apparemment sans relation entre lesquels semble hésiter le sens : *nue* (dénudée), *nue* (nuage). Il se trouve en effet que, sous l'œil érotique d'un voyeur, le nuage habille quelquefois le corps nu, mais pour mieux le livrer à la concupiscence de par sa transparence ou son évaporation. Ainsi une baigneuse des *Contes indiens* sur le corps de laquelle « s'évapore chaque goutte, diamant sur elle épars : ce suprême voile flotte aux contours, hésite et disparaît comme un *nuage* idéal, la laissant plus que *nue* ». C'est le cas, à un autre niveau, de la danseuse, nue (absolutisée) par son nuage cachant/révélant de tulles et de gazes.

Il y a donc liaison libidinale (et littéralement ici autorisée) entre la dénudation et le dénuagement. Rapport qui est peut-être aussi d'*annulation*... Car on sait que Mallarmé égale souvent *nu* à *nul* (*nu :* dépouillé, abstrait, typique, éternel, irréel). D'où ici un glissement éventuel de *nue* à *nulle*, puis une fixation, et une apposition de cette « nullité » dans le terme synonyme de *défunte*.

Double détente donc du jeu de mots possible : un seul signifiant pour deux signifiés (libidinalement complices : déshabillée, nuage); une connotation phonico-sémique du lexème *nue* avec celui qui le précède, *défunte*. (Raffinant, et par jeu, on retrouverait aussi dans *défunte*, au moins graphiquement, et visuellement, l'image d'un *nu* renversé.)

C'est à partir de semblables procédés que selon l'expression d'un commentateur récent des *Contes indiens* (Guy Laflèche, *Mallarmé, grammaire générative des « Contes indiens »*, Montréal, 1975) « l'écriture mallarméenne *divague* le sens ».

dans *la Nuit approbatrice*), accroît encore l'incapacité de *décider* d'un sens, et d'attribuer ici ou là l'initiative, ou la positivité amoureuses.

Et c'est sans doute ce qu'a visé le travail de la réécriture : masquer, recouvrir le plus vif de la question (dans la scène originelle qui agresse et qui est agressé ? Et à quel prix ? Pour quelle jouissance, et pour quel châtiment ?), vivacité littéralement impensable, irregardable : d'où une hésitation du sens, un trébuchement continuel, une obliquité de la visée, tout ce que Mallarmé nommera désormais « suggestion », ou « poésie ». Mais il faut voir aussi que tout le procès d'occultation opéré au niveau de la lettre poétique aboutit en même temps, à ce niveau même, et par ce qu'il faut bien nommer un juste « retour » des choses, au dévoilement le plus actif, à la mise en jeu la moins contrôlée de la pulsion.

D'où sortent en effet nos licornes ? Bien probablement d'une gémination réverbérée du syntagme déjà présent dans *la Nuit approbatrice*, *le décor*, qui engendre *le décor des licornes (ldcr/dlcr, eéo/éio)* sur le même modèle chiasmatique qui produit ailleurs par exemple *aboli bibelot*, ou *rêve vespéral*, ou *brûlé par le*, ou *aller puiser des pleurs*, ou *inanité sonore :* effet donc d'une réflexivité présente à chaque niveau, à chaque moment du poème, et dont celui-ci prétend être, puisque « inverse », ou « allégorique de lui-même », tout à la fois le dit et le dire (le dit de soi comme objet, et le dit de son dire), le signifié et le signifiant (le signifié de sa signifiance), le désignateur et l'opérateur.

Mais s'il en est ainsi, si la place et la nomination des deux acteurs du fantasme apparaissent comme si puissamment commandées par toute la littéralité active du poème (*nixe* par le rapport à *agonise*, et à travers lui à *angoisse*, à *onyx*, à *aboli*, ainsi que par la contagion de toutes les rimes en *yx* et en *ixe : phénix, styx, ptyx, fixe...; licornes* par le miroir de *le décor*, répercuté trois vers plus loin dans *le cadre*, et, entre autres connexions névralgiques, par le lien au système des rimes en *or* et *ore;* et tous deux peut-être aussi par la trace littérale, *ne, ni,* d'une négativité dont tout ce poème illustre la violence, et qui y laisse quelques signes précis : que *ne* recueille *pas, nul* ptyx, *inanité* sonore, le *Néant*[1]); si en outre la pratique tant rhétorique que syntaxique, ou sémantique, de l'ambiguïté fait *flotter* chacun des termes signifiés de

---

1. Mi*nui*t, o*ny*x, phé*ni*x, *ni*, ci*né*raire, *nu*l, *nu*, i*na*nité, en*nui*, i*nu*tile, *né*ant, *nor*d, ago*ni*se, *ni*e, *ni*xe, ago*ni*e, éva*noui* : quelques maillons dans cette chaîne phonico-sémique mallarméenne de la négativité. Elle peut donner lieu à de très forts renversements de sens. Ainsi, dans *Quand l'ombre menaça*, la négativité propre à la matière (« L'espace à soi pareil qu'il s'accroisse ou se *nie* ») s'articule dialectiquement, et littéralement, au principe de subjectivité (« Oui, *je* sais qu'au lointain de cette *nuit*, la Terre *Jet*te d'un grand éclat l'insolite mystère »), pour

la scène, les empêchant de se situer trop nettement les uns par rapport aux autres, et tous ensemble par rapport à leur décor sensible, il en résultera que chaque unité de la phrase aura tendance à se distancer quelque peu du cadre, ou de la chaîne de la signification grammaticale d'ensemble, de ce que Mallarmé nomme « la vaine couche suffisante d'intelligibilité » (et dont il maintient jusqu'au bout la cohérence par le « pivot » respecté de la syntaxe), pour s'isoler, puis pour se dissocier en éléments plus petits qu'elle (monosyllabes, ou phonèmes), engendrant une multiplicité de microcellules phonico-sémiques aussitôt combinables avec d'autres cellules analogues, proches ou lointaines, pour fabriquer une autre modalité, ou un autre *étiage* du sens. C'est l'effet d'hermétisme, que Mallarmé décrit très lucidement dans ses écrits esthétiques : l'affaiblissement ou l'occultation du signifié, le « doute » diversement porté sur lui entraînent une mise en valeur, un « allumage » de la signifiance. Inversement le rôle nouveau donné à celle-ci contribue à brouiller, voire à déprécier le cours de la signification « superficielle ». Tourniquet par lequel la dimension proprement littérale du texte se trouve toujours davantage mobilisée, et les mots enjoints de prendre « l'initiative ».

Cette initiative, liée donc à un éclatement de la figure habituelle du vocable, à sa défection « exaltée » « en mainte facette reconnue la plus rare ou valant pour l'esprit », Mallarmé a pu l'imaginer, on le sait, de façon assez diverse : comme un « miroitement en dessous » s'il est sensible à l'aspect à la fois rompu et globalement réflexif du phénomène; comme « un entrelacs distant », un « luxe à inventorier », s'il en envisage plutôt la ressource encore statique, la réticularité inexploitée; ou comme une « virtuelle traînée de feux sur des pierreries », s'il en perçoit l'activité sur le mode d'un parcours ultra-rapide et infiniment compliqué, propagation linéaire et quasi électrisée du sens-lumière. Ici par exemple ce sera, déjà mis en évidence ailleurs par Jacques Derrida, le nomadisme textuel de l'*or*, brillant dans le décor, dans le c*or*ps suggéré et dans la c*or*ne des lic*or*nes, après avoir été appelé par la croisée ouverte au n*or*d et par l'inanité son*ore* de toutes les rimes en *or* ou *ore*... Or-feu qui se « rue » ainsi, mais textuellement cette fois, dans l'espace entier du poème. Mais *le décor* des licornes inclut encore, une fois qu'il a été ainsi mobilisé, le *dé* (répété dans *dé*diant, dans *dé*funt, dans le coup de *dés* implicite à tout ce poème, métaphoriquement présent dans la constellation finale, et dont on

---

aboutir à la positivité éclairante du *génie* (intégration phonico-sémantique de *je/jet* et de *nie*). On sait les spéculations anagrammatiques de Mallarmé sur *je/jet*, *écho/ego*, etc.

sait qu'*Igitur* le lançait à partir d'une corne de licorne...), le c*or*ps, le *li*t (déjà dans abo*li*), la c*or*ne, le *délit*, et pourquoi pas — car seule la grille du contexte, proche ou lointain, peut précontraindre la fantaisie de telles associations —, le *corps dans le lit*, le *corps du délit*... Jeu sur les mots, sur les mots dans les mots, et sur la lettre de ces mots eux-mêmes, construisant entre eux d'autres mots, combinables euxmêmes avec d'autres mots encore sur l'infinie « toile d'araignée », ou « grotte », « lustre », ou « diamant » de la signifiance. Jeu actif tant que dure dans les mots, écrit très précisément Mallarmé, « leur mobilité ou principe, étant *ce qui ne se dit pas du discours* » : dynamisme originaire du non-dit (c'est-à-dire ici : du *dire*, d'un dire hardiment égalé à un *non-dicible*), que nous nommerions sans doute aujourd'hui : pulsion. Il permet en effet de mettre en conjonction immédiate, de manière à ce que leurs charges libidinales passent directement, quasi physiquement les unes dans les autres, quelques petits noyaux séminaux de sens et de désir — ici *or, corps, nord, lit, nu, dé, nul* —, termes essentiels chez Mallarmé aussi bien à l'élaboration du paysage qu'au fonctionnement spécifique du fantasme. Le travail même du refoulement et de l'occultation du sens aboutit donc à dégager, dans et par le texte (*sous* le texte dit Mallarmé, dans l'infratexte), les moyens pulsionnels d'une autre circulation, d'une autre jouissance. Une autre : la même à vrai dire, opérée à un autre niveau de l'écrit, mais avec une liberté, une labilité combien plus grandes! Disons que l'anagramme, ou l'anaphone, bref ce procédé que Mallarmé nomme « air ou chant sous le texte », « miroitement en dessous », ou « inanité sonore », dissémine le non-dit de ce qui se dit en même temps *sur* le texte, à la surface offerte de ses signifiés : dissémination qui représente ainsi pour le désir un moyen d'aller *droit au but* (au but infini), de *couper court* (peut-être par le plus long). Dans le cas du fantasme originaire du moins, il semble bien que l'une des fonctions de la signifiance soit de court-circuiter, de *brûler* (comme on brûle un feu rouge), en somme d'*émanciper* la signification[1].

1. On sait pourtant que les mêmes moyens permettent à la signifiance de remplir un autre projet mallarméen encore, projet explicitement exposé dans les écrits esthétiques (en particulier dans *Crise de vers*) : « rémunérer » la signification, la rendre plus adéquate, non seulement au flux miroité d'une parole pulsionnelle, mais à la vérité, à l' « essence » de l'objet qu'elle prétend « exprimer ». Voici donc retrouvée — articulée immédiatement à une problématique littérale du désir — la question aujourd'hui si souvent posée (ainsi par Gérard Genette, dans *Mimologiques*, Paris, Éd. du Seuil, 1976, p. 257) du cratylisme de Mallarmé. Comment (au prix d'une petite digression) en situer les termes dans la perspective qui est ici la nôtre ?
Il faudrait rappeler d'abord le texte célèbre de *Crise de vers* qui développe, au

2. *Le Geste.* Revenons à notre scène. Le fantasme ne s'y résume pas en une lutte de substances (feu, eau), ni à un affrontement d'acteurs,

moins dans l'horizon linguistique du français, l'idée de la non-motivation des signes. Aucune adéquation, bien plutôt la « perversité » d'une opposition manifeste entre les signifiés « jour » et « nuit », et les signifiants *jour* et *nuit*. Au niveau lexématique le signe mallarméen se reconnaît donc pour arbitraire. Mais il retrouve une motivation en se défaisant, en s'échappant à lui-même, pour ainsi dire, à la fois vers son en-deçà et vers son au-delà, vers les éléments plus petits qui le composent et vers les éléments plus vastes dans lesquels l'écriture poétique l'amène à s'intégrer. Petites unités : « facettes », syllabes, phonèmes, « touches » existant « dans l'instrument de la voix », et à travers le jeu desquelles on a déjà vu se libérer une parole du désir. Grandes unités : vers, strophe, page, poème, livre, ensembles où se totalisent, pour une « réparation » globale du défaut des langues, tous les effets de détail de la signifiance. Petites et grandes unités (toutes deux adéquates à un objet) se font ainsi mutuellement *valoir* par-delà l'unité moyenne (et arbitraire) qu'est le mot. Autrement dit : c'est la dissémination (libidinale) du signifiant qui ouvre la voie à sa remotivation et à son relestage dans le champ du signifié. Et c'est inversement cette « synthèse » au niveau du « mot total » qui éveille ou libère en retour le jeu minimal de l'écriture.

Mais quel est le signifié véritablement visé par cette opération ? A quelle sorte d'objets (outre le chant infratextuel de la parole désirante) prétend donc s'égaler le travail de la signifiance ? Moins sans doute à de simples concepts comme ceux de « jour », de « nuit » ou, disons, de « forêt », ce qui aurait, finalement, peu d'intérêt, qu'à des structures plus complexes, à ce type d'objet par exemple que Mallarmé évoque, en un passage de *Crise de vers*, comme « horreur de la forêt », ou « tonnerre muet épars au feuillage ».

C'est un texte comme celui-là qu'il faudrait commenter si l'on voulait apprécier au plus juste les ambitions du cratylisme mallarméen. Or il semble qu'elles aillent ici dans deux directions assez différentes :

— D'abord vers un rendu de l'*affect* investi dans l'objet, vers la mimétique textuelle de cet affect : l'*horreur*, la crainte de son tonnerre (*muet* d'ailleurs celui-ci : réprimé, refoulé ? N'est-ce pas, sous forme cette fois auditive, l'angoisse, toujours du même fantasme ?).

— Puis vers un équivalent verbal de la *structure sensuelle* de l'objet, vers une forme qui reproduise la figure singulière de sa constitution eidétique. Ici par exemple celle d'un arbre posé comme une certaine formule spatiale oxymorique, rassemblant des couples de concepts opposés tels que concentration/dispersion *(tonnerre épars)*, éclat/silence *(tonnerre muet)*, localisation/non-localisation *(épars au feuillage)*. Paradoxe constitutif de l'objet *arbre*, définissant la forme particulière de son signifié, et à partir duquel seul pourra s'expliciter la diction de son chiffre qualitatif, de son architecture thématique, ou, comme le dit plus simplement Mallarmé, de son « idée ».

La signifiance (loin d'être seulement autotélique) vise donc à reproduire de l'objet nommé (invoqué comme, au moins, la figure du jeu littéral, comme son équivalent sensible) tout à la fois l'affect et la structure : disons son *objectalité* (la face où se marque le « sceau » du désir, présent en lui comme « fleuron ou cul-de-lampe invisible »), et son *objectivité* (le prisme de ses qualités maîtresses telles que les visent un corps, une présence au monde singulière). La fleur, en somme, s'absente de tous bouquets parce qu'elle devient présente à la seule émotion, au seul bouquet nouveau de ses qualités nommées : rieuse, altière, suave, musicale, etc.

qu'ils soient signifiés ou signifiants, molaires ou moléculaires. Dans sa singularité toujours répétée il réclame aussi la reproduction et la jouissance d'une certaine figure posturale : un geste, mettant en jeu certaines zones anatomiques privilégiées. L'analyse menée par Freud sur *l'Homme aux loups* fait apparaître par exemple la hantise chez ce personnage, hantise reliée à celle de la scène primitive, du spectacle d'une femme agenouillée, à la tête baissée et aux hanches offertes. Le moment dynamique de notre scène, la *ruade* de feu, n'évoque-t-il pas un penchant de même nature ? Ne dessine-t-il pas une attitude secrètement excitante ? Pour le savoir il faudrait établir si la forme de ce contact ardent possède des équivalents gestuels, ou anatomiques, dans d'autres scènes amoureuses mallarméennes.

Laissons de côté peut-être l'érotique du *pied nu*, du pied transgresseur, déjà actif, on l'a vu, dans le personnage de Vénus, et dans mainte autre mise en scène sensuelle. La ruade part, si je puis dire, de plus haut ; elle implique des zones corporelles plus immédiatement lascives, et qui semblent avoir toujours sollicité le désir mallarméen. La courbe d'une croupe ou d'un dos entr'aperçus, se glissant à travers un milieu à demi transparent, l'espace d'une eau par exemple, séduit visiblement l'œil, l'œil sexuel de Mallarmé. Ainsi ce qui attise d'abord le désir du faune c'est que « sur l'eau glauque de lointaines verdures » « ondoie une blancheur animale au repos », blancheur qui bientôt « plonge », arrière-train et pieds peut-être offerts dans le glissement sinueux de cette fuite. Dans *Salut* se dessine plus franchement encore la même scène :

> *Rien, cette écume, vierge vers*
> *A ne désigner que la coupe ;*
> *Telle loin se noie une troupe*
> *De sirènes* mainte à l'envers.

Plongeon devenu noyade, dont la prosodie du quatrain répète à merveille le caractère, tout érotique, de bascule révélante : le *mainte à l'envers* s'y recule en fin de strophe et s'appose brutalement à « une troupe de sirènes ». On notera d'ailleurs que, comme tout à l'heure le mot de *rixe*, le terme ici brûlant, celui de *croupe*, n'est pas prononcé dans ce petit poème, mais qu'il s'y désigne, en creux si l'on peut dire, qu'il s'implique en tout cas et se masque dans le quatuor de rimes féminines *coupe/troupe/poupe/coupe* sur lesquelles se construisent les deux premiers quatrains de ce sonnet. Il est la rime manquante, et essentielle, celle qui commande peut-être de loin, à partir de son silence nécessaire, toutes les autres...

Mais ailleurs ce mot apparaîtra : dans le deuxième sonnet du *Triptyque* par exemple (et après la reproduction, au début du premier

sonnet, du décor de la scène originaire : « torche » du soir dans un
« branle » étouffée, « affres du passé » nécessaires, et impossibles à
« désavouer »), c'est bien « de la croupe et du bond » d'une verrerie
(d'une rêverie) éphémère que surgit le « col » interrompu. On remarque
la liaison établie ici entre le moment libidinal (la croupe bondissante)
et le moment esthétique qui lui succède, ou devrait lui succéder (le
col interrompu, la rose non fleurie). De même, dans *Salut*, la noyade
à l'envers de la sirène emblématisait déjà le jeu de l'écriture (« telle... »),
la façon qu'a l' « écume » du vers de ne « désigner que la coupe »,
le poème où ce vers est contenu. Cette sirène basculée peut d'ailleurs
se noyer véritablement dans l'eau où elle s'enfonce, et où ne demeure
plus alors, ainsi dans *A la nue accablante*, que le souvenir de son flanc-
enfant : flanc produit par la pudeur sans doute d'une métonymie...
La même sirène se retrouve enfin, métaphoriquement cette fois, dans
le *Coup de dés*, debout en sa « torsion », toujours le même geste lascif,
« le temps de souffleter par d'impatientes squames ultimes bifurquées
un roc »... Souffleter, battre, à partir d'un arrière-train à la fois
voluptueux et bestial : sommes-nous si loin de nos licornes ruantes ?
Cette attitude semble bien en tout cas occuper une place importante
dans la petite dramaturgie fantasmée de Mallarmé. Que deviendra-t-elle
quand la scène érotique aura à se déplacer vers l'espace d'une autre
scène, la poétique, ou la scripturale ? C'est ce qu'on verra bientôt,
après avoir reconnu un autre moment fantasmatique encore, celui de
la sanction.

3. *La Sanction*. Pas de jouissance en effet de la scène amoureuse sans
l'immédiate manifestation d'une instance punitive : « foudroiement »
du faune; extinction de l'or dans l'obscurcissement de la glace *(la
Nuit approbatrice); brûlure et mort du nixe-rêve, « elle, défunte nue
en le miroir » *(Ses purs ongles très haut)*. Sanction de modalité fort
variable, on le voit, mais pointant toujours, bien sûr, vers une castration : ainsi dans nos trois sonnets voisins, décapitation (mal des
« vertèbres »), paralysie (le « lac dur oublié »), claustration tombale
(« mon absent tombeau »). On sait au reste la variété du matériel
carcéral et mortuaire — armoire, égout, console, plafond, etc. —
dans les *Tombeaux* eux-mêmes et les poèmes qui leur sont appa-
rentés.
Dans le sonnet en *Yx*, trois remarques à faire sur la modalité du
châtiment. D'abord son ambiguïté matérielle, le fait qu'il implique à
la fois feu et eau, brûlure et noyade. A ce dernier titre il mobilise un
fantasme sous-jacent déjà, comme crainte secrète, dans toutes les
scènes plus haut évoquées de nymphes ou de sirènes ondoyantes.

Scènes elles-mêmes reliées à un autre paradigme onirique essentiel, celui, disons grossièrement, de la *femme au miroir* (et aussi au bain, puisque ces deux termes s'égalent si souvent). « Elle, défunte nue en le miroir »... appelle directement d'autres scènes analogues : celle de *Frisson d'hiver*, par exemple, dont le locuteur regardait une jeune femme « mirer » le « péché de sa beauté », bientôt devenu « fantôme nu », « dans une glace de Venise profonde comme une froide fontaine », « en un rivage de guivres dédorées » (étonnamment proches des licornes de notre sonnet). Scène de voyeurisme coupable, dominée par le motif d'une femme nue qu'on regarde, ou qui se regarde dans un miroir (ou dans l'eau d'un bassin, d'un bain), et qui s'y éloigne, s'y noie, s'y annule à force de s'y refléter *(nu* jouant anagrammatiquement ici encore avec *nulle)*. Et disparaît, s'y disparaît en quelque sorte à elle-même. C'est encore, bien sûr, la situation d'Hérodiade, fascinée par la « sévère fontaine » de son miroir, « eau froide par l'ennui dans son cadre gelée » : elle y aperçoit, et peut-être déjà sous l'œil de Jean-Baptiste, « l'ombre lointaine de sa grande nudité », nudité devenue, dans la version définitive de la *Scène*, celle d'un *« rêve épars » (rêve :* comme dans *la Nuit approbatrice)*, d'une nouvelle « idée » de soi réalisée dans et par la mort (par l'écriture (de la) mort [1]).

C'est donc à ce matériel, d'une charge si permanente, et toujours relié à l'angoisse d'une indiscrétion oculaire (si bien que le *sujet* du fantasme réussit à s'y introduire, comme obliquement, dans sa propre construction), que la scène érotique du sonnet en *Yx* emprunte pour l'essentiel les moyens de la punition qu'elle réclame. Cette punition d'ailleurs ne s'y distingue pas vraiment de l'idée de jouissance : on a déjà reconnu le rapt comme simultané à la disparition, et l'embrasement, sous la forme de lente « agonie », comme non séparé de la noyade. Or c'est la lettre même du poème qui opère désormais cette

---

1. Cette constellation thématique et fantasmatique insistante est redoublée par un réseau anagrammatique très actif, très cohérent, qui peut en faire passer immédiatement les uns dans les autres les divers termes dispersés. Ce réseau fonctionne, *Frisson d'hiver* le montre bien, sur la répétition d'une cellule séminale *fr*, voisable en *vr*. En voici quelques exemples, limités au cadre arbitraire du « mot », et dont le désordre ne cache pas la solidarité imaginaire : *fr*isson, h*iv*er, *fr*oid, ef*fr*oi, sé*vè*re, *giv*re, *guiv*re, *fr*igide, *vit*re, *fenê*tre, *voi*r, *rêv*e, *rêv*erie, *ver*rerie, *ver*tige, *ves*péral, *funè*bre, *vor*ace, a*var*e, é*ph*émère, *ver*tèbre, *ven*tre, *vier*ge, mais aussi, du côté *actif* de ce réseau : *iv*re, dé*liv*re, *viv*re, *liv*re, *lèv*re, *ver*s, en*ver*s, a*ver*se, *ver*se, *ref*let *victorieus*ement, triom*phe*, lampado*phore*, *f*igure, *fu*rie, *ra*fale, *fu*reur, *fou*dre, *f*leur, che*vel*ure, par*fum*, etc.
Voir à ce propos R. G. Cohn, *l'Œuvre de Mallarmé*, Paris, Librairie des Lettres, 1951, *Un coup de dés*, p. 398, et *passim*.
Dans le sonnet en *Yx* la cellule se réentend, mais syntagmatiquement éclatée : *r*uant du *f*eu; elle, dé*f*unte nue en le mi*r*oir, b*r*ûlé par le *Ph*énix.

coalescence. Le groupe syntagmatique « *ruant du feu* » fait en effet écho renversé, sur le plan prosodique (même place dans le vers), et phonique, à celui que forme au vers suivant « *elle défunte nue en* » (le miroir). La même cellule consonantique *d/f* se déplace de *du feu* à *défunte* (d'où les notions suggérées d'un feu mourant, d'une morte brûlante...), avec l'appui supplémentaire d'un *t*, prononcé dans défun*t*e, graphique dans ruan*t*. Un autre rapport se noue à travers la reprise modulée des nasales : ru*an*t, défu*n*te, *en*, et surtout, effet primordial, à travers la répétition d'une articulation vocalique brutale *(u/an)*, présente d'un côté sous forme de diérèse *(ru/ant)*, de l'autre sous forme d'hiatus *(nue en)*. Cette double égalité (croisée) suffit à rapprocher très vivement les deux aspects, ou moments, de la scène fantasmée. L'écriture mallarméenne oblige ainsi jouissance et punition non plus à se succéder, mais à se réfléchir, et comme à se *comprendre* l'une l'autre.

Et ce type de punition, par effacement, ou absentement abyssal, des acteurs de la scène primitive, il marque aussi — et c'est pour le poème une façon encore de « se réfléchir », dans sa genèse et dans son procédé — le geste par lequel le fantasme lui-même disparaît, s'enfonce, se recule dans l'espace d'une autre profondeur : celle de la mémoire. La figuration concrète de la sanction s'identifie donc, spatialement et dynamiquement, à l'acte du refoulement psychique, c'est-à-dire à la disparition temporelle de la scène dans l'étendue que Mallarmé nomme, de façon très exacte, un *oubli*. La même censure « abolit » les acteurs amoureux et le fantasme où ils avaient repris (pris ?) naissance. Engagés dans le même effacement, ils connaîtront bientôt, et de concert encore, la même transformation, la même réinscription.

4. *Le Retour.* Voici donc la scène, avec sa ruade ardente, peu à peu oblitérée dans l'*oubli* (l'*aboli*) physique de la glace [1]. Mais ce gommage, les deux derniers vers du sonnet l'indiquent bien, n'est pas une annulation. Il faut prendre au contraire ce miroir pour un espace écran, une surface tout à la fois psychique et picturale, le blanc de la mémoire *et* celui de la page, surface où disparaissent les traces de la scène libidinale mais où apparaissent bientôt d'autres traces, les étoiles, « alphabet des astres » pour Mallarmé, signes métaphoriques donc de l'écriture, lettres lumineuses du poème, de ce poème-ci que l'on est en train de lire. A l'affrontement libidinal se substitue, comme son retour, ou sa suite déplacée (et doublement déplacée, puisque manifeste sous forme

---

1. Dans le sonnet du *Cygne*, le « lac dur *oublié* » est « hanté » « sous le givre » par les traces mnésiques de la scène amoureuse (« les vols qui n'ont pas fui »).

de métaphore), la figuration d'un acte d'écriture. Le poème s'écrit directement, suggère le texte de ce sonnet, sur fond d'*oubli*, mais sur l'oubli de quelque chose qui a été en même temps d'une certaine manière *soutenu* (« l'Angoisse, ce minuit, *soutient* maint rêve... brûlé par le Phénix), *recueilli* (même dans sa dénégation : « que ne *recueille* pas de cinéraire amphore »), *retenu* (... « la tienne Oui seule qui du ciel évanoui *retienne* Un peu de puéril triomphe »), *souvenu* (« Un cygne d'autrefois *se souvient* que c'est lui »), *replié* (il « a *plié* son aile indubitable en moi »).

Écrire, ici, c'est reproduire à l'aide d'une forme fixe, c'est enclore dans la limite convenue d'un *cadre* (cadre du miroir, ou de la fenêtre, où l'on a pu lire, avec vraisemblance, l'allégorie de la forme du sonnet même), c'est donc déporter, ou « inciter » dans cet espace signifiant nouveau (ou les y laisser se produire tout seuls, en les y recueillant à partir de la distance « vacante » d'un « Septentrion », d'un « nord ») les gestes retrouvés de la scène amoureuse. C'est y retracer à un autre niveau son attitude démarquée, et peut-être jusqu'à son schème dynamique, son chiffre pulsionnel : la Grande Ourse, le « septuor » d'étoiles, ce carré prolongé d'une ligne incurvée vers le haut peut ici figurer de par sa forme le dessin d'une ruade animale et amoureuse.

Ce retour scriptural du refoulé est-il, dans la figuration qu'il apporte ici de lui-même, exceptionnel dans l'œuvre de Mallarmé ? Point du tout. Il semble au contraire que cette poésie se soit donné, pour l'un de ses projets les plus tenaces, de réfléchir, et en même temps d'agir, d' « opérer » et de « méditer » — « veillant, doutant, roulant, brillant et méditant » —, depuis « l'inquiète merveille » originelle jusqu'au « frisson final » d'un nom, la liaison nécessaire, et pourtant impensable, des deux scènes : l'érotique et l'esthétique, la fantasmatique et la scripturale. Tous les *Hommages* et *Tombeaux* montreraient par exemple comment, à partir d'une lutte première — « grief » d'un sol et d'une nue, ou d'une « bise » et d'un « roc courroucé », hiver sombre passant sur des « bois *oubliés* », « souriant fracas original », aboi d'un « museau farouche » ou torsion lascive et louche d'un gaz —, s'opèrent la sanction funéraire, puis — que ce soit le souffle d'un nom murmuré, le parfum d'une ombre empoisonnée, un scintillement volatile et duveteux, ou les « sanglots sibyllins » d'une trompette — la métaphore d'une réinscription poétique ou esthétique. Voyez le faune : oublieux de son rapt, il en prolonge en réalité très précisément le geste dans la ligne de la mélodie qu'il invente sur sa flûte. Son projet avoué est de « faire aussi haut que *l'amour se module* Évanouir du *songe ordinaire* de *dos* Ou de *flanc* pur suivis avec [mes] regards clos, Une *sonore, vaine* et *monotone ligne* »...

Cette flûte d'ailleurs, ce « jonc vaste et jumeau dont sous l'azur on joue », ici posée comme instrument emblématique de l'invention d'art, elle s'hérite directement aussi de la scène pulsionnelle. « Quand notre être / s'ennuie de cheveux lacérés et de robes », disait le premier faune, « je vais au lac sans le savoir briser des joncs mauvais / que je délaisse après la rage et l'avanie. » Ce sont ces joncs sadiquement brisés (à la fois phalliques et féminins) qui deviendront plus tard des flûtes... Leur origine libidinale inconsciente (« sans le savoir ») ne s'avère ainsi qu'à partir d'une lucidité seconde, dans la parole poétique qui oublie ce désir, mais qui se rend apte par là même à en proférer la vérité.

Et ceci amènerait sans doute à distinguer, au niveau de la seconde scène, les poèmes où l'effort d'autodésignation renvoie à la figure d'une lettre écrite (ainsi le sonnet en *Yx*) ou orale (ainsi le *Faune*), de ceux où il vise à retracer, à travers la rêverie de tel ou tel objet privilégié, et sous le couvert du mythe parallèle et refusé d'une naissance charnelle, la genèse même de l'objet d'art. C'est là sans doute le cas de la *plume*, à la fois volatile, phallique, et scripturale, si amplement interprétée. Mais plus sûrement encore celui de l'*éventail*, issu du « grand baiser » de la rêveuse, ou du « rire ivre » de Méry ; et surtout, symétrique de la flûte, celui de la *mandore*, au « creux néant musicien », aboutissement, dans le *Triptype* III, d'une autre scène primitive (le « jeu suprême », « l'unanime blanc conflit » qui, par une belle dénégation, « flotte » sur la vitre « plus qu'il n'ensevelit »), et substitut explicite d'un ventre maternel. Éventail (sur lequel on écrit), flûte, mandore : trois machines à fabriquer de la poésie, trois objets, aussi, liés, et ce n'est point hasard, à des zones du corps (phallus, bouche, ventre féminin) particulièrement névralgiques et marquées de sexualité.

Et le *ptyx*, énigme de notre sonnet, où le situer dans cette problématique libidinale de l'autodésignation ? On peut le prendre soit pour l'instrument soit pour le lieu de la production de poésie. Instrument, c'est sans doute un coquillage, une urne vide, le doublet d'un tombeau absent, par là le *pli*[1] où se recueille la musicalité du négatif : donc une sorte de mandore encore, et, au niveau sonore, la même métaphore du poème que Mallarmé construit ailleurs avec des objets visuels tels que lustre, grotte, ou diamant. L'autoréflexivité y agit par focalisation, par convergence, comme elle le fera dans le miroir par simple réverbérance plane. Mais si le ptyx peut être imaginé ainsi comme tout à la fois engendrant et allégorisant la signifiance, comme l'aboli bibelot

1. Pli de connotation très sexuelle sans doute (tout comme la *croisée/fenêtre* et le *miroir* « oubliés ») : cela explique son « abolition » ou son esthétisation légère *(bibelot)*. Mais le couplage avec *Styx* suffit à marquer ici négativité, censure nécessaire.

de son inanité sonore, il n'en tient pas moins dans le dispositif onirique du poème une autre place encore, la même que, plus loin dans les deux tercets, « l'oubli fermé » par le cadre du miroir. Car il est aussi bien l'écran de la virtualité signifiante, la possibilité ouverte, vide, oubliée peut-être, non encore fixée en tout cas, et sans doute jamais fixable — c'est là ce qui le sépare du miroir — de sa propre définition. Moins donc peut-être, comme on l'a dit, tablette d'écriture, ou encrier rempli de nuit, qu'espace auditif d'attente (ou pli, oreille d'une attention « flottante »...), silence à remplir seulement par l'écho de ce qui se prononce autour de lui. Mallarmé d'ailleurs l'avait bien dit : si ce mot n'a pas de sens, tant mieux, il se donnera « le charme » de « le créer par la magie de la rime », entendons, en extrapolant un peu, par la résonance littérale du poème tout entier. Le ptyx en arrive-t-il alors à se définir, s'absentant en quelque sorte, s' « abolissant » dans le miroitement de cette définition métaphorique elle-même ? Celle-ci, l'*aboli bibelot d'inanité sonore*, installe sur l'écran de cette absence ou de cette inexistence, la formule d'une présence esthétique exactement analogue, sur le plan auditif, à ce que représente un peu plus loin, sur le plan visuel, *De scintillations sitôt le septuor*. Deux métaphores, en même temps que deux « opérations » parallèles du texte poétique : l'une allant vers le texte lu/regardé, l'autre vers le texte lu/écouté. Double modalité d'un seul acte de lecture se faisant à lui-même écho.

5. Resterait à se poser la question de la *distance* séparant/unissant les deux scènes (la libidinale et l'écrivante), distance telle qu'elle se signifie par des moyens sémantiques dans le sonnet en *Yx* (et ailleurs), mais telle aussi qu'elle s'y fabrique textuellement dans la syntaxe, la prosodie, le jeu phonique. Comment se pense et s'écrit ici l'articulation du fantasme à l'écriture ?

Sur le plan du signifié les deux régions semblent se donner d'abord comme infiniment distantes, et presque comme hétérogènes l'une à l'autre. Par rapport à ce qui le précède, le feu rué, la femme nue noyée, le septuor stellaire se manifeste sous une modalité très restrictive, celle d'un contraste concessif : *encor que se fixe... le septuor*. Ce type de manifestation terminale se reproduit, on le sait, en d'autres textes importants, porteurs de la même charnière sémantique. Ainsi dans *Victorieusement fui le suicide beau* : « Quoi! de tout cet éclat pas même le lambeau S'attarde... *Excepté qu'*un trésor... Verse son nonchaloir... » Dans le *Coup de dés* : « Rien n'aura eu lieu... que le lieu... *excepté* à l'altitude *peut-être*... une constellation. » Ou, dans le premier sonnet du *Triptyque*, à la suite encore d'une extinction solaire : « ... Ne s'allume pas d'*autre feu Que* la fulgurante console. » La présence, ou

129

plutôt la présentation de cet objet nouveau qui se dévoile, prend donc valeur d'exception sur-le-champ d'un retrait absolu et unanime : sur la plage pure d'une « absence », d'un « ennui », d'un « oubli ». Rien ne semble relier l'inscription finale à l'horizon de négativité sur lequel elle s'éclaire : seule l'idée de hasard, celle des dés jetés (ou des ongles-doigts tendus et *dédiés*), permettra d'en théoriser l'avènement. Rien sur le plan du signifié explicite et littéral (et donc, psychiquement, sur celui de la conscience) ne rejoint la figure de l'apparition à celle de la disparition.

Cet effet de discontinuité, la signifiance semble d'abord le redoubler. Regardons par exemple comment elle agit sur la charnière névralgique de la conjonction *encor que :* elle y conjugue la production d'un heurt (par double accent successif sur des gutturales sourdes : *encor que*), et celle d'une cassure (c'est la désarticulation interne apportée au syntagme conjonctif par sa situation d'enjambement). Le terme chargé de la liaison syntaxique fait donc l'objet d'une sorte de martelage phonétique, et d'une rupture prosodique. Le verbe commandé par cette conjonction presque scandaleusement disloquée est en outre mis à distance, reculé jusqu'à la fin du vers, écarté par une longue incise à valeur de détermination locale :

> *... encor*
> *Que, [dans l'oubli fermé par le cadre,] se fixe...*

Et le même effet se reproduit au niveau du syntagme nominal sujet de l'action verbale. Le substantif sujet n'y apparaît en effet, au bout du dernier vers, qu'en *dernier ressort*, après deux compléments antéposés (un complément de nom, un adverbe complément de temps) qui le séparent de son prédicat verbal :

> *... se fixe*
> *[De scintillations] [sitôt] le septuor.*

Retard maximal du *sujet* de l'inscription illuminante. La scintillation stellaire, l'avènement d'un « absolu » graphique s'écartent superlativement ici de l' « agonie » de l'or libidinal[1].

---

1. Un même effet d'écartement final, obtenu par des moyens syntaxiques analogues, s'observe dans les trois autres sonnets de la série *Plusieurs sonnets*. Le lexème marquant la manifestation lumineuse, elle-même allégorique de l'écrire, s'y recule jusqu'à l'extrême fin du poème. Ainsi :
— Dans le sonnet I *(Quand l'ombre menaça)* :

> *L'espace*
> *Roule... des feux vils pour témoins*
> *Que s'est d'un astre en fête allumé le génie.*

Mais en même temps, et inversement, ils peuvent en apparaître, à travers d'autres effets de texte, comme toutes proches, ou du moins comme parallèles, comme solidaires. Ce n'est point hasard par exemple si l'articulation vocalique *i/o*, matricielle dans *licornes* (et commandant, outre le jeu des rimes, certains des mots les plus importants du sonnet : *onyx, aboli, bibelot, agonise*), se répète au dernier hémistiche dans le bisyllabe *sitôt*. Ou si, de façon plus nette encore, la diérèse de *ru/ant* (redoublée par l'hiatus de *nue/en*) se prolonge, avec le reflet soutenu de l'or, dans la conclusion et la clef phonique du poème, *septu/or*.

Mais c'est au niveau de leur signifié surtout, de leur signifié non plus littéral mais métaphorique, que les deux scènes peuvent être comprises comme continues. Après tout, du soleil couchant à l'étoile allumée il n'y a eu, dans la même isotopie, que changement de métaphore, que substitution d'une lumière à une autre. Rien, en fait, n'a réellement eu lieu, que le lieu, c'est-à-dire que l'instauration du lieu comme espace scriptural de jouissance. Rien, sinon une transformation toutefois dans la forme et le dynamisme de la manifestation éclai-

L'éclatement du groupe verbal *(s'est allumé)*, qui en isole la seconde partie essentielle, se conjugue à l'antéposition du groupe complément de nom *(d'un astre en feu)*, et à la postposition du sujet par rapport au verbe pour détacher celui-ci, le *génie*, en bout de phrase et de poème, pour l'arrêter, comme l'écrit le *Coup de dés*, « à quelque point dernier qui le sacre ».
— Même modèle formel à la fin du sonnet II *(Le vierge, le vivace, et le bel aujourd'hui)* :
> Il s'immobilise au songe froid de mépris
> Que vêt parmi l'exil inutile le Cygne.

C'est cette fois par une détermination de lieu *(parmi l'exil...)* que le cygne, toujours postposé par rapport à son prédicat verbal, s'écarte en fin de poème, y devenant, comme on l'a dit plusieurs fois déjà, un signe.
— Dans le sonnet III, même postposition encore, et enlèvement final du sujet-lumière :
> Comme un casque guerrier d'impératrice enfant
> Dont pour te figurer il tomberait des roses.

On remarquera que, dans *la Nuit approbatrice*, ce n'était pas le sujet, mais le verbe qui s'arrêtait en fin de vers :
> ... sinon que sur la glace encor
> De scintillation le septuor se fixe

Écriture d'une époque, peut-être, où comptait plus pour l'imaginaire mallarméen le geste d'immobiliser, de « fixer » (par un coup de dés, une pensée, une écriture) le fait d'une labilité infinie (un hasard, un océan clapotant, un corps fantasmatiquement morcelé), que le désir de faire luire en fin de poème l'*or* d'une constellation scripturale, elle-même greffée sur un feu pulsionnel. D'où un remaniement, dans les deux tercets, de tout le système de rimes d'abord établi.

rante [1]. *Ruant du feu* disait, en particulier grâce à l'utilisation insolitement transitive de *ruer*, la violence d'une ardeur directement projetée d'un partenaire amoureux à l'autre pour les relier, mais tout autant les déchirer, les scinder dans le nœud de cette liaison même. Au paradoxe de cette conjonction déchirante la scintillation substitue le paradoxe exactement inverse, celui d'une disjonction liante : d'une distance dans l'ouverture maintenue de laquelle de multiples petits points de clarté ne brilleraient qu'en se réfléchissant les uns les autres, clignotement réciproque et compliqué rendu possible par leur écartement même. Telle est bien l'utopie mallarméenne des astres (et de leur alphabet). Point de scintillement ici sans une autoréverbération de la pluralité éclairante, et donc, dans l'infinité jamais épuisée de ses circuits, dans l'ampleur toujours sauvegardée de son intervalle, sans une certaine *paix* de la lumière. D'un mode d'éclairement à l'autre il y a donc eu retransmission, mais aussi renversement : ce qu'opère peut-être au niveau concret la réflexion dans le miroir...

Et l'on voit bien alors comment le résultat de ce renversement (mais le résultat de l'acte en est en même temps l'opération) peut en venir à métaphoriser la présence verbale du poème. L'agression pulsionnelle y devient une mise à distance relative des signes. Ceux-ci ne prennent sens que par leur rapport lointain, dans leur différence diacritique, à travers leur « suspens, disposition fragmentaire avec alternance et vis-à-vis, concourant au rythme total, lequel serait le *poème tu*, aux blancs ». Poème donc essentiellement *intercalaire :* la blancheur y sépare et anime la noirceur des graphes; le silence y autorise la discrétion des sons. Entretexte, tout autant qu'infratexte. Mallarmé le confirme quand, dans une lettre de commentaire au sonnet en *Yx*, il déclare que « le sens, s'il en a un [...] est évoqué par

---

1. Et dans le *nombre* des acteurs libidinaux : non plus scindés, ceux-ci, entre un singulier (une nixe) et un pluriel indéterminé (des licornes), morcelés donc dans le déséquilibre cruel d'un nœud de « parents combinés », mais regroupés dans l'ensemble impair, magique cependant, apaisé, égal, on l'a dit, à la forme repliée sur elle-même du sonnet, du *septuor*.
Autre transformation qui intéresse la nature de la *substance* (ou de l'humeur) éclairante : à la masculinité rouge du feu solaire se substitue sans doute, du moins ses connotations habituelles permettent de le penser, la féminité (froide) d'une blancheur stellaire. On sait le caractère lacté de l'étoile chez Mallarmé, c'est du moins là l'une de ses valeurs, une autre, pertinente aussi à notre fantasme, étant celle de *regard*. Hérodiade le dit : « laisse-moi à ta place y verser regards vous pierreries nuit d'été »... Cette stellarité lactée s'atteste dans la personne de la nourrice d'Hérodiade, aux « seins abolis vers l'infini vorace Sursautant à la fois en maint épars filet Jadis, d'un blanc... et maléfique lait ». Une écoute anagrammatique de la *scintillation* y retrouverait dès lors peut-être un *sein* originel. Un sein *tillé* (ou *(ti)tillé)* ? Mais aussi un *saint* (voyeur et décapité, « scintillé absolu »).

132

un mirage interne des mots mêmes ». C'est ce mirage, regroupé, « fixé », momentanément immobilisé dans le cadre d'une forme poétique traditionnelle, que le sonnet installe — produit et signifie[1]—

1. Il faudrait s'interroger sur les moyens de cette production. Si en effet le poème, ce poème-ci, dit comment il se fait (en « réfléchissant » l'acte de sa genèse), s'il dit en même temps son faire (en « réfléchissant » de diverses façons sa signifiance, son « miroitement en dessous »), et s'il dit encore cette double diction même, s'il réfléchit son don d'autodésignation (sa capacité à parler, à parler de lui, comme un métapoème), il faut aussi se demander si, et comment il *fait ce qu'il dit*, comment il produit textuellement ce qu'il énonce.

Une note antérieure a posé la question sur le plan de la théorie mallarméenne. Il faudrait la déplacer maintenant au niveau de la vérification concrète, celle du texte en travail. Par exemple sous cette forme simple, et sans doute naïve : à la fin du poème, le signifiant *scintillations* scintille-t-il, ou non ? A cette question la réponse paraît d'abord facile : non, il ne scintille pas, bien sûr, sinon par une illusion de la lecture, par un report inconscient de la valeur signifiée du mot sur sa face signifiante elle-même. *Scintillations* ne scintille pas plus que *jour* n'éclaire, que *nuit* n'obscurcit, ou, si l'on veut, et pour sortir des exemples mallarméens, que *chien* n'aboie. (Il est vrai qu'*aboi* lui-même peut aboyer, du moins chez Chateaubriand !) Mais il convient, selon les principes mallarméens, d'inclure ce mot dans le « mot total » qu'est le vers, et celui-ci dans le texte global qu'est le poème, pour y analyser valablement le travail de la signifiance, et voir comment celle-ci peut s'égaler, non pas au fait brut du scintillement (à celui-ci comme référent, ou référé : cela serait absurde), ni même à son signifié, mais à la forme signifiée de son contenu, au groupement spécifique de qualités et de fonctions qui constituent pour Mallarmé (pour le corps mallarméen) l'acte du scintiller.

Une longue analyse serait ici nécessaire. Quelques points de repère seulement. Ce que réalise ici le contexte, c'est :

1) Une mise en évidence de l'ampleur du mot ou plutôt du syntagme : *de scintillations*. Six syllabes, un plein hémistiche continu, avec l'allongement forcé de la diérèse *ti/ons* (marque d'étirement du mot), et le contraste de juxtaposition avec deux éléments brefs, le monosyllabe *fixe* (accentué à la rime), le bisyllabe *sitôt*.

2) Le soulignement d'*échos* intérieurs au mot. Échos consonantiques des sifflantes (*scintillations*), ou des yods (*scintillations*), échos des voyelles nasales (*scintillations*). Cette structure de répétition interne se manifeste dans le terme détaché, coupé de tout contexte : mais le lecteur y devient plus particulièrement sensible en raison de la force avec laquelle elle opère dans tout le reste du poème. C'est le contexte ici qui active les valeurs signifiantes de réverbération présentes dans le lexème (ou plutôt dans le syntagme : *De scintillations*). Il le fait de deux façons : en en reproduisant d'abord hors de lui les éléments phoniques névralgiques. Ainsi : les sifflantes dans *fixe*, *sitôt*, *septuor*, soulignées par un triple accent, ou, ailleurs dans les rimes en *ix*, dans le premier mot du sonnet *Ses purs* ongles (écho exact du dernier *septuor*), dans le second vers : l'angoi*sse*, *ce* minuit, *sou*tient (avec mise en évidence de la sifflante par redoublement proche et contreaccent), dans *sonore* (soutenu, dans *la Nuit approbatrice*, par un « insolite vai*sseau* »). On pourra rappeler à ce propos l'importance pour Mallarmé de la *première* « lettre » (ou phonème) du vers (et sans doute du poème), ce qu'il nomme sa « clef allitérative », ici justement le *s*. Et aussi la valeur particulière investie par lui dans cette « lettre analytique : dissolvante et disséminante par excellence »,

dans l'espace de son dernier vers. Mais l'éclat n'a jamais cessé non plus d'en luire dans toute l'étendue du sonnet (puisque c'est elle qu'allégorise en réalité cette conclusion), ni donc dans le dessin de la lutte charnelle elle-même, dans le décor des licornes ruant du feu contre une nixe. La scène primitive, alors, son feu rué ? Un mirage, construit/évanoui dans un mirage. Après elle, hors d'elle, mais en elle aussi, sur elle, à travers elle, l'écriture : fondée, tout ici le dit (ou le tait, le dit par ce taire même), sur un pacte essentiel de l'absence et du désir.

---

marque pour lui du pluriel comme de la seconde personne du singulier, signalant donc « *une altération... quant à qui parle* ». A le suivre sur ces chemins, et dans cette croyance, qui implique peut-être un traitement conscient et volontaire du phonème, on verrait dans la texture sifflante de ce dernier vers du sonnet tout à la fois le signe d'un changement de « sujet » correspondant à la substitution d'une « scène » à l'autre, et celui d'une dissémination (les astres, les signes écrits dont la pluralité serait en même temps tenue, cadrée par la forme quantifiée du sonnet : le septuor). — La prégnance générale du contexte ne porte pas seulement d'ailleurs ici sur les sifflantes : *in* et *on* étant des modulations nasales de l'articulation vocalique maîtresse du poème, i/o (voisine d'ailleurs dans *sitôt*, qui fait écho modulé, encore, à *tion*).

Mais voyons aussi que de la structure d'écho le contexte peut redoubler la *forme* même, la répétant dans tous les petits « miroirs » signifiants épars dans le sonnet : *rêve vespéral, aboli bibelot, inanité sonore*, le *décor des licornes*, etc. (miroirs signifiants qui « mirent » eux-mêmes les miroirs signifiés où finit par « scintiller » figurativement le « sens »).

3) La production d'un effet de *discontinuité*, ou d'*alternance*. Au niveau du dernier vers pris dans son ensemble :

De scintillations sitôt le septuor

se perçoit en effet un battement consonantique insistant entre dentales *(d/t)* et sifflantes *(s :* phoniques, et même graphiques). Le schème en serait à peu près

dsts/st, st

figure qui forme à la fois alternance, dans le cadre de chaque hémistiche (celui donc du syntagme dont on essaie ici de mesurer le pouvoir), et miroir, ou chiasme, dans le cadre du vers, ou de chaque hémistiche « rabattu » sur l'autre. On notera, dans le *Coup de dés*, des effets analogues tissés autour du signifiant *constellation*. Ainsi : c'é*t*ai*t*/is*s*u s*t*ellaire, excep*t*é, *s*elon *t*elle, ce *d*oi*t* ê*t*re le Sep*t*en*t*rion, dé*s*ué-*t*ude, le heur*t* su*cc*e*ss*if si*d*éralemen*t*, avan*t* *d*e *s*'arrê*t*er, *T*ou*t*e Pen*s*ée émet un Coup de Dés.

Or ces trois caractères : ampleur plurielle, réflexivité, discontinuité alternante, que la signifiance globale du poème permet ainsi d'*opérer* dans le seul groupe *de scintillations*, ce sont aussi, on l'a vu, les qualités par (sous) lesquelles Mallarmé perçoit la lumière scintillante, et le sens poétique métaphorisé par celle-ci. De ce spectre qualitatif le signifiant devient donc l'*icône*, ou plutôt le *diagramme*. De l'éros impossible du feu rué, de son immédiateté brûlante et déchirante, on passe ainsi, dans l'imaginaire, et par le texte, à l'équilibre élargi, éveillé, médiat, durable (grâce à l'avivement perpétuel de l'alternance), à la figure en somme de ce corps scintillant, de ce « nouveau corps amoureux » eût dit Rimbaud, l'écriture.

Le texte et sa cuisine [*]

Manger, chez Huysmans, c'est toute une affaire : malheureuse le plus souvent. Point d'œuvre littéraire peut-être qui soit plus activement que celle-ci hantée par le souci de nourriture. D'une nourriture qui s'y consomme certes directement, littéralement, et selon des dispositifs multiples ; mais qui sert aussi à marquer métaphoriquement de son signe tous les grands actes de la vie. Venir au monde par exemple c'est, dès le premier abord, passer, ou en passer par l'aliment. Naissance de Folantin, dans *À vau-l'eau* : « Une tante qui, sans être sage-femme, était experte à ce genre d'ouvrage, dépota l'enfant, le débarbouilla avec du beurre, et, par économie, lui poudra les cuisses en guise de lycopode avec de la farine raclée sur la croûte d'un pain. » Méchanceté inaugurale de ce beurre intempestif, de cette farine croûteuse et raclée. Plus tard, au moment d'aimer les femmes, c'est encore à travers les problèmes du manger que s'en invente, et s'en empêtre le désir. Car toute nourriture peut s'éprouver, en sa vérité, comme une métaphore de l'être premier, celui qui nous a nourris (métaphore où se glissent dès lors toujours à quelque degré un souvenir de son interdiction, une trace de son manque). Mais l'aliment se trouve aussi, en vertu d'une nécessité socioculturelle cette fois, en contiguïté, en métonymie, dirai-je *en ménage ?* avec la femme, puisque c'est elle, dans notre tradition occidentale du moins, qui le prépare pour la consommation de l'homme. D'où pour le héros huysmanien la grande question, peut-être l'unique : comment, sur un seul objet, s'arranger d'une telle duplicité fonctionnelle, comment le consommer à la fois comme métaphore et comme métonymie ? Comment manger sans aimer, ou ne pas aimer, qui vous fait manger — et qui est aussi, d'une autre façon, ce que l'on mange ? Comment (ne pas) vivre avec qui vous fait manger ? Simplicité, toute vertigineuse, des termes du problème, et de roman en roman, échec

---

[*] Ce texte a été prononcé à Cerisy en juin 1977 dans le cadre d'un hommage à Roland Barthes.

de toutes les solutions tentées. Et ce qui vaut pour l'amour vaut aussi pour la mort, le rêve, l'écriture. Le texte, par exemple, se donne explicitement comme un mets, plus ou moins réussi, plus ou moins nauséeux : « bouillon de veau des Cherbuliez ou des Feuillet », ou « hachis », fricassée de l'écriture décadente. Toute l'existence, toute l'écriture, les voici prises, comprises, compromises dans les défilés de l'aliment.

Défilés : cela veut dire qu'on le file, comme on file un amour, ou une histoire (et deux textes au moins de Huysmans, *Là-bas* et *A vau-l'eau*, se développent, l'un comme fugue, l'autre comme quête, autour d'un fil alimentaire). Mais cela veut dire aussi qu'on y défile, qu'on le parcourt dans tout le champ de sa possibilité signifiante, dans l'ensemble des relations qu'il entretient avec les autres éléments du paysage. On ne peut d'ailleurs qu'admirer chez Huysmans l'ampleur, le caractère presque encyclopédique de son souci trophique (*trophologie :* ce serait la science, à créer, de la signification alimentaire). Car le manger, chez lui, gouverne une socialité; il commande certains dispositifs d'espace et de durée; ses choix renvoient aux investissements les plus tenaces d'une relation d'objet. Point de trophologie ici sans une sociologie, une topologie, une économie libidinale.

Par où entamer le trajet alimentaire ? On parle de *plaisir de table*, mais celui-ci commence en fait bien avant la table, devant les fourneaux de la cuisine, là où s'établit le premier contact, le plus nu, le plus décisif peut-être, entre le corps et sa future nourriture. Or la coutume occidentale coupe le mangeur de ce premier plaisir. Nous ne sommes pas, ou plus, ou pas encore, dans l'état japonais de consommation ouverte, et comme sans partage que décrit Roland Barthes dans *l'Empire des signes :* celui d'un repas préparé, peu à peu, devant le mangeur lui-même, qui en jouit, au fur et à mesure, par le goût, l'œil, l'oreille aussi puisqu'une conversation en redouble toujours l'apprêt. Chez nous, ou du moins dans le chez-nous bourgeois qui est celui des romans d'Huysmans, la salle à manger se scinde spatialement de la cuisine, ce qui a pour résultat (pour but peut-être) d'interdire au mangeur l'une des phases les plus libidinales du procès alimentaire. La cuisine : elle reste pour nous, localement, à la fois l'arrière- et l'avant-monde du manger, le lieu de son retrait et celui de sa genèse. D'où son lien, Proust l'avait bien vu, avec tous les apprentissages du plaisir. Les très jeunes enfants le savent spontanément, dont c'est presque le premier jeu : préparer des repas fictifs, avec l'échange des contenants et des contenus, la maîtrise des récipients, le mélange des objets, le mariage des substances. Toute coction mime peut-être une scène primitive. De cet épisode crucial l'art cuisinier ne fera plus tard que codifier l'émotion. Et pour cela il lui faudra écrire : est-il genre littéraire en fait plus inconvenant, plus exactement et délicieusement pornographique, que celui, si ancien, si familial, si clandestin aussi par certains côtés, de la recette de cuisine ? Genre, il est vrai, jusqu'ici peu étudié.

Or il se trouve, mais ce n'est pas hasard, c'est le signe plutôt, le premier signe d'un rapport difficile avec l'origine et l'être originel, que l'homme huysmanien, toujours si occupé de nourritures, intervient très peu dans leur préparation. Il manipule inlassablement, et comme masochiquement (ou autocastrativement), fourchettes et couteaux, mais sans jamais mettre vraiment (une seule exception, je crois, dans *Là-bas*) la main à la pâte, ni la cuillère à la marmite. Pis : il se méfie de la cuisine, je veux dire de la cuisine cuisinante; il la fantasme comme un espace d'incertitude et de méchanceté où se trament contre lui d'obscurs complots. Dans son idée l'aliment s'y brûle, s'y souille à l'avance, il s'y contamine de mille manières, s'y trafique, on le verra mieux au chapitre de l'économie gustative. Non seulement le mangeur huysmanien ne cuisine pas, mais il fait porter sur toutes les cuisines (toutes les cuisinières) un soupçon sans défaillance. De lui à l'aliment, et à la main qui l'accommode, aucune confiance primitive : un retrait au contraire, un arrêt du désir.

Puisque la question du cuisiner se trouve ainsi frappée de suspicion, et comme dès le départ forclose, un autre rôle nutritif va prendre la première place, et occuper, avec quelle force monotone, le devant de scène romanesque : celui de la distribution. Point de repas qui ne commence ici par un problème de *donation*, par l'instauration d'un rapport personnel très aigu, très sensible, un rapport de désir encore, ou plutôt de demande, avec celle ou celui qui apporte l'aliment. Et ce rapport est le plus souvent de frustration. L'échec en prend une forme différente selon le sexe des distributeurs. Le garçon, de café ou de restaurant, l'un des personnages clefs de la mythologie huysmanienne, se définit par le creux charnel et par la présence gestuelle. Privé de corps, vide d'humeur, il se donne à travers le jeu d'une posture. Ainsi le garçon acrobate du début d'*A vau-l'eau :* « Il mit sa main gauche sur la hanche, appuya sa main droite sur le dos d'une chaise, et il se balança sur un seul pied, en pinçant les lèvres. » Lèvres closes auxquelles répond fatalement, un peu plus loin, la moue du consommateur. C'est que rien ne passe ici de bouche en bouche, ni de corps en corps. Cette gymnastique, toujours au bord du déséquilibre, prive l'aliment de la continuité, du lié vivant, de la viabilité, que nous souhaitons secrètement en lui. Comme dans les phases les plus primitives de la vie libidinale, dans ce moment schizo-paranoïde qu'a étudié et nommé Mélanie Klein, le contact du dona-teur au récepteur s'y effectue dans l'à-la-fois, l'à-la-fois syncopé d'un trop et d'un trop peu, dans le malheur simultané d'une agressi-vité et d'une fuite. D'un seul mouvement l'être nourricier attaque et se dérobe : « Dans une bousculade des garçons filaient, ne répon-dant pas aux appels, ou bien ils lançaient votre plat sur la table, et fuyaient quand on leur réclamait du pain. » Nourriture refusée ou jetée, jamais offerte. Ce fantasme d'un objet à la fois blessant et manquant se définit par une formule mélancolique, celle d'un « ser-vice arrogant et dérisoire ».

Du côté du service féminin c'est pire encore, car la même arro-gance s'y parle dans le langage, dans la proclamation de la chair même. C'est par leur corps, directement, que serveuses ou servantes de restaurant, qu' « hôtesses », ou femmes de ménage, manifestent crûment, vis-à-vis de celui qu'elles servent, le même désir têtu : lui *couper* l'appétit. Cette intimidation, toute phallique, peut se varier du gras au maigre. Devant telles « maigres servantes », de table d'hôte, « des femmes sèches, aux traits accentués et sévères, aux yeux hostiles », « une incomplète impuissance vous venait; on se sentait surveillé et l'on mangeait, découragé, avec ménagement, n'osant laisser les tirants et les peaux, de peur d'une semonce, appré-hendant de reprendre d'un plat, sous ses yeux qui jaugeaient votre faim et vous la refoulaient au fond du ventre ». Texte admirable de sincérité, de précision passionnelle (avec le refoulement final au fond du ventre), de cruauté aussi (avec le supplice, non seulement de la castration, mais de son contraire si l'on peut dire : le déchet mangé de force, l'imposition maternelle de l'excrément). Mais la servante grasse est peut-être plus redoutable encore, car c'est par l'abondance même, c'est-à-dire par le débordement, l'écrasement, ou l'inversion qu'elle réussit à agir la frustration. Ainsi chez Mme Cha-vanel, dans *A vau-l'eau*, « une vieillesse haute de six pieds, aux lèvres velues et aux yeux obscènes plantés au-dessus de bajoues flasques. C'était une sorte de vivandière qui bâfrait comme un roulier et buvait comme quatre; elle cuisinait mal et sa familiarité dépassait les bornes du possible »... Le pire, pour un être nourricier, c'est sans doute de trop bien lui-même se nourrir, ce qui à la limite le transforme de nourrice en ogre... La taille excessive, la pilosité, la flaccidité confirment le caractère monstrueux, Huysmans dit *obscène*, car c'est bien la sexualité qu'il intéresse, de ce retournement de fonctions. Plus aucun écart, dès lors, entre le malheur nutritif et l'enfer de féminité.

Et le *lieu*, où s'opère l'offre alimentaire, ou la contre-offre si l'on veut, l'offre par laquelle l'autre signifie, en fait, qu'il se refuse ? Il fait ici l'objet d'un souci constant, souci qui relève sans doute de la même structure symbolique si l'on accepte une équivalence primitive entre l'espace de l'être nourricier (son *enceinte*, son *enseinte*...) et le décor, adulte, social, où nous survient quotidiennement la nourriture. Trouver le bon endroit où manger devient alors aussi important, on le comprendra, que découvrir la bonne nourriture ou que dénicher le bon service. La préoccupation huysmanienne hésite ici entre divers choix, tous finalement plus impraticables les uns que les autres. La tentation d'auto-érotisme alimentaire amène quelquefois, par exemple, le héros à manger seul, dans la petite « thébaïde » de sa chambre : mais cette dînette solitaire doit être de quelque manière transgressive puisqu'elle s'achève toujours mal, dans la sanction d'une mauvaise digestion. Il faut partir alors au restaurant, et se risquer à toute cette aventure de la convivialité où l'homme huysmanien a tôt fait d'épuiser ses maigres forces. Car rien de plus important, bien sûr, que la disposition du lieu où l'on mange, que la façon dont il s'ouvre, se construit, s'éclaire, que la manière dont il débite son espace, que la densité et l'ordre de son occupation, que le type de relations possibles, ou impossibles, avec ceux que Huysmans nomme si bien « des voisins d'assiette ». Tout un discours romanesque sort, au XIXᵉ siècle, du dispositif de la salle à manger. L'invention huysmanienne s'attache à en multiplier et interroger les figures. J'en citerai deux seulement, parmi beaucoup, parce que exemplairement malheureuses, celle de l'*imbrication* et celle de la *déchirure*. Dans la première les corps mangeants se trouvent mécaniquement liés et comme bloqués les uns dans les autres par la géographie de la table : « Serrés en deux rangs, placés en vis-à-vis, les clients paraissaient jouer aux échecs, disposant leurs ustensiles, leurs bouteilles, leurs verres les uns au travers des autres, faute de place. » Voisinage donné comme une petite copulation ludique, avec la sanction, ludique encore, d'un *échec*... Ailleurs, et comme dans ces rêves d'enfant, commentés par Mélanie Klein, où le sujet s'imagine, à l'intérieur du corps maternel lui-même, attaqué par des rivaux mortels, père ou frères, la salle à manger se zèbre de gestes, de cris, qui déchirent douloureusement la paix prandiale. « Là sonnaient de grands bruits d'assiette sur un bourdonnement ininterrompu de voix; puis la porte s'ouvrit, et, en même temps qu'un violent hourvari, des gens en chapeau se pré-

cipitèrent dans l'escalier en battant la rampe avec leurs cannes. »
Autre façon de briser l'espace alimentaire — en même temps que
l'appétit. Autre signe que le lieu d'alimentation est bien un lieu
impossible, inoccupable, un lieu sans intériorité, disons : un hors-
lieu. Ou un lieu atopique, si l'on veut. C'est-à-dire aussi toujours
un *autre* lieu, le lieu d'une utopie : ce qui ne cesse de relancer, de
page en page, de roman en roman, le désir, l'aventure, l'écriture de
la commensalité.

Mais il faut en venir maintenant à l'essentiel, c'est-à-dire à l'aliment lui-même, à sa constitution, son *eidos* sensoriel, sa forme spécifique, aux qualités que le corps désire éprouver en lui, qu'il y goûte,
ou plutôt, si je puis employer transitivement ce verbe, mais c'est
ici je crois le cas ou jamais, qu'il y *dégoûte*. Trois modes essentiels
de nourriture se partagent, il me semble, la gustativité huysmanienne :
je les nommerai une nourriture châtiée — celle qui s'écrit avec le plus
de précision et de fréquence —, une nourriture criminelle, une nourriture sulpicienne.

La nourriture châtiée (ou châtrée) est celle qui se charge d'apporter
sensuellement au corps le manque de ce qu'il désire (ou le manque,
peut-être, qu'il désire). Elle l'excite à travers les qualités mêmes, ou
les catégories qui la rendent écœurante. Nourriture négative, comme
il y avait autrefois une théologie négative. En elle, ou plutôt d'elle
au corps, la négation d'ailleurs est réversible (mais jamais dialectique). Punitive, cette nourriture s'offre à la bouche comme elle-
même déjà punie, comme maltraitée, diminuée de multiples manières
par tout le trajet culinaire qui l'a conduite dans l'assiette du mangeur.
Elle y a été éventée, brûlée, noyée surtout, ou délayée — c'est l'un
des grands fantasmes alimentaires de Huysmans. Le mangeable s'y
hallucine comme absolument livré à l'eau, comme baigné, traversé,
transi par le liquide, et comme obligé d'abandonner, au cours de
cette épreuve, tout ce qui pouvait appeler notre désir. Cette castration
humide de l'aliment, liée à un cauchemar plus général de la liquidité
(de la féminité envahissante et destructrice), aboutit à faire surgir
au-dessus du champ alimentaire une essence royale omniprésente, la
fadeur. Fadeur : c'est le goût de ce qui n'a pas, ou plus de goût. Si
Huysmans tente le procès de tout ce délayement alimentaire, il incrimine
aussitôt deux types de cuisine qui lui semblent en effet assez logiquement liés : la cuisson à l'eau, les sauces. La première affecte surtout les légumes, généralement haïs de Huysmans (sauf, curieusement,
les choux : peut-être parce que plus vitaux, plus rustiques ?) : bouillis,
ils le renvoient à des rêveries de sanction carcérale ou hospitalière
(ainsi ces « légumes cuits à l'eau, vestiges des maisons centrales »).

140

Mais si le syntagme de *légume fade* a presque valeur ici de tautologie, on accusera avec plus de force encore la malice, la perfidie des *sauces*, qu'il faut voir fonctionner en opposition avec les *sucs*. Les sucs sont des liquides, mais des liquides ardents (et à la limite, toujours, du sang), qui sortent de l'aliment pour en exprimer, en communiquer le goût, pour l'en faire sortir goutte à goutte, pour l'égoutter. Les sauces sont des liquides froids, apportés de l'extérieur à la nourriture, apparemment pour en accroître ou en nuancer la saveur, en fait pour en masquer, ou même pour en dévoyer l'essence. Au suc, cardinal, sincère, (mais inquiétant peut-être justement par là : parce que trop près du « cœur », trop expressif, trop nu...), s'oppose la sauce, exogène et hypocrite. Sa fonction réelle, c'est d'égarer le mangeable (et le mangeur); c'est, sous couleur d'ornementation, d'en affecter la définition même, d'en pervertir la vérité : le transformant par là en ce que Huysmans nomme quelque part « une victuaille invraisemblable et indécise ».

Or l'indécision, l'incertitude, c'est une autre des grandes catégories néfastes de la nourriture huysmanienne : le mangeable y souffre d'un manque foncier d'unité, et littéralement de tenue. L'aliment ne *tient* pas, dans l'assiette, ni dans la bouche. La viande s'effiloche, motlitanie, sous la fourchette et le couteau : elle est *filandreuse*, ou fibreuse, c'est-à-dire à la fois molle et dure, résistante et fuyarde. L'œuf, lui, glisse sous la langue, tout en s'accrochant à elle, c'est le paradoxe, infâme, du *glaireux*. Ou bien l'aliment s'affaisse, mais sans pouvoir s'évacuer : c'est le dégoût de la pâte, des purées, de la nourriture-cataplasme. Quelquefois même les deux inconvénients coexistent : ainsi dans l'ignominie du tapioca... L'odeur, surtout, éveille, devant le mangeable (ou l'immangeable), à l'énigme d'une dissolution qui serait aussi une rémanence. Le *faisandé* reste de ce point de vue l'une des catégories alimentaires les plus franches, puisqu'il dénonce positivement dans l'aliment le lien gustatif de la dissociation et de la mort, qu'il y montre la complicité de tout mangeable avec le maladif et l'excrémentiel. Point de nourriture hors du temps : c'est le vieillissement même, le travail actif de la mort qui fabriquent en fait sa succulence. Ce modèle excitant du pourri, ce sera pour Huysmans le fromage, jamais mieux décomposé d'ailleurs, et puant, que sec. Ainsi, dans *En rade*, ce « terrible fromage du pays, une sorte de brie dur, couleur de vieille dent, répandant des odeurs de caries et de latrines ». Voyageons un peu dans le texte, et dans le corps : cent pages plus loin le même fromage est dit « urinaire avarié ». On songe au mot d'Artaud : « J'aime les poèmes qui puent le manque, et non les repas bien préparés. »

Or cette avarie, cette puanteur du manque, elles restent toujours chez Huysmans liées à une autre catégorie maléfique : le mélange. La mauvaise nourriture, c'est-à-dire en fait la nourriture que l'on mange, que l'on mange nécessairement, est toujours une nourriture mélangée. Localement d'abord, dans l'espace où elle se donne : peu d'aliments servis y gardent leur quant-à-soi, tous semblent ne songer qu'à passer mollement, lâchement, les uns dans les autres, comme des domaines (ou des sexes) mal gardés. Cette répugnance, très générale, connaît même chez Huysmans une version théologique (c'est d'ailleurs l'une des nuances de son génie que de savoir lier *corporellement* les registres signifiants les plus divers) : car croire, c'est manger encore; c'est consommer, pain ou vin, la matérialité de quelques grands symboles. Rien de plus choquant, dès lors, que de mélanger ceux-ci, comme cela se passe, par exemple, lors de la communion grecque : « Un détail vraiment douloureux pour un croyant achève de vous consterner, de vous réduire, celui de la communion sous les deux espèces. Cette façon, en effet, après avoir fouillé dans le calice où l'apparence du pain fermenté se détrempe, de communier des gens debout à la suite avec une cuillère qu'on n'essuie pas, a vraiment quelque chose de choquant. » Fusion, obscène, quoique symbolique, des diverses parties du corps sacral, qui semble autoriser — cette cuillère non essuyée! — celle des communiants eux-mêmes... Nous ne sommes pas loin des vertiges de la *messe noire* (décrite d'ailleurs moins comme transgression que comme inversion généralisée des catégories gustatives : la *venaison des légumes*, le *gibier des petits pois*). Le catholicisme romain rétablit en revanche l'intégrité, et surtout l'insularité, presque aérienne, des symboles nutritifs : « Devant une blanche nappe le corps et le sang de Notre-Seigneur » ne s'y consomment que sous « l'aspect très pur d'un léger azyme ». Plaisir qui s'achève dans notre oreille aussi, avec l'aigu, le gracieux, le zézayé — on songe à *Aziyadé...* — de ce dernier signifiant lui-même. Cet azyme est tout le contraire d'un abîme.

Mais c'est surtout dans l'histoire de l'aliment, dans le trajet rêvé de sa genèse qu'intervient, presque inévitablement, la tristesse du mélange. C'est le fantasme d'*adultération*, torturant pour Huysmans, et qui fait de lui l'un des pères les plus sûrs de notre modernité écologique... Toute nourriture s'imagine comme trafiquée, plus ou moins volontairement, plus ou moins subtilement : depuis le goût, par exemple, de ce madère « indéfinissable, tenant de la colle à pot un peu piquée et du vinaigre éventé et chaud » (et l'on apprécie l'extrême puissance ici, le fin, l'un peu fou de la sensibilité gustative), jusqu'à cet autre vin où s'affirme plus lourdement l'intervention castrante :

« chargé de litharge et coupé d'eau de pompe ». Mais la charge, la coupe, c'est bien la destinée ici de tout ce qui se boit et se mange. Tout aliment connaît la suspicion d'être autre que ce qu'il prétend être, de ne plus correspondre à la propriété d'une définition ni d'un principe, et donc de se trouver de toute façon impropre, fondamentalement impropre à être avalé, repris par le corps (impropriété à laquelle pourra seule répondre, peut-être, cette autre impropriété continuée, cet autre « poison », l'écriture). La souffrance de l'adultération c'est celle d'un objet subverti au point d'avoir perdu tout contact avec ce qu'on voudrait rêver comme sa « nature », ce qu'on désire comme son origine. Aliment *dénaturé*, comme un fils ingrat, ou un alcool industriel... Ou dirai-je que la nourriture adultérée, c'est en fait une nourriture *adulte*, celle qui nous éloigne de l'enfance même du comestible (et donc, du même coup, de la comestibilité de *notre* enfance...) : une nourriture en tout cas dématernée, et comme désymbolisée. La religion nous le montre bien encore, où l'adultération sévit comme ailleurs. Souvenons-nous du merveilleux passage d'*A rebours* où Des Esseintes se plaint de la « falsification » infligée par la modernité aux diverses substances sacramentelles : les huiles saintes « adultérées par la graisse de volaille; la cire, par des os calcinés; l'encens par de la vulgaire résine et du vieux benjoin », le vin perverti « de multiples coupages », le « pain fabriqué avec de la farine de haricots, de la potasse et de la terre de pipe », et pour couronner le tout les hosties faites « avec de la fécule de pomme de terre ». Mais voilà : Dieu refuse de descendre dans la fécule, c'est un « fait indéniable, sûr ». Plus de transsubstantiation donc; et pas de réincarnation non plus, ni de réincorporation possibles. Plus d'origine, ni, partant, de nostalgie : ce qui laisse le croyant, le gourmand peut-être, l'écrivain pourquoi pas ?, à la pleine gratuité, faudra-t-il dire à la laïcité, ou à la « facticité » de ses plaisirs (de table, de texte).

Face à un tel destin alimentaire le mangeur peut connaître pourtant un mouvement de rébellion, une insurrection du goût. Projetant dans l'aliment, à défaut de le recevoir de lui, un peu de sa puissance désirante, il essaiera de le réexciter, de le ranimer, d'en faire — mais alors vis-à-vis de qui, ou contre qui ? — un agent d'attaque et de conquête. C'est ce que je nommais tout à l'heure la modalité criminelle du manger : elle s'attribue, dans *Là-bas*, à celui qui fut le meurtrier le plus exemplaire peut-être de notre légende nationale, Gilles de Rais. Or que mange Gilles de Rais, avant de violer et assassiner ses petites victimes, mais du même mouvement en fait, dans la logique d'une seule pulsion ? Des *viandes* d'abord, des viandes sauvages et à demi crues, comme si la libido devait y être plus active, et le feu plus brûlant : ce feu qui s'oppose de toute sa violence à l'eau délavante de tout à l'heure, qui incendie l'aliment comme le corps, qui se propage de l'un à l'autre, mais pour les détruire du même mouvement qu'il les éveille. Des viandes et des mets *multiples* ensuite, entassés en d'énormes repas, et en de longues énumérations, comme si le nombre faisait, déjà, partie du crime. Ce que l'on remarque en tout cas chez Huysmans, c'est la façon dont l'écriture cherche, à propos de chaque objet appelé par elle, à saturer en quelque sorte son champ sémantique, à épuiser son lexique ou, si l'on veut, à le dévorer. Cette libido, ce luxe du signifiant lexical se comblent particulièrement, bien sûr, quand ils s'attachent à recouvrir l'amoncellement des nourritures criminelles.

Dernier caractère de ce manger meurtrier : la place essentielle qu'il accorde à un adjuvant, aussi positif sensuellement que douteux moralement, l'*épice*. Il y a une longue réflexion de Huysmans sur les épices, une confiance qu'il leur fait, mais inséparable en fait d'un pessimisme. Car l'épice peut jouer deux rôles : négative, elle sert à recouvrir de sa gaieté, de son alacrité tout l'insupportable du goût ou de l'odeur fétides. (*Fétide* est actif chez Huysmans, c'est plus un verbe qu'un adjectif : « La carne fétidait. ») L'épice est un cache-mort. Positive au contraire, elle essaie de faire revivre le mangeable; elle glisse en lui, du dehors — un peu comme le faisaient les sauces, mais selon une logique inverse, puisque c'est du feu, non de l'eau qu'elle y injecte —, les principes d'une saveur, les germes d'un désirable. L'épice essaie de gonfler gustativement l'aliment, on dirait presque qu'elle le dope, mais c'est de façon toujours mélancolique, puisque bien évidemment artificielle. Cet artifice, elle ne le cache pas d'ailleurs, elle ne cesse, non sans indiscrétion, ni parfois vulgarité, de se désigner elle-même du doigt; s'affichant, et c'est là toute sa saveur, à la fois comme supplément et comme leurre.

Entre la nourriture de l'enfant puni et celle de l'ogre orgiaque (puni d'ailleurs très bientôt lui aussi par d'autres voies), entre l'aliment criminel et l'aliment mortuaire, n'existe-t-il donc pas de moyen terme ? Si, bien sûr, et c'est ce type d'alimentation que je disais tout à l'heure sulpicien. Sulpicien parce que sublimé, consacré, un peu douceâtre, et parce que placé aussi, très précisément, sous le signe de l'église de ce nom. Dans *Là-bas*, en contrepoint aux mangeailles terribles de Gilles de Rais, Durtal fait avec son ami Des Hermies toute une série de repas délicieux, et licites, dans la tour même de Saint-Sulpice où l'a invité Carhaix, le sonneur de cloches. Situation symbolique, bien sûr, et presque trop clairement : dans l'affirmation phallique du clocher, mais sous la protection aussi, et comme la robe de la grande cloche qui ne cesse de résonner au-dessus de ces agapes. La place Saint-Sulpice n'y est plus cette place des *supplices* que rêve plusieurs fois, par un simple renversement de lettres, le cauchemar huysmanien. Elle devient un lieu de méditation spirituelle et de gourmandise catholique. Mais que mangera-t-on, au juste, sous la cloche sulpicienne ? Une nourriture discrète, à la fois sans danger et sans fadeur. Par exemple ce gigot à l'anglaise, dont voici la recette : prenez une viande saine et robuste; mettez-la pendant vingt-quatre heures à éventer dans un courant d'air, pour lui faire perdre son piquant; puis faites-la bouillir (non rôtir bien sûr : ce serait provoquer en elle le sang et la violence); après quoi vous l'adoucirez encore en le servant avec une purée de navet (le degré zéro du goût), et une sauce blanche. A la découpe il s'avérera d'un rouge magnifique encore, mais « coulera en de larges gouttes » sous la lame. Si le tout vous paraît trop édulcoré, vous pourrez le relever par une dernière petite pointe permise de saveur : les câpres, dont vous parsèmerez la sauce blanche.

Cette nourriture, je n'oublierai pourtant pas qu'elle est, pour moi, lecteur de Huysmans, un produit de langage, et plus précisément un effet de texte. Plaisir ou déplaisir de table, c'est d'abord, en vérité, plaisir de texte : de table textuelle, de texte où s'attabler. Tout comme Roland Barthes parle aujourd'hui de discours amoureux, peut-être faudrait-il donc évoquer ici l'action, tracer la tablature, d'une sorte de *discours gourmand* (distinct du gustatif comme l'amoureux l'est du sexuel), et épeler l'alphabet de ses figures. J'en extrais quelques-unes, très vite, du célèbre début d'*A vau-l'eau*, que je réécris ici :

Le garçon mit sa main gauche sur la hanche, appuya sa main droite sur le dos d'une chaise et il se balança sur un seul pied, en pinçant les lèvres.
— Dame, ça dépend des goûts, dit-il; moi, à la place de Monsieur, je demanderais du Roquefort.
— Eh bien, donnez-moi un Roquefort.
Et M. Jean Folantin, assis devant une table encombrée d'assiettes où se figeaient des rogatons, et des bouteilles vides dont le cul estampillait d'un cachet bleu la nappe, fit la moue, ne doutant pas qu'il allait manger un désolant fromage; son attente ne fut nullement déçue; le garçon apporta une sorte de dentelle blanche marbrée d'indigo, évidemment découpée dans un pain de savon de Marseille.

145

Première figure possible du discours gourmand : l'*anorexie*. C'est la figure par laquelle le sujet, le sujet gourmand, annonce qu'il n'a pas faim, pour signaler son désir de faim, son désir de désir. Figure non de manque vraiment, mais de substitution, et donc, ici même, de dialogue. Car le sujet anorexique demande à quelqu'un d'autre d'avoir faim en son lieu et place : Folantin renvoie vers le garçon le choix de son fromage. Cette demande, cette demande de désir, est si forte ici, si fondamentale qu'elle ne s'introduit pas dans le texte lui-même, qu'elle reste hors-texte, ou plutôt avant-texte, suspendue dans le silence qui en a précédé l'entame. Elle est la question hors écriture, celle peut-être aussi qui entraîne avec elle, en elle, toute l'opération d'écrire.

Le gourmand anorexique désire donc toujours à travers une autre bouche que la sienne. Des Esseintes, par exemple, n'a faim, soudain, qu'en voyant de jeunes garnements se battre pour une tartine de fromage blanc à la ciboulette : nourriture criminelle, au moins par la passion qu'elle suscite, et punitive aussi dans la longue méditation qu'elle provoque (le mal de la vie, l'absurdité du sexe et de l'enfantement : « Quelle folie que de procréer des gosses! »). Dans *A vau-l'eau*, Folantin opère une « prise de faim », le mot est de Huysmans, devant l'appétit inébranlable des cochers attablés chez les mastroquets, devant la plénitude, multiple, de leur manducation : « ces platées de bœuf reposant sur des lits épais de choux, ces haricots de mouton emplissant la petite et massive assiette »... La faim huysmanienne est spéculaire; mais le miroir où elle se poursuit fonctionne mal. Témoin notre texte d'*A vau-l'eau* : le garçon, après une exclamation qui peut paraître intéressante (Dame!...), renvoie par stéréotype la demande anorexique vers un état neutre, doxal, indifférent de l'appétit : « Dame, ça dépend des goûts... »

Deuxième figure éventuelle du discours gourmand : le *baptême*. C'est la figure en vertu de laquelle le sujet gourmand reçoit son nom de l'objet même de sa gourmandise (ou de son dégoût). *Folantin* se baptise, il trouve à se nommer dans le *Roquefort* qu'on lui conseille. La suite même du texte le fait comme musicalement entendre, avec l'écho d'un *roquefort* à l'autre, et l'enchaînement direct sur le nom de *Folantin* : « Eh bien, donnez-moi un Roque*fort* »! « Et M. Jean Folantin... » Le roquefort perd dans ce passage de sa dureté *rocheuse*, de sa *force*, pour dégénérer humainement (c'est le début même de la décadence...) en une *folie*, mais une folie diminutive (Folan*tin*), sans ampleur ni tragique, une folie un peu boiteuse aussi, comme une patte folle (Folantin en a une justement). Folantin, dès lors, à partir de son nom même (et avec le secours d'un simple voisement) va

146

partir, ou *dévaler*, dans le *fou*, le *flou*, le *flux*, mais aussi l'*A vau-l'eau*, le *lavé*, le *veule*, l'*avili*, l'*inavouable*, l'*inavalable* de sa vie... Sa lettre, la lettre de ce qu'il désire, ou désire désirer contrôle ainsi à l'avance, et dérisoirement, la ligne de toute son aventure écrite. Imaginons en revanche que, par une sorte de retour d'énergie refoulée, *Roquefort* réapparaisse dans *Folantin* : ce sera le nom d'un autre célèbre héros célibataire, tout aussi nauséeux, mais plus dur peut-être, plus réflexif, celui, bien sûr, de *Roquentin*.

Troisième figure du discours gourmand : la *consécration* (ou, si l'on préfère, l'exorcisme). C'est la figure par laquelle l'écriture jouit de consacrer un goût, ou un dégoût, d'en prendre acte, de le « notifier » et de le *trahir* aussitôt, c'est-à-dire de l'entraîner, de le déporter dans la logique de sa jouissance propre. Soit ici la suite : *assis devant une table encombrée d'assiettes où se figeaient des rogatons, et des bouteilles vides dont le cul estampillait d'un cachet bleu la nappe...* Le dégoût complexe du résiduel, de l'engorgé, du coagulé, de l'aliment anal, avec le louche de la souillure contaminante, cette tache de vin sur la table, tout cela se trouve repris et consacré (trahi) de triple façon, il me semble, par le travail même du texte.

L'ouverture d'abord du trouble substantiel vers la clarté définie de la *couleur* (le cachet *bleu*). Car la couleur chez Huysmans a fonction, on le sait, véritablement salvatrice : elle répare l'objet, l'excite, et surtout elle l'individualise, elle lui permet d'exister de façon homogène et insulaire, comme *un* objet, détaché sur fond de monde ou de tableau, un objet, dirait peut-être Lacan, qui nous *regarde*. La peinture transforme la *tache* en *touche*, son même, et son absolument autre : ce qui explique le rapport de complicité, et à la limite de salut établi par Huysmans avec les grands peintres de son temps (Moreau, Redon, Manet, etc.). Et puis il y a la métaphore du cachet, de l'estampille : j'y vois la figure d'une sorte de chiffrage second, comme une métaphore de la métaphore, ou plutôt de la marque, à la fois authentifiante et refoulante, du poinçon, de l'*aval* que la métaphore imprime à tout objet saisi (avalé...) par elle. Ce chiffrement enregistre, et il déplace; il enfonce un sens ancien par la marque d'un sens nouveau. Mais celui-ci reste pourtant fidèle, sensoriellement, littéralement, au fantasme de départ. Si la bouteille sauve en elle, par son *cachet bleu*, toute l'analité de la mangeaille, c'est encore, voilà la trouvaille, avec son *cul*.

Et quelques mots, pour finir (A, B, C, D...) sur une quatrième figure éventuelle que je nommerai, en hommage à une notion souvent invoquée par Roland Barthes, dans un sens sans doute différent, la *drague*. Elle relève encore du travail métaphorique d'écriture, mais

147

d'une métaphoricité cette fois multipliée, accélérée, outrée : jusqu'à excéder dans son trajet, et presque annuler en elle la référence, ou la vraisemblance de l'objet pris par l'emportement métaphorique. Ainsi dans la petite suite du roquefort désolant : cette *sorte de dentelle blanche marbrée d'indigo, évidemment découpée dans un pain de savon de Marseille.* La drague consiste ici, il me semble, à tirer l'objet comparé, le fromage, à travers une série de comparants à la fois très différents de lui et très hétérogènes les uns par rapport aux autres : dentelle, marbre, indigo, pain, savon, dentelle marbrée, pain de savon... Est-ce pour éluder l'inimaginable du mélange, ou son « impossible » eût dit Bataille, pour dénier le désir/horreur de la fusion ? En tout cas l'écriture (la surécriture) joue ici à éclater l'objet de désir (ou de dégoût), à le diviser, et donc à le séparer de lui-même, à l'exotiser en quelque sorte, à le déréaliser en somme, ou le désignifier, en le déplaçant, à toute vitesse, à travers une ligne de petits comparants ponctuels et disparates. Le plaisir d'écrire consiste évidemment pour Huysmans dans l'accentuation d'une telle discontinuité, dans le jeu d'une telle *impertinence* (au double sens du mot), et dans sa multiplication, presque infinie. Presque *:* mais presque seulement. Car le risque reste toujours d'une parcellisation sans remède, et donc d'une perdition du sens, que Huysmans n'est pas, pour sa part, prêt à assumer. La drague sert donc aussi à *tenir,* musicalement, phrastiquement, la danse du discontinu. Tout semble se granuler et se défaire, mais au dernier moment, et comme en après coup, un petit éclat d'écriture relie les fils coupés. C'est peut-être ici le rôle du signifiant ultime de la phrase, ce *Marseille,* si diversement névralgique, où se *découpent,* comme dit si bien Huysmans, où s'originent, mais finalement, la petite folie du fromage-savon et avec elle sans doute le plaisir de ce petit bout de texte. Et c'est sur ce mot, final/originel, d'où tout tombe, et où tout se recueille, sur ce mot-chute (comme la chute d'un poème, la chute d'une étoffe), qu'il faut choisir, aussi, de s'arrêter.

Le poète étoilé

L'univers poétique d'Apollinaire contient peu d'objets aussi riches en vibrations, aussi susceptibles d'associations mentales que l'étoile. Sa première valeur imaginaire semble bien être celle de pâleur rayonnante, de discrétion, d'intimité fluide. Elle s'assujettit spontanément à une certaine idée de la *tendresse*. Contre cette douceur pourraient protester sans doute le caractère ponctuel de l'étoile, la solitude toujours un peu aiguë de son impact. Mais justement Apollinaire choisit d'abord de regarder moins *l'*étoile que *les* étoiles : il les voit, éparses dans le ciel, comme une poussière suspendue. Il répugne même à leur donner leurs organisations conventionnelles : peu de constellations nommées dans ses poèmes, seule une apparition de la Vierge, « signe pur du troisième mois[1] ». Sous son aspect individuel d'ailleurs l'étoile n'est pas vue comme close, circonscrite : mais « oblongue », c'est-à-dire, pour reprendre un commentaire de Michel Decaudin[2], offerte sous forme de traînes ou de franges. Souvent aussi elle se lie à la mollesse de la clarté lunaire sur laquelle elle inscrit sa ponctuation vivante (« Les astres assez bien figurent les abeilles / De ce miel lumineux qui dégoutte des treilles[3] »). On aboutit alors à la rêverie d'une clarté éparse et cependant liée, à la jouissance d'un tissu soyeux, coulant, d'une tenue quasi laiteuse, celui justement de la *voie lactée* qu'invoque le célèbre refrain de *la Chanson du Mal Aimé :*

---

1. *Les Fiançailles*, A., p. 135. Nous utilisons les abréviations suivantes : A. : *Alcools;* C. : *Calligrammes;* O. : *Poèmes à Lou (Ombre de mon Amour);* M. : *Poèmes à Madeleine;* G. : *Le Guetteur mélancolique;* I. : *Il y a.*
Tout cela dans Apollinaire, *Œuvres poétiques*, Paris, Bibl. de la Pléiade, 1956. Notre travail ne recouvre que l'œuvre poétique.
2. Michel Decaudin, *Le Dossier d' « Alcools »*, Paris, Droz, 1960, p. 128.
3. *Clair de lune*, A., p. 137.

> *Voie lactée ô sœur lumineuse*
> *Des blancs ruisseaux de Chanaan*
> *Et des corps blancs des amoureuses*
> *Nageurs morts suivrons-nous d'ahan*
> *Ton cours vers d'autres nébuleuses*[1]

L'admirable métaphore développée dans les trois premiers vers de ce refrain (et phonétiquement soutenue par la liquidité des *l*, la vibration des *r*, le sifflement des *s* et des *z*) nous permettra de mieux déployer la variété des significations stellaires. Car cette lactance de l'étoile[2] s'y marie tout naturellement à d'autres images de tendresse : celles qui intéressent le registre charnel. La chair féminine est bien elle aussi le lieu d'une sorte de rayonnement paisible, l'espace d'une blancheur fluide et fascinante qui retient le regard, attire la caresse. Elle peut se lier à l'image de l'étoile soit en étant rêvée dans son indifférenciation quasi substantielle, dans son pluriel un peu mélancolique (les « corps blancs des amoureuses »), soit en étant saisie à travers tel ou tel de ses détails favoris : ainsi le visage (« la douce nuit lunaire et pleine d'étoiles c'est ton visage que je ne vois plus[3] », prononce exquisement un calligramme : et se dessinent en même temps sur le blanc de la page la dispersion, la calme unité suspendue de cette lumière sensuelle); ou bien la chevelure (comète), ou encore telle courbe particulièrement savoureuse[4]; ou surtout le regard qui semble semer derrière lui un flux astral :

> *Ses regards laissaient une traîne*
> *D'étoiles dans les soirs tremblants*
> *Dans ses yeux nageaient les sirènes*[5]

Retenons cette sirène sexuellement baignée dans la profondeur amoureuse d'un regard, d'un regard souvent égalé lui-même à une étoile.

---

1. *La Chanson du Mal Aimé*, A., p. 48.
2. Autre apparition du thème lacté : « Le ciel sans teinte est constellé/D'astres pâles comme du lait » (*Crépuscule*, A., p. 64), « Le ciel allaitait ses pards » (*Onirocritique*, I., p. 372). Le thème du ciel lacté se lie peut-être aussi, mais dans une intention toute différente, à l'image des étoiles-nouveau-nés qu'on retrouvera dans le Prologue des *Mamelles de Tirésias*.
3. *Voyage*, C., p. 199.
4. Dans *Fête* (C., p. 238), l'image d'une rose appelle celle de « la molle courbe d'une hanche », puis celle de l'éclat stellaire : « L'air est plein d'un terrible alcool / Filtré des étoiles mi-closes. » Lumière stellaire qui nous apparaît encore comme discrète, tamisée, mais qui est soulevée par le thème nouveau de l'ivresse, de l'effervescence érotique. Tout aussi fluide, la chair de Lou n'est pas en effet aussi tranquille, ni aussi froide que celle des premières amoureuses...
5. *La Chanson du Mal Aimé*, A., p. 53.

Sa présence hante toute *la Chanson du Mal Aimé* — « chanson pour les sirènes » — ainsi que maint poème ultérieur. A partir de son intervention nous comprendrons sans doute mieux pourquoi l'image du corps féminin plongé dans l'eau, ou dressé nu au bord de l'eau, se lie si naturellement à celle, voisine, de l'étoile[1].

Car à l'intérieur de ce premier complexe imaginaire il existe aussi un rapport direct entre l'éclat stellaire et l'eau : l'eau amoureuse, l'eau maternelle, l'eau laiteuse. C'est dans notre refrain celle des blancs ruisseaux de Chanaan, ailleurs celle de fleuves moins légendaires (« Le Rhin, le Rhin est ivre où les vignes se mirent / Tout l'or des nuits tombe en tremblant s'y refléter[2] »), ou celle des lacs, voire des mers dans lesquelles s'enfoncent les étoiles :

> *Adieu jeunesse blanc Noël*
> *Quand la vie n'était qu'une étoile*
> *Dont je contemple le reflet*
> *Dans la mer Méditerranée*
> *Plus nacrée que les météores*
> *Duvetée comme un nid d'archanges*[3]

Mer onctueuse, veloutée, voluptueuse, fidèle donc au motif profond de la tendresse, associé ici en outre à celui de l'*intimité* (dite, de façon à la fois matérielle et spirituelle, par le repli duveté, maternel, de ce « nid » angélique); mais mer mélancolique aussi puisque son eau n'existe plus qu'en un passé, qu'elle vit seulement à travers l'adieu qu'on lui adresse, et dans la nostalgique translucidité de la mémoire.

Nous touchons ici à la valeur maîtresse de toutes ces fluidités parentes. Cette voie lactée, ces ruisseaux bibliques, le flux de ces corps voluptueux, tout cela se charge de nous dire l'universelle dérive de l'ici, le peu de permanence des sentiments, la fuite du temps, l'écartement et la labilité de l'être même. Car l'étoile signifie aussi distance, et cela de manière à la fois statique et active. Elle est ce qui se situe au loin, hors de portée, au fond de notre espace, au fond aussi de notre temps (personnel : la Méditerranée enfantine des *Collines;* ou historique : les rivières de Chanaan). Impossible de rejoindre le cours de cette voie lactée, de ces doux corps enfuis, de ces ruisseaux bibliques. Et de plus en plus impossible d'ailleurs à mesure que le

1. Ainsi dans *Crépuscule* (A., p. 64), « L'arlequine s'est mise nue / Et dans l'étang mire son corps »; l'étoile intervient alors deux fois : « Le ciel sans teinte est constellé / D'astres pâles comme du lait »; et l'arlequin blême, « Ayant décroché une étoile / Il la manie à bras tendu ».
2. *Rhénanes*, A., p. 111.
3. *Les Collines*, C., p. 174.

temps passe, et que nous en presse davantage le désir : car ils s'en vont toujours plus loin de nous, ils se reculent dans l'autrefois ou le là-bas, ils font sécession vers d' « autres nébuleuses », ou vers une enfance de moment en moment moins accessible. L'être désiré c'est bien alors pour Apollinaire ce qui coule devant lui, en lui, et pourtant au loin de lui, c'est ce fleuve dans lequel il est pris, qu'il ne parvient cependant jamais à rattraper, et qui le laisse finalement seul, abandonné, sur ses ponts ou sur sa rive. Mouvement en lequel il ne se fondra peut-être, et encore à grand effort, « d'ahan », qu'à travers le geste d'une mort. Cette éternelle sécession de la réalité pourra quelquefois provoquer dans l'âme un réflexe de découragement, de froid qui se traduira, par exemple dans une strophe de *la Chanson du Mal Aimé*, à travers le grelottement maléfique des étoiles :

> *Destins destins impénétrables*
> *Rois secoués par la folie*
> *Et ces grelottantes étoiles*
> *De fausses femmes dans vos lits*
> *Aux déserts que l'histoire accable* [1]

Dans l'espace désormais dépeuplé par la fuite de l'objet il ne reste plus que les secousses du délire, que le double tremblement de l'étoile lointaine et de la chair traîtresse [2].

Il arrive quelquefois que l'étoile s'associe plus directement encore à ce tropisme de l'égarement vital : soit qu'elle gémisse, lumineusement et quasi liquidement, d'une fin ressentie comme imminente (« Puis étoilant ce pâle automne d'Allemagne / La nuit pleurait des lueurs mourant à nos pieds [3] »); soit qu'elle périsse elle-même, parfois noyée dans les eaux du lointain (« Ils ont fui dans le bois sombre / Là-bas delà le lac où des étoiles sombrent [4] »; « Je songe quelquefois quand les nuits sont bien pâles / Que telles nos amours sont mortes

---

1. *La Chanson du Mal Aimé*, A., p. 58.
2. Le grelottement stellaire — lié à l'idée de rétractibilité, de froid (et, moralement, de trahison) — fait écho au mouvement *tremblant* qui domine la dynamique de *la Chanson du Mal Aimé* : « L'amour est mort j'en suis *tremblant* » (50); « Ses regards laissaient une traîne / D'étoiles dans les soirs *tremblants* » (53); « l'haleine / Des vents qui *tremblent* au printemps » (58). Palpitation du regard, vibration de l'espoir, ou du désespoir : le tremblement peut dire tout cela. On le retrouve, en un autre poème d'*Alcools*, Un soir (p. 126), à nouveau associé à l'étoile et aux yeux : « La ville est métallique et c'est la seule étoile / Noyée dans tes yeux bleus... ... Et tout ce qui *tremblait* dans tes yeux de mes songes. »
3. *Élégie*, G., p. 534.
4. G., p. 555.

les étoiles [1] »; « Je songe pendant que je somnole / D'astres éteints [2] »); soit que, rêvée inversement comme pointe méchante, comme acuité mordante, elle se lie à l'image des poissons dévorants, et intervienne alors, de manière active, *contre nous*, pour attaquer la substance, déjà temporellement emportée, de notre vie :

> *Gonfle-toi vers la nuit O Mer Les yeux des squales*
> *Jusqu'à l'aube ont guetté de loin avidement*
> *Des cadavres de jours rongés par les étoiles*
> *Parmi le bruit des flots et les derniers serments* [3]

Ainsi se construit une première constellation rêveuse : étoile, chair infidèle, ruisseau lointain, nudité, eau lactée, nuit maternelle, jours anciens, grelottement, tremblement y forment un réseau ambigu de la volupté et de l'absence. A travers leurs échos et leurs rapports s'indique une certaine idée de la solitude humaine. Sans déchirure aucune — ce qui permet le développement mélodique, le lié lyrique du langage — l'être s'y trahit d'abord comme *défaut*.

Mais l'étoile va se découvrir bientôt d'autres fonctions, d'autres liaisons imaginaires. On sait qu'à partir de 1907-1908 s'opère en Apollinaire une sorte de redépart poétique, attesté par des textes comme *Onirocritique, le Brasier, les Fiançailles :* ce changement, qui intéresse le champ de l'esthétique, et même celui de la morale, s'accompagne d'un renversement très évident des valeurs thématiques [4].

1. *Œuvres poétiques, op. cit.*, p. 846.
2. *Ibid.*, p. 847.
3. *L'Émigrant de Landor Road*, A., p. 106.
4. La thématique de l'étoile porte déjà la trace d'une telle modification dans un poème comme *Lul de Faltenin*. Il s'y agit, les divers commentateurs l'ont établi, d'une descente du soleil couchant à travers l'épaisseur marine. Les étoiles y interviennent sur un double plan — dualité bientôt muée en une opposition : il y a les étoiles charnelles, à la fois « bestiales » et attirantes, situées dans les yeux des sirènes, qui appellent le noyé (le « nageur mort » ?); mais il y a aussi les étoiles célestes, « le troupeau d'étoiles oblongues » que le soleil déclinant laisse briller au ciel derrière lui, après toutefois les avoir lui-même allumées. D'où une scission, un « double orgueil » et sans doute un dilemme, là où la première thématique de l'étoile (charnelle, céleste) ne nous faisait rêver que complicité et qu'unité. Dans *les Fiançailles*, encore, on assiste à une demi-disparition de la sirène, associée à la sécession définitive d'un bateau dans le lointain, et au surgissement (n'a-t-il pas valeur de pureté, de délivrance ?) d'une constellation toute neuve : « Les dragues les ballots *les sirènes mi-mortes* / A l'horizon brumeux *s'enfonçaient les trois-mâts* / Les vents *ont expiré* couronnés d'anémones / O

Apollinaire semble découvrir à ce moment les pouvoirs d'invention et de conquête qui appartiennent en propre à son esprit. Au lieu d'être celui qui dit *adieu* aux choses, et qui célèbre mélancoliquement leur sécession, il va devenir celui qui occupe activement, comme un « brasier », ou un soleil tout neuf, le centre de l'espace, et à partir duquel seul les choses prendront sens. Le cœur du monde n'est plus un là-bas stellaire, reculé en d'autres nébuleuses; c'est notre corps vivant et actuel, inépuisable foyer d'être, centre infini d'expansion et de métamorphose [1].

Et voici aussitôt l'étoile qui se rapproche pour nous pénétrer d'un feu inattendu : « Les charbons du ciel étaient si proches que je craignais leur ardeur. Ils étaient sur le point de me brûler [2] ». Et ce voisinage s'accorde amicalement avec la nouvelle initiative humaine; l'étoile semble appeler, guider de sa lumière la liberté toute neuve du regard :

> *Mes yeux nagent loin de moi*
> *Et les astres intacts sont mes maîtres sans épreuve* [3]

Mais bientôt la complicité se fait identité, le regard se mue directement en astre, mutation à laquelle font écho le grandissement panique du corps et l'emplissement de l'espace par une flamme tout humaine :

> *... nous avons tant grandi que beaucoup pourraient*
> *confondre nos yeux et les étoiles*
> *L'amour qui emplit ainsi que la lumière*
> *Tout le solide espace entre les étoiles et les planètes* [4]

Dans *les Fiançailles*, d'abord significativement intitulé *Paroles Étoiles*, ce ne sont d'ailleurs plus seulement les regards, c'est le langage lui-

---

Vierge signe pur du troisième mois » (A., p. 135). Déjà, dans *la Chanson du Mal Aimé*, « La barque aux barcarols chantants / Sur un lac blanc... / Voguait cygne *mourant sirène* ».

Un poème du *Guetteur mélancolique* (F., p. 589) reprend ce thème de l'abandon des étoiles, mais au profit, cette fois, de la réalité terrestre, presque *verbale*, d'une forêt. Ce délaissement de l'étoile, ici tenue pour vainement « hyperbolique » du destin humain, entraîne pourtant une mélancolie : « Et sans remords j'ai pénétré dans la forêt / Où les arbres étaient pareils à mes paroles / *Tu ne reverras plus les astres* / Le regret / De leurs lueurs et de leurs vaines hyperboles / Emplira ton destin... »

1. Marie-Jeanne Durry a bien étudié ces poèmes du feu. Cf. *Guillaume Apollinaire, Alcools*, Paris, SEDES, 1956, t. III, p. 153-190.
2. *Onirocritique*, I., p. 371.
3. *Les Fiançailles*, A., p. 133.
4. *Poème lu...*, A., p. 84.

même qui s'élève à l'ordre solaire ou stellaire — condamnant dès lors le poète à renoncer aux facilités ordinaires de son expression [1] :

Tous les mots que j'avais à dire se sont changés en étoiles
Un Icare tente de s'élever jusqu'à chacun de mes yeux
Et porteur de soleils je brûle au centre de deux nébuleuses [2]

Situation exactement inverse de celle que nous avons décrite tout à l'heure. Le moi y est focal par rapport aux nébuleuses, c'est vers lui que se dirige l'effort icaréen de découverte, c'est de son embrasement que procède le feu stellaire :

Flambe flambe ma main ô flamme qui m'éclaire
Ma main illuminant les astres à tâtons [3]

Par rapport à ces astres l'homme-brasier ne peut plus être dans un rapport de dépendance [4] ou de nostalgie; il établit bien plutôt avec eux une relation colonisante, il les occupe et les domine puisque c'est à lui seul qu'ils doivent leur naissance :

... ma sagesse égale
Celle des constellations
Car c'est moi seul nuit qui t'étoile [5]

Cet étoilement victorieux pourra se rêver, en un autre registre, sous les espèces du *bondissement*, sous le thème de l'animalité virile, il suggérera l'activité d'un être énergiquement lancé dans un futur. Le dynamisme poétique alors découvert en lui par Apollinaire s'égale en effet aussi à une vocation des lendemains; à partir de ce qui n'est pas il projette de fabriquer, ardemment, ce qui sera [6] :

1. Dans la même poésie, et pour traduire l'ivresse, presque intoxicante, de cette possession stellaire, Apollinaire écrit : « Mes amis m'ont enfin avoué leur mépris / Je buvais à plein verre les étoiles » (A., p. 129). L'étoile se lie ici au thème générique de l'alcool (ailleurs : « les astres saouls »), et peut-être, à travers lui, à tous les objets qui composent un réseau de l'ébriété : le rire, l'étincelle, le feu d'artifice, etc.
2. A., p. 130.
3. G., p. 597.
4. Ce rapport de dépendance peut d'ailleurs continuer à se dire ici et là selon des formes plus traditionnelles, celles de la magie *astrologique*. Ainsi : « Notre amour est réglé par les calmes étoiles » (I., p. 365); « Les astres de ta vie influaient sur ma danse » (A., p. 89); « Les démons du hasard selon / Le chant du firmament nous mènent » (A., p. 58).
5. *Lul de Faltenin*, A., p. 98.
6. L'étoile se lie plusieurs fois ici à l'idée de futur. Ainsi Apollinaire l'offre comme une promesse au triste prolétaire enfoncé dans sa nuit industrielle : « Et le feu le vrai feu l'étoile émerveillée / Brille pour toi la nuit comme un espoir tacite » (G., p. 524). Un poème à Lou évoque « La mer les monts les vals et l'étoile

> *Le galop soudain des étoiles*
> *N'étant que ce qui deviendra*
> *Se mêle au hennissement mâle*
> *Des centaures dans leurs haras* [1]

Après la sirène, féminine, attirante, fuyante, archaïque, voici le centaure, viril et jaillissant, à venir. Apollinaire, devenu artilleur, lui donnera bientôt pour frères des chevaux bien réels quand, pour évoquer ses amours tumultueuses avec Lou, il écrira : « Des soleils tour à tour se prennent à hennir / Nous sommes les bat-flanc sur qui ruent les étoiles [2] ». A ces rêveries de hennissement, de ruade, d'espérance érotique correspond esthétiquement l'idée d'une nouvelle fonction cosmique du poète : il est celui dont la seule ardeur engendre dieux et astres (« Voici la maison où naissent les étoiles et les divinités [3] », indique un calligramme); il est le metteur en scène des drames de l'espace (« Là-haut le théâtre est bâti avec le feu solide / Comme les astres dont se nourrit le vide [4] »); il est celui qui s'engage sur le « chemin qui mène aux étoiles ». Mais attention : cet engagement reste tout intérieur, mental, il n'implique aucune démarche réelle, il exclut toute activité physique (« J'ai marché mais nul geste pâle / N'atténuait la voie lactée »). En voie d'expansion astrale, Apollinaire ne cesse d'obéir à l'immobilité sacrée d'une *raison :*

> *J'étais guidé par la chouette*
> *Et n'ai fait aucun mouvement* [5]

Et ailleurs cette formule décisive : « Toujours / Nous irons plus loin sans avancer jamais [6]. » D'où ce projet de voyage à la fois conquérant et arrêté : « Et de planète en planète / De nébuleuse en nébuleuse / Le don Juan des mille et trois comètes / Même sans bouger de la terre / Cherche les forces neuves / Et prend au sérieux les fantômes [7]. »

Si bien que le projet poétique d'Apollinaire semble très exactement s'accomplir au moment où un éclat d'obus vient frapper sa tempe,

---

qui passe / Les soleils merveilleux mûrissant dans l'espace » (O., p. 39). L'un des traits merveilleux de l'étoile, c'est qu'elle ne comporte aucune partie négative, aucune *ombre :* « Pardon », dit Icare, « je ne fais pas plus d'ombre qu'une étoile » (I., p. 344).
1. *Le Brasier*, A., p. 108.
2. O., p. 380.
3. C., p. 169.
4. *Le Brasier*, A., p. 110.
5. *Pipes*, G., p. 576.
6. *Toujours*, C., p. 237. — 7. *Ibid.*

creusant dans sa tête « ce trou presque mortel et qui s'est étoilé [1] ». Car l'étoile n'est plus désormais là-haut, inaccessible au moi, ou même projetée par lui, elle est ici-bas, sur lui, en lui, à la fois fruit interne et consécration céleste de la « raison ardente » à laquelle il a dévoué sa vie :

> *Une belle Minerve est l'enfant de ma tête*
> *Une étoile de sang me couronne à jamais*
> *La raison est au fond et le ciel est au faîte*
> *Du chef où dès longtemps Déesse tu t'armais* [2]

A partir de cet accouchement, à la fois tragique et triomphal, de la déesse, la référence stellaire perd presque toute utilité. Les astres sont en effet à la fois assumés, dépassés et abolis par l'ouverture infinie — et à la limite mortelle — de la conscience poétique :

> *Je ne chante pas ce monde ni les autres astres*
> *Je chante toutes les possibilités de moi-même*
> *hors de ce monde et des astres*
> *Je chante la joie d'errer et le plaisir d'en mourir* [3]

Ainsi se construit un deuxième régime de l'image : liée au soleil (et non plus à la lune), au futur (et non plus au passé), à la virilité (et non plus à la féminité), à l'exaltation d'un moi qui s'élance hors de lui-même par secousse, par flamme, par éclats (loin de toute fluidité), l'étoile est l'une des réalités sensibles où s'investit avec le plus de force le rêve apollinarien de créativité absolue; elle supporte pleinement le projet d'une illumination, d'une annexion totale des choses par l'esprit.

Puis intervient la guerre, accueillie par Apollinaire avec la passion joyeuse que l'on sait. L'isolement, la raréfaction imposée des thèmes sensibles, la vie du front — avec la fréquentation nouvelle qu'elle lui apporte du ciel et des étoiles —, tout cela va lui permettre de relancer en lui la rêverie stellaire, de lui donner un autre accent, de la prolonger dans des directions parfois inattendues.

L'étoile se lie par exemple avec une précision nouvelle au motif de la femme aimée. La métaphore conventionnelle *œil-étoile* permet ainsi, à propos de Lou lointaine tout un jeu de développements allégo-

1. *Tristesse d'une étoile*, C., p. 308. — 2. *Ibid.*
3. *Le Musicien de Saint-Merry*, C., p. 188.

riques [1]. L'astre y prend valeur de substitut, de signe, c'est vers lui que montent les déclarations d'amour (« Regard unique regard-étoile je t'aime [2] »), c'est de lui que descendent inversement — sous la forme de clignotement — les aveux de complicité ou d'émotion (« J'ai ton regard là-haut en clignements d'étoiles [3] »; « Ma chère petite étoile palpitante je t'aime [4] »). Ailleurs le poète reprend la recherche précieuse des deux étoiles sentimentalement mariées ou de l'étoile protectrice (« Et je cherche au ciel constellé / Où sont nos étoiles jumelles / Mon destin au tien est mêlé / Mais nos étoiles où sont-elles / O ciel mon joli champ de blé »; puis après un retour du motif de la tendresse — « L'inimaginable tendresse / De ton regard paraît aux cieux » — : « Tes yeux qui veillent ton amant / Sont-ce pas ma belle indocile / Nos étoiles au firmament [5] »). Tout cela relève d'une invention fort intellectuelle. Mais il arrive qu'une rêverie plus ardente reprenne en elle et emporte dans son mouvement les données de cette galanterie un peu froide. C'est par exemple lorsque « l'étoile nommée Lou » s'identifie, en une sorte de délire érotique, à divers points très précis du corps remémoré (« Étoile Lou beau sein de neige rose / Petit nichon exquis de la douce nuit / Clitoris délectable de la brise embaumée d'Avant l'Aube [6] »), avant de sexualiser de sa présence tout le tissu complice de la nuit (« Elle est un petit trou charmant aux fesses des nuages [7] »). Dans le même poème l'étoile Lou entreprend à la manière du poète de *Brasier* ou des *Fiançailles*, mais sur le mode héroï-comique, la conquête triomphale des espaces. « Elle est assise dans un météore agencé comme une automobile de luxe »; autour d'elle « les autres étoiles ses amies », les planètes « callipyges », la voie Lactée, montant « comme une poussière [8] ». Mais cette ascension baroque se termine, de façon cette fois fort sérieuse, sur une sorte d'hymne extatique à l'immensité céleste et à la divinité stellaire : « Que l'espace bleu se creuse à l'infini que l'horizon disparaisse / Que tous les astres grandissent / Et pour finir fais-moi pénétrer dans ton paradis [9] ». Image d'un univers non en récession, mais en expansion glorieuse. Pour Madeleine renaîtront, mais dans une tonalité moins chaude, les

---

1. Déjà les yeux de la Loreley « brillaient comme des astres » (A., p. 116); et les étoiles pâles des yeux de Sakountala reflétaient les yeux de sa gazelle (*op. cit.*, p. 853).
2. O., p. 428.
3. *Faction*, O., p. 414.
4. O., p. 427.
5. *Nos étoiles*, O., p. 398-399.
6. *Lou mon étoile*, O., p. 477. — 7. *Ibid.*
8. O., p. 476. — 9. *Ibid.*, p. 477.

mêmes combinaisons métaphoriques : l'œil-étoile se présentant alors comme l'instrument premier de la possession (« Car je suis entré en toi par tes yeux étoilés [1] »), comme celui de l'adoration (« une étoile pareille à tes yeux que j'adore [2] »), ou de la jonction distante (« Nous sommes l'un à l'autre comme des étoiles très lointaines qui s'envoient leur lumière [3] »).

Mais l'étoile intervient directement aussi dans le déroulement de l'existence militaire, dont elle est l'un des accessoires les plus quotidiens, les plus amicaux. Pour le canonnier nocturne, par exemple, « Le bras de l'officier est [son] étoile polaire [4] »; ou les « saucisses » ressemblent à des « asticots dont naîtraient les étoiles [5] »; un avion qui tombe « descend tout à coup comme une étoile filante [6] »; ou bien « Le conducteur écoute abrité dans les bois / La chanson que répète une étoile inconnue [7] ». Toutes ces interventions stellaires n'ont ici qu'une valeur d'appui familier, de référence; les étoiles peuplent la solitude d'un moi qui a besoin de se trouver partout des répondants. Mais l'intention glorieuse de l'étoile n'est pas loin; dès que la rêverie s'approfondit un peu, nous la surprenons qui reparaît; c'est elle qui soutient par exemple l'identification des soldats français à autant d'astres triomphaux (« Notre armée invisible est une belle nuit constellée / Et chacun de nos hommes est un astre merveilleux [8] ») — elle surtout qui prolonge la même métaphore jusqu'aux régions d'une mort familière : « Le ciel est plein d'étoiles qui sont les soldats / Morts ils bivouaquent là-haut comme ils bivouaquaient là-bas [9]. » Renversement du thème des « nageurs morts » partis « d'ahan » vers d'autres nébuleuses : les morts-étoiles s'installent ici paisiblement dans le ciel, ils y campent comme en terrain conquis.

A partir de cette veille stellaire du soldat — parallèle, on l'aura remarqué, à l'activité illuminante du poète — s'opérera mainte métamorphose. La thématique explosive du génie y connaîtra, à travers le décor guerrier, une série d'applications nouvelles. C'est par exemple l'opération rêveuse qui, de façon tout à la fois patriotique et futuriste, projette au ciel stellaire l'épée de la Marseillaise de Rude : « Le glaive antique de la Marseillaise de Rude / S'est changé en constellation / Il combat pour nous au ciel / Mais cela signifie surtout / Qu'il faut être de ce temps / Pas de glaive antique / Pas de Glaive /

1. Les Neuf Portes..., M., p. 623. — 2. Ibid.
3. Cl. Madeleine, M., p. 618.
4. C., p. 214. — 5. Ibid., p. 280. — 6. Ibid., p. 207.
7. Ibid., p. 241. — 8. Ibid., p. 277.
9. O., p. 383.

Mais l'Espoir [1] » : renversement final qui serait incompréhensible en dehors de la thématique optimiste et prophétique de l'étoile. Aucun hiatus ici entre les deux valeurs du thème : c'est la notion suggérée d'activité virile, une activité chargée d'accoucher à la fois la victoire et l'avenir, qui rejoint, sous le signe de la constellation, l'idée de guerre à celle d'espérance non guerrière. Dans le même registre d'associations l'imagerie se fait parfois plus précise encore; il suffit par exemple à Apollinaire d'y regarder s'épanouir, dans la hauteur nocturne, les fêtes lumineuses de l'artillerie : « Le ciel est étoilé par les obus des boches / La forêt merveilleuse où je suis donne un bal [2]. » Ou inversement : « Et des astres passaient qui singeaient les obus. » Ou plus sinistrement : « Silence bombardé par les froides étoiles. [3] » Cette image de l'étoile-obus se lie sans doute au climat férial de la pyrotechnie, à la rêverie sensuelle de la *fusée* (rose épanouie, fleur penchée, courbe d'une bouche ou d'une hanche), à celle aussi, fréquente, de l'éclat diamanté, de l'astre-gemme [4].

Il était normal dès lors que de telles images finissent par nous déclarer leur connotation la plus vivace, qui est bien évidemment d'ordre sexuel. La forme de l'épée, celle du canon générateur d'obus et d'astres nous le laissaient déjà plus qu'à demi soupçonner (un poème à Lou expose d'ailleurs de manière explicite la fonction érotique du canon). Mais l'étonnant Prologue des *Mamelles de Tirésias* transforme ces soupçons en certitude. Apollinaire y regroupe ouvertement, presque naïvement — naïveté dont on se demande si elle n'est pas aussi provocation —, les thèmes de l'étoile, de l'artillerie, du futur, de la créativité géniale sous une seule mythologie professée de la *fécondité*.

On se souvient de la petite fable [5] qui sert à présenter le drame. Elle s'ouvre sur le thème désolant de l'*extinction des astres*, lié, en raison

1. *14 juin 1915*, C., p. 231.
2. *La Nuit d'avril 1915*, C., p. 245. Mais au lieu d'être vu comme un épanouissement gracieux, l'éclatement de l'obus-étoile peut aussi être rêvé comme déchirement, rupture, éparpillement, et symboliser alors le malheur sentimental, la dérive du moi : « Comme un astre éperdu qui cherche ses saisons / Cœur obus éclaté tu sifflais ta romance » *(ibid.)*.
3. O., p. 460.
4. « Les étoiles parsèment l'air / Comme des éclats d'améthyste » (O., p. 407); « Nuit plus étoilée que les nuits habituelles / Stellée de gemmes au scintillement pâle / Perle, opale, Emeraude et spinelle » (*op. cit.*, p. 708). Ou bien, en une liaison plus lointaine : « Nos enfants / Dit la fiancée / Seront plus beaux plus beaux encore... Que s'ils étaient d'argent ou d'or / D'émeraude ou de diamant / Seront plus clairs plus clairs encore / Que les astres du firmament » (A., p. 69).
5. *Op. cit.*, p. 879-882.

du premier complexe imaginaire ici décrit, à celui du passé détruit, de l'être temporellement anéanti :

> *Les étoiles mouraient dans ce beau ciel d'automne*
> *Comme la mémoire s'éteint dans le cerveau*
> *De ces pauvres vieillards qui tentent de se souvenir*
> *Nous étions là mourant de la mort des étoiles*

C'est alors que la voix du « capitaine inconnu qui nous sauve toujours » s'élève pour crier : « Il est grand temps de rallumer les étoiles. » Et cet ordre, qui n'eût provoqué dans l'imagination encore pacifique d'Apollinaire qu'un embrasement victorieux d'images, déclenche ici un très réel bombardement : « Les serveurs se hâtèrent / Les pointeurs pointèrent / Les tireurs tirèrent / Et les astres sublimes se rallumèrent l'un après l'autre / Nos obus enflammaient leur ardeur éternelle. » Mais cette inflammation possède aussi un second sens, tout symbolique, celui précisément qu'illustrera l'action dramatique conséquente. Ces étoiles allumées au ciel à coups de canon, ce sont aussi les nouveau-nés, les enfants, les futurs petits hommes que le pansexualisme apollinarien convie tous les Français à mettre au monde :

> *Et que le sol partout s'étoile de regards de nouveau-nés*
> *Plus nombreux encore que les scintillements d'étoiles*

La même image qui servait tout à l'heure à dire la veille nocturne des soldats s'élargit maintenant aux dimensions de la France tout entière, à celle aussi de l'avenir : mais elle a rejoint en chemin la thématique astrale de la virilité. Par rapport au premier complexe stellaire le renversement du sens ne saurait être plus complet : autrefois liée à la douceur du lait maternel, à la fuite, au retrait temporel d'une féminité fluide ou grelottante, voici l'étoile tout crûment attachée, comme couronnement et but, comme terme futur, au jaillissement d'un sexe masculin. C'est bien une caricature de l'esthétique de la « raison ardente ». Au milieu pourtant de ces débordements si candidement guerriers et érotiques il est bon de voir Apollinaire réaffirmer en toute pureté les seuls droits mentaux de l'invention :

> *Et depuis ce soir-là j'allume aussi l'un après l'autre*
> *Tous les astres intérieurs que l'on avait éteints.*

Connaissance du riz

LE RIZ

C'est la dent que nous mettons à la terre avec le fer que nous y plantons, et déjà notre pain y mange à la façon dont nous allons le manger. Le soleil chez nous dans le froid Nord, qu'il mette la main à la pâte; c'est lui qui mûrit notre champ, comme c'est le feu tout à nu qui cuit notre galette et qui rôtit notre viande. Nous ouvrons d'un soc fort dans la terre solide la raie où naît la croûte que nous coupons de notre couteau et que nous broyons entre nos mâchoires.

Mais ici le soleil ne sert pas seulement à chauffer le ciel domestique comme un four plein de sa braise : il faut des précautions avec lui. Dès que l'an commence, voici l'eau, voici les menstrues de la terre vierge. Ces vastes campagnes sans pente, mal séparées de la mer qu'elles continuent et que la pluie imbibe sans s'écouler se réfugient, dès qu'elles ont conçu, sous la nappe durant qu'elles fixent en mille cadres. Et le travail du village est d'enrichir de maints baquets la sauce : à quatre pattes, dedans, l'agriculteur la brasse et la délaie de ses mains. L'homme jaune ne mord pas dans le pain; il happe des lèvres, il engloutit sans le façonner dans sa bouche un aliment semi-liquide. Ainsi le riz vient, comme on le cuit, à la vapeur. Et l'attention de son peuple est de lui fournir toute l'eau dont il a besoin, de suffire à l'ardeur soutenue du fourneau céleste. Aussi, quand le flot monte les norias partout chantent comme des cigales. Et l'on n'a point recours au buffle; eux-mêmes, côte à côte cramponnés à la même barre et foulant comme d'un même genou l'ailette rouge, l'homme et la femme veillent à la cuisine de leur champ, comme la ménagère au repas qui fume. Et l'Annamite puise l'eau avec une espèce de cuiller; dans sa soutane noire avec sa petite tête de tortue, aussi jaune que la moutarde, il est le triste sacristain de la fange; que de révérences

163

> *et de génuflexions tandis que d'un seau attaché à deux cordes le couple des nhaqués va chercher dans tous les creux le jus de crachin pour en oindre la terre bonne à manger!*

Claudel, *Connaissance de l'Est*, Mercure de France, éd. Gadoffre, p. 352.

Sous la singularité générale, et définie, de son titre *(le Riz)*, ce texte se présente en réalité comme un diptyque. Il donne à lire le portrait successif de deux aliments mis en parallèle étroit, *pain* et *riz* : aliments d'une certaine manière archétypaux, symboliques en tout cas des deux mondes dont l'imaginaire claudélien s'emploie, tout au long de *Connaissance de l'Est*, à nourrir multiplement l'opposition, l'Occident français, l'Orient chinois.

Mis ainsi en rapport de symétrie, pain et riz ne participent pas cependant d'une égalité véritable. D'abord en raison de la longueur de texte qui leur est à chacun consacrée : neuf lignes pour le premier, vingt-neuf pour le second. Mais surtout à cause de la situation très différente qu'ils assument face au narrateur, à l'instance écrivante qui dit *je*, et à son corps, point de référence ici toujours tenu, espace sur lequel ne cessent de s'étalonner les gestes du désir et les marques du sens. Or dans la perspective de cette libido charnelle le pain se donne avec force comme *ma* propriété. Sa complicité avec le *je* qui parle ne peut faire, dès le départ, le moindre doute. Avec le *je*, ou plutôt avec un *nous* où Benveniste nous a appris à voir une simple expansion plurielle de ce *je*. Ce *nous*, qui décline si fortement sa litanie tout au long de ce premier paragraphe (*nous* mettons, *nous* y plantons, *notre* pain, *nous* allons le manger, chez *nous*, *notre* champ, *notre* galette, *notre* viande, *nous* ouvrons, *nous* coupons de *notre* couteau, *nous* broyons entre *nos* mâchoires), il faut le lire comme l'agrandissement du *je* aux dimensions d'une communauté ethnique, celle, disons, de « l'homme français », avec laquelle celui-ci ne se lasse pas d'affirmer son lien. L'alliance du *nous* inclut d'ailleurs aussi, par un détour inévitable d'écriture, et puisque tout texte s'adresse nécessairement à quelqu'un, le lecteur même de ces lignes, rédigées en français, consommables donc dans le même code culturel que l'objet auquel elles font référence. Nous voici, du coup, engagés nous-mêmes, et comme compromis dans une puissante relation d'appartenance : il y a un monde où le pain nous appartient, et où nous lui appartenons, ce monde est à nous, c'est notre monde, et c'est le monde encore auquel appartient ce texte, ce qui nous force, nous ses lecteurs, à lui appartenir aussi... Mais ce sentiment si euphorique se double d'un autre affect, de valeur opposée : ce pain si vivement sien, le scripteur de ces lignes s'en trouve séparé dans le moment et dans le lieu, l'Orient, où il est en train d'écrire. Il ne peut alors l'évoquer que de loin (« chez nous », « dans le froid Nord »), comme un bien dont il est actuellement privé. Le pain : c'est ici un objet divisé, le support simultané d'un plaisir d'appropriation et d'un constat d'absence.

Avec le riz les termes de cette relation s'inversent. Pour celui qui parle, qui dit *je* (ou *nous*), il se donne en effet comme un objet proche, sensuellement présent, et même très activement *présenté :* on l'aborde à travers une suite de déictiques, *ici, voici, voici, ces* vastes campagnes, aussi insistants que les personnels de tout à l'heure. Mais cette immédiateté, quasi gestuellement attestée, n'implique pas possession, ni même participation. Bien au contraire : ce n'est plus, dans cette seconde partie, le *nous* qui contrôle, qui agit l'objet alimentaire, ce sont *l'agriculteur, l'homme jaune, son peuple, l'homme et la femme, le couple de nhaqués,* tout un paradigme de personnages autres qui assurent à la fois la responsabilité des actions évoquées et la gouverne syntaxique des verbes. Ce passage du *nous* au *eux,* cette conversion générale du texte de la première à la troisième personne suffisent à éloigner du corps, imperceptiblement mais décisivement, une réalité dont on affirme pourtant en même temps le voisinage très actif. Nous comprenons que la jouissance du riz sera à la fois immédiate et exotique. Sa présence étrangère répond à la familiarité du pain absent.

Cette différence de situation libidinale n'empêche pas riz et pain de fonctionner l'un par rapport à l'autre de façon toujours symétrique, comme un couple parfait d'antinomiques. Ils se construisent, on le verra, sur les mêmes catégories, s'orientent sur les mêmes axes signifiants, dont seulement la direction, ou les valeurs auront été de l'un à l'autre retournées. Si bien que l'on pourrait tenir le premier pour le portrait en creux, ou l'annonce inversée de l'autre. C'est, on le sait, un procédé familier d'écriture chez Claudel que celui qui consiste à faire précéder un développement positif par l'évocation négative de son contraire. Ici la description imaginaire du pain sert à poser toutes les relations dont la bascule ultérieure ouvrira l'onirisme du riz. D'où la nécessité d'analyser d'un peu près ce premier objet, de voir selon quel système de sens il se construit, avant de regarder le traitement particulier que lui font subir le procès même d'écriture, le travail du texte.

L'un des grands intérêts de l'objet-pain est de se situer au carrefour d'une polysémie. Sa lecture implique la mise en jeu de plusieurs niveaux sémantiques différents, nous dirons plusieurs *isotopies*, qu'il importe d'abord de reconnaître. Toutes sont marquées par un engagement actif du corps imaginant, qui y répartit quelques-unes de ses fonctions primordiales. Dans ce feuilletage thématique de l'objet on distinguera ainsi :

— Une isotopie du *corps agriculteur*, avec ses divers gestes essentiels : labourer, semer, cultiver (c'est-à-dire faire pousser, faire mûrir). Manque, curieusement, le geste du récolter, corrélatif de l'acte de moisson (on pourra s'interroger sur la, ou les raisons de cette absence).

— Puis vient une isotopie du *corps cuisinier*, maître d'une activité logiquement transitive qui marque le passage du produit naturel à l'aliment consommable.

— Enfin se lit cette consommation elle-même, en une isotopie du *corps mangeur*, avec les différentes modalités d'attaque, de traitement buccal et d'ingestion de la nourriture.

Ces trois niveaux corporels de la lecture sont redoublés par l'action de deux autres isotopies encore, l'une explicite, l'autre implicite. La première situe l'objet sur le plan d'une relation cosmique entre deux des grands éléments de la nature, le *feu* (le soleil), et la *terre* : on remarquera que manquent au champ de pertinence du pain les deux autres substances majeures, air et eau. La seconde, d'ordre érotique, demeure inavouée, non dite, mais il n'est pas interdit de penser qu'elle sous-tend en réalité toutes les autres. Derrière le rapport multiple du corps et du pain, ou dans la relation du soleil et de la terre se liront en effet sans mal une image de la conjonction des sexes, une mise en scène de l'acte de pénétration et de fécondation (déjà presque explicite dans l'évocation de l'insémination agricole), mais aussi un renvoi à des formes de jouissance plus archaïque, de nature orale par exemple. Cette base fantasmatique assure la charge de désir du texte; elle en fonde aussi, au moins partiellement, la séduction.

Ces cinq isotopies ne sont pas, dans la lecture de l'objet, seulement juxtaposées : elles se lient entre elles par des relations rigoureuses de structure. Prises dans leur ensemble, elles forment un système, régi par une loi dont toute l'esthétique, et jusqu'à la théologie claudéliennes n'ont cessé d'affirmer l'importance : l'homologie. Homologie, et non analogie. Entendons qu'à tous les niveaux sémiques d'existence de l'objet se répètent, non pas les mêmes éléments, mais les mêmes types d'organisation interne. L'homologie met en relation, on le sait, non pas des termes, mais des relations entre termes; elle joue moins sur un plaisir de la correspondance que sur une libido de la structuration (dont le modèle, pour Claudel, est à chercher, bien sûr, du côté de Mallarmé).

Reste à reconnaître l'organisation également prégnante à ces cinq niveaux de lecture, la grille qui suffit à en assurer à chaque instant du texte le parallélisme, ou l'homologation. C'est celle d'une formule actantielle simple, mettant en jeu deux termes essentiels. De ces termes, qui forment un couple fonctionnel, l'un promeut l'action évoquée, et l'autre la supporte, l'un l'agit et l'autre la pâtit. Entre cet agent et ce patient la nature même de l'action varie peu d'une isotopie à l'autre : il s'y agit toujours d'un geste impliquant violence, attaque, quelquefois pénétration ou incision, une action qui porte en tout cas le signe sadique et jouitif de l'*infligé*, donc de nature ouvertement pulsionnelle et désirante. C'est ainsi la répétition, presque monotone, d'un même fantasme personnel, c'est sa réeffectuation obsessionnelle d'un niveau de lecture à l'autre qui engendre finalement l'unité de cet objet si vivement voluptueux, et si parfaitement cohérent, le pain.

Pour mieux faire apparaître ici la force de l'homologie, et la permanence de la formule dramatique qui la meut, il peut être utile d'en regrouper les diverses réalisations, dans l'ordre où le texte nous les offre, à l'intérieur des cadres du petit tableau qu'on trouvera page suivante. On dressera donc trois colonnes : *agent* (et ses instruments), *action*, *patient*, où, toute hiérarchisation ou modalisation syntaxiques mises à part (on en retrouvera plus loin l'examen), le texte viendra résumer l'essentiel de son contenu signifié. Une quatrième colonne permettra d'identifier chaque fois l'isotopie intéressée (soit corporelle : cultiver, cuisiner ou manger, soit élémentaire; terre ou feu), isotopie double souvent en raison de la coexistence fréquente en tel ou tel lieu du texte d'un niveau comparé (on le donne ici en premier lieu) et d'un niveau comparant (écrit ensuite).

Quelles conclusions tirer de ce tableau ? La première intéresserait peut-être la disposition successive des trois isotopies majeures : c'est selon un ordre assez net d'enchâssement qu'elles se distribuent. Le texte nous fait passer, globalement, du plan d'une manducation (comparante) à celui d'une agriculture, puis d'une coction (agricole et domestique) puis d'une agriculture encore, enfin d'une manducation, littérale cette fois. Cette forme embrassante ne respecte pas, on le voit, la suite d'une logique attendue, celle qui aurait pu régir, disons, une histoire du pain à travers une liaison d'actes tels que semer/cultiver/récolter/cuire/manger : c'est sans doute pour mieux mettre l'accent, initial et terminal, sur le geste ici le plus libidinal de tous, celui du *manger*, et plus précisément du *mordre*. Une *dent* attaque le paragraphe, qu'achèvent des *mâchoires*. Ainsi se boucle, textuellement aussi, un cercle de la voracité. C'est comme si le portrait du pain était pris tout entier dans l'espace ouvert/fermé d'une

On distinguera donc dans le portrait du pain trois séquences, ou, si l'on veut, trois *scènes*, correspondant aux trois phrases principales.

C'est la dent que nous mettons à la terre même avec le fer que nous y plantons...

La dent : c'est, on l'a déjà vu, un double motif d'*entame*. Par elle s'opèrent l'attaque première de l'objet (du « bon objet » à incorporer), et l'attaque aussi du texte (de son inscription initiale noir sur blanc). Son motif se souligne d'une tournure d'insistance *(C'est* la dent *que...)* et s'accole à une expression verbale à valeur inchoative *(mettre la dent à...)*, comme pour mieux marquer la violence de cette morsure originelle, l'âpreté de cette incision de départ, signifiée et signifiante, du corps dans le monde, du texte sur la page.

La dent n'est pas, en tout état de cause, une partie du corps innocente (à supposer qu'il puisse s'en trouver aucune). Sur le plan du paysage corporel elle renvoie à l'acte du manger, mais avec une modalité propre : non pas autoriser l'absorption gourmande (comme le feront d'autres organes manducatoires, langue, palais, gorge ou œsophage), bien plutôt permettre l'agression, la dilacération préalable de l'objet à avaler. Elle est l'organe par lequel le corps s'enfonce dans sa nourriture, avant de l'enfoncer en lui. Et donc la détruit en la possédant, en annule du moins la forme, l'aspect qu'elle revêtait avant sa mise en bouche. Ce trait rejoint, sur le plan symbolique cette fois, l'une des valeurs les plus généralement accordées à l'objet dent, dont le fantasme, Freud, puis Mélanie Klein l'ont répété, illustre la force d'un premier sadisme infantile, dit sadisme oral, attaché à l'agression jouitive/punitive du bon sein. Il faut ajouter que la dent peut remplir, à d'autres stades d'évolution, d'autres rôles inconscients encore, celui par exemple de représenter le phallus (essentiellement marqué de castration), et donc la « petite chose » détachable, avec l'une de ses valeurs les plus obsédantes, l'enfant à naître. Significations toujours virtuelles dans l'objet, et dont il faudra se souvenir quand on étudiera le traitement auquel le soumet ici le texte.

Ce traitement est celui d'un transfert, ou d'une métaphore. La dent y sort de son registre propre, le manger, pour venir se placer, comme le *fer*, et dans la même fonction que lui, au niveau de la signification agricole. C'est la dent que nous mettons à la terre *avec le fer...* Formulation bien curieuse en vérité, qui fait fonctionner l'équivalence non pas exactement sur le mode de la comparaison (la dent *comme* le fer), ni sur celui de la substitution (la dent *à la place* du fer), mais sur celui d'une sorte de cumulation concrète, et presque complice, de deux objets affectés du même sens, et devenus, dans le paysage, comme matériellement voisins. L'*avec* en perd à demi sa valeur de marque rhétorique, pour suggérer la mise en commun de deux forces analogues, la double attaque de deux agents simultanés, dent, fer, contre un unique patient, la terre. D'où un renforcement de l'agression. A cela s'ajoute implicitement, peut-être, une autre valeur, fantasmatique celle-là. Car si la dent peut renvoyer symboliquement à l'enfant, ou au phallus, on devine aussitôt la valeur du geste par lequel elle se rêve comme immédiatement *mise*, comme *plantée* en terre... Le travail rhétorique opéré sur l'objet permet ainsi l'aveu d'un désir peu ambigu : celui d'une insémination (orale ?), d'une jonction jouitive, et agressive, avec le grand corps terrien originel.

Venons-en maintenant au *fer*, et à sa plantation labourée. Il se donne, à travers une métonymie (la substance dont est fait l'objet, au lieu de cet objet lui-même), à la place du *soc* que le texte évoque un peu plus loin. Quel est le gain procuré par cette transformation ? Celui sans doute de faire apparaître le travail du labourage non pas seulement comme une pratique instrumentale, mais comme un conflit substantiel : *fer* contre *terre*, c'est un combat matériel dont l'homophonie souligne encore l'équilibre. Ajoutons que le fer se connote, et cela même littéralement, de *froid* (il introduit par conséquent au climat du « froid Nord »), et d'une dureté dont la prégnance qualifie tout le paysage sensuel du pain. *Fer* se donne, en cela encore, pour un doublet matériel de *dent*. On remarquera d'ailleurs que ces deux termes se rapprochent d'une autre façon encore, signifiante celle-là, par leur brièveté : tous deux sont des monosyllabes, porteurs de la même valeur de rapidité et d'incisivité. Trait peut-être fonctionnel : la suite des agents agresseurs *(dent, fer, feu, soc)* prend en effet souvent forme monosyllabique, ce qui accroît tout à la fois sa force d'impact et son homogénéité sérielle. S'excluent de cette tendance *soleil*, surtout *couteau* et *mâchoires*, isolés en fin de phrase, y participant d'un rythme autre, à étudier le moment venu.

Si le *fer* constitue ainsi un déplacement métonymique du *soc* (ou même de la *charrue*), l'action dont il est porteur subit elle aussi un gauchissement de sens. Au lieu du verbe attendu, qui serait par exemple *enfoncer*, et qui dénoterait un simple rapport physique de pénétration, le texte écrit *planter*, ce qui signifie évidemment bien autre chose, ouvrant en particulier à toute une sémantique du végétal, de sa semaille et de sa croissance. Car en toute propriété lexicale, la charrue ne saurait jamais être plantée : elle sert seulement à creuser l'espace où semer une future plante... Que gagne le texte à cette modification rhétorique du *creuser ?* D'abord peut-être une confirmation de la qualité érotique, et séminale, du fantasme de la dent mordant la terre (pour y être, justement, « plantée »). Ensuite un effet marqué d'accélération : labourer, suggère cette façon d'écrire, c'est déjà planter, et, presque, avoir planté ; deux gestes normalement successifs n'en font plus qu'un, il se produit un télescopage de deux des moments distincts du cycle de culture, et donc cette suggestion d'un *raccourci,* où Guy Rosolato a cru reconnaître l'une des caractéristiques les plus générales de l'effet de métonymie. Nous voici engagés, par un tour rhétorique, dans la problématique de *vitesse* qui marque toute la vie du pain, et dont la fin d'ailleurs de cette première phrase apporte une autre illustration, presque exemplaire :

> ... *et déjà notre pain y mange à la façon dont nous allons le manger.*

Voici un autre dispositif homologique : il se construit non plus autour d'une préposition (*avec :* on en a d'ailleurs vu l'ambiguïté), mais à l'aide d'un syntagme relatif, *à la façon dont,* qui machine avec une grande netteté le parallélisme des deux propositions homologues. Il en résulte une symétrie claire, avec la reprise, par exemple, du verbe *manger* en fin de chaque proposition — ce qui lui permet d'ailleurs aussi d'y faire écho, à partir de sa situation terminale, au premier substantif de la phrase, *dent.* Comme le premier paragraphe, et comme d'ailleurs le texte tout entier (achevé sur un : *bonne à manger*), cette première scène boucle textuellement sur lui-même un cercle de l'avalement.

De ces deux niveaux homologues, l'un comparé et l'autre comparant, le premier, toutefois, n'est pas sémantiquement homogène. D'où une plurivocité, à valeur de surprise, ou de rupture. *Et déjà notre pain y mange...* Formulation inattendue : il faut en analyser d'un peu près le fonctionnement, et le pouvoir.

Ce pain mangeur de terre, il n'est pas difficile d'en apercevoir, sur le plan rhétorique, l'origine : il est sorti de sa pertinence particulière, la manducatoire encore (où la dent mord le pain, où « nous allons le manger »), pour venir se poser, ou plutôt s'antéposer dans l'isotopie agricole (comme la dent l'avait fait déjà avec la terre et le fer). Mais la sortie se complique ici d'une inversion de rôles ; le pain cesse, dans ce champ de sens nouveau, d'être patient pour y devenir agent. Entraînant avec lui son prédicat logique (l' « être mangé »), il le retourne alors du passif en un actif pour se donner lui-même non plus comme un mangé, mais comme un mangeant.

Réversibilité qui brutalise l'évidence (comment le pain pourrait-il *manger* de la terre ?), qui l'affecte de vertige, et l'ouvre par là à la liberté des rêveries.

La première de celles-ci intéresse le domaine (déjà mobilisé un peu plus haut, comme on l'a vu) de la temporalité. Transplanté de l'isotopie mangeuse dans l'agricole, le pain y prend la place qu'aurait dû y occuper normalement le *grain*. La métonymie — au lieu de la cause l'effet, ou le produit — a donc ici valeur encore de court-circuitage temporel. Elle signale que le grain c'est déjà (ce *déjà* figure d'ailleurs en toutes lettres dans le texte) d'une certaine façon le pain qui existe et qui se développe. Ce pain qu'on nous présente aussitôt après sur le mode de l'imminence, comme un objet *presque* offert et que nous *allons* manger... Tout le cycle naturel du blé s'axe ainsi, et même se dynamise autour de sa fin anticipée : c'est l'acte terminal de notre manducation qui lui confère l'énergie même à partir de laquelle il se développe, et jusqu'à la tension propre de sa durée. Prévalence, quasi théologique, de la cause finale sur la cause efficiente ? On sait que mainte réflexion de Claudel va en ce sens. Mais orientation, aussi, de toute vie naturelle vers le moment où elle répondra, en nous, à la demande directe d'un désir.

Un premier état du texte, où le grain n'avait pas encore subi sa transformation métonymique, permet de mettre en évidence *a contrario* le nœud de significations ici visé. Voici ce que dit cet avant-texte :

> *Il faut à la graine, comme à l'œuf, une incubation égale lui permettant d'absorber selon sa soif, de digérer sa nourriture liquide.*

L'inversion fonctionnelle du manger apparaissait déjà ici (dans le *grain*, il est vrai, non dans le pain : ce qui la rendait beaucoup plus vraisemblable et banale); mais ces lignes furent sans nul doute supprimées parce que le reste du matériel imaginaire qu'elles mettaient en œuvre, les gestes en particulier de l'*absorber*, de l'*incuber*, l'appel à l'idée d'*égalité*, comme à celle de *liquidité*, entrait en conflit avec tout le système rêvé du blé tel que le développe la suite du paragraphe : système fondé sur des valeurs telles que sécheresse, rapidité, différence. Le blé va vite : il est à peine planté, d'un coup de dent, que le voici mangé, du même coup de dent peut-être... D'où, dans ce premier moment d'écriture, un écrasement de toutes les phases transitives, une immédiateté foudroyante, et l'autorisation donnée, à travers elle, à l'impatience, extrême, d'un jouir.

Car le dispositif signifiant autorise bien sûr ici l'aveu libidinal. La gratification apportée par ce motif du pain mangeur de terre pointe, il me semble, vers deux directions assez différentes. D'abord elle vient à la rencontre d'une avidité sans doute primordiale, elle satisfait à une violence de désir dont l'œuvre de Claudel apporte par ailleurs tant d'autres preuves (songeons à ces conquérants, ces possesseurs, ces usurpateurs, si bien étudiés par Jacques Petit). Comblant ainsi une gloutonnerie qui sature tous les niveaux, tous les actes, tous les rôles du procès alimentaire, puisqu'elle y intéresse aussi bien le mangé que le mangeant, elle qualifie une façon tout à la fois profondément personnelle et ethnique du désirer. Car pour Claudel cette fièvre si singulière d'appétit est bien aussi un fait du *nous*, une caractéristique d'Occident.

Mais il y a peut-être autre chose encore : à travers ce pain mangeur de terre violence est faite à toute une mythologie végétale de l'incubation, de l'instillation nutritielle, disons, à tous les sens du mot, de la *poussée*. La plante, le pain dans la plante, ne pousse plus ici, mais *tire*, à partir de son futur même, ou de son futur déjà présent en elle, comme le feront ailleurs, dans *Connaissance de l'Est*, le banyan, et tant d'autres arbres, ou encore ces pompes si nombreuses, ces norias acharnées à extraire du sol une eau (un lait) d'arrosage et de nourriture. Le fantasme de nutrition semble ainsi bien souvent réclamer chez Claudel cet effort d'une exploitation difficile, forcenée, du nourrissant par le nourri. Méfiance, peut-être, de la source maternelle ? Frustration redoutée, contre laquelle réagiraient les attaques d'une oralité vorace (et, par dénégation, toutes les célébrations d'eau ruisselante) ? Désir, narcissique, de contrôler absolument, et comme volontairement, la ligne d'une autogenèse ? Seule une analyse un peu détaillée des fondements libidinaux de l'œuvre pourrait apporter un commencement de réponse à ces questions.

Il faudrait voir aussi comment fonctionne, et sur un plan non plus seulement rhétorique, la structure signifiante de cette première phrase, sa scène d'écriture. On y est sensible d'abord au caractère *carré*, au binarisme martelé de la construction syntaxique : ainsi dans l'équilibre des relatives *que nous mettons, que nous y plantons;* dans la quadrature du *nous (nous, nous, notre, nous);* dans la confirmation apportée par *mange* à *manger*, et d'une autre manière par *nous allons* à *à la façon dont*. Gide ne comparait-il pas Claudel à un marteau-pilon ? On en aurait ici, et d'ailleurs dans tout ce texte, comme la preuve stylistique.

Il faut noter aussi, autre trait permanent de ce poème, la force des tissages phoniques proches, qui soutiennent à leur niveau, et grâce aux diverses intégrations qu'ils autorisent, l'insistance signifiée du sens. René Char écrira, dans *Partage formel*, que le poète « confiant en son toucher particulier » (toucher exercé sur les objets et sur les mots) « transforme toutes choses en laines prolongées ». Ces « laines » apparaissent un peu dures chez Claudel (des fils de fer peut-être...), mais d'autant plus efficaces dans leur travail signifiant de liaison. Voyez ainsi l'élargissement de la cellule *m/t* dans nous *met*t*ons à la *t*erre *mêm*e (expansion en forme de chiasme), qui peut marquer le passage d'un geste immédiat à l'ampleur développée, et pourtant en même temps refermée sur soi, d'une substance; ou l'équivalence conflictuelle créée par l'écho *terre/fer* (*terre* ouvrant d'ailleurs aussi à no*t*re, *f*er à *f*açon); l'attaque parallèle de *p*ain et de *p*lantons, ou l'inclusion réciproque de *plan*tons et de *la t*erre. On remarque surtout le rôle de *déjà* : ce terme pivot, situé à l'articulation des deux membres de la phrase, renvoie phoniquement tant à son premier substantif *d*ent qu'à son mot ultime man*ger*. Façon délicate, peut-être, d'inclure le temps, et son urgence, dans le champ littéral de la manducation, en équilibrant, autour de cette attache si fine, toute la signifiance de la phrase.

Mais voici la deuxième scène du pain :

> *Le soleil chez nous dans le froid Nord, qu'il mette la main à la pâte; c'est lui qui mûrit notre champ, comme c'est le feu tout à nu qui cuit notre galette et qui rôtit notre viande.*

Ce nouveau dispositif sort du précédent; il en conserve l'insistance mise sur le rôle des actants-sujets, le caractère binaire général de la construction, l'accentuation, tant stylistique que phonique, du parallélisme homologique. Mais avec des variations. Ainsi, avant la triple reprise du morphème d'insistance, qui ouvrait déjà le texte *(C'est lui qui..., c'est le feu qui... et qui...)*, le premier sujet, le *soleil*, s'emphatise par un procédé nouveau. Posé en tête de phrase, puis suivi de deux déterminants locaux *(chez nous, dans le froid Nord)*, il est repris par un pronom personnel qui agit comme sujet de son prédicat verbal (le *soleil*... qu'*il mette*). Cette tournure familière (mais mallarméenne aussi) prend presque valeur d'interpellation, avec la modalité jussive donnée au verbe : qu'il *mette* la main à la pâte. Marque d'une énergie, presque d'une volonté dont l'impulsion se confie ainsi au texte même.

Au niveau du fonctionnement des thèmes cette deuxième scène apparaît comme moins fiévreuse, moins surprenante aussi que la première. Les équivalences y sont (avec une exception, qu'on analysera, celle de *la main à la pâte*) plus régulières, plus univoques. On s'y trouve placé, non plus dans la confusion fiévreuse de deux jouissances chronologiquement extrêmes (creuser la terre, manger le pain), mais dans l'évocation d'une activité médiane, et même doublement médiane, celle que court-circuitait justement la première scène, le mûrissement externe de la céréale, la coction domestique de son grain. Apparaissent donc, dans le rôle masculin actif, deux nouveaux agents, le *soleil* et le *feu*, se répondant comme le cosmique au casanier, et, supportant leur action, quatre nouveaux patients, eux-mêmes répartis en deux couples symétriques, la *pâte* et le *champ*, la *galette* et le *rôti*. Les actions verbales se distribuent également deux à deux de *mettre la main* à *mûrir*, et de *cuire* à *rôtir*.

Dans cet équilibre toujours si vivement duel, un élément pourtant a bougé : le *nous* (ou le *notre*) y a changé de place. Il n'y affecte plus les acteurs sujets, soleil, feu, marqués désormais par la fonction d'une sorte de paternité transcendante et élémentaire (ou s'il le fait, c'est de façon oblique, par une détermination locale : *chez nous*), il s'attache au contraire aux patients, le champ, la galette, le rôti qu'il réintègre émotivement ainsi à la sphère subjective. L'agression n'a pas cessé, bien sûr, mais elle a changé de signe : elle s'adresse maintenant au corps propre, et à ses substituts (paysage cultivé, objets cuisinés), sous la forme d'une *chaleur* bénéfiquement reçue. Et la durée, en même temps, se réinstalle dans un système frappé jusque-là d'instantanéité. Disons qu'en cette deuxième scène du pain un imaginaire calorique, n'ayant valeur que sur fond cosmique de fraîcheur (celle du « froid Nord »), renvoyant au plaisir d'un corps réchauffé par le rayon solaire, ou par la flamme du foyer, vient rééquilibrer passagèrement l'essentielle cruauté de la relation d'objet occidentale.

La violence y reste pourtant çà et là encore perceptible. Qu'on écoute, par exemple, toutes les résonances de l'invitation adressée au soleil : *mettre la main à la pâte*... Cette expression fait écho (et au niveau phonique même, avec la reprise de la cellule *m/t*) à celle qui, au début du texte, parlait crûment de *dent mise à la terre*, avec un enrichissement dû au fait qu'elle signifie à la fois sur le double plan figuré et littéral (celui-ci lisible lui-même de deux manières). Car cette pâte, dont la présence resurgit de façon concrète lorsqu'on traite littéralement l'expression figurée *mettre la main à la pâte*, elle peut renvoyer aussi bien à la pâte du pain, donc à un imaginaire du pétrir, qu'à la substance du champ, à un onirisme, alors, du sol travaillé et soulevé. Elle se lit donc sur la double isotopie que disjoindra soigneusement toute la fin de cette deuxième scène. A ce double niveau le sens, cette fois figuré, de la formule installe la requête d'une intervention, d'une activité qui n'ait pas le caractère diffus et distant

175

toujours attaché à une chaleur. Il faut que le tact calorique devienne lui aussi pénétration. Car *mettre la main à la pâte*, surtout pour un soleil-père, c'est « s'y mettre » soi-même, c'est plonger dans l'objet échauffé une partie symbolique de son corps (la main ici, comme tout à l'heure la dent) pour le transformer, ou l'inséminer en profondeur. Même en cette phase de relation ralentie et distanciée, le désir continue donc à réclamer l'immédiateté de son objet, comme le confirme, un peu plus loin, l'évocation du feu qui, *à nu*, cuit la galette et donc le rôti. Entre agent et patient il n'y a pas ici plus d'intervalle qu'entre deux corps amoureusement liés. Il est curieux que ce soit, pour Claudel, l'imaginaire du rôtir qui réalise le mieux, dans le champ culinaire, cette libido d'une pleine nudité. C'est qu'à la différence des modalités diverses d'une cuisine pudique (le bouilli, la sauce, on les retrouvera plus loin) le four déshabille agressivement la nourriture. Il l'attaque, l'investit directement de tous côtés, finissant par déposer sur sa surface, comme conséquence ou consécration de ce contact ardent, une sorte de seconde peau durcie et brillante, cette pellicule de surnudité : la croûte.

Ce *nu* si jubilant s'insère, sur le plan signifiant, dans une série de mots marqués par une prévalence de l'aigu *(i, u, ui)* : c'est l*ui* q*ui* mûr*it*, à n*u*, q*ui* c*uit*, q*ui* rôt*it*. Branché sur cette suite, s'écoute encore le pianotement des gutturales sourdes, fondé bien sûr sur l'insistance des *qui*, des *comme*, des *qu*'il (il s'exaspère dans l'allitération proche : *q*ui *c*uit), avec une modulation voisée, à la fin, sur *g*alette. D'autres attaches phoniques répétées assurent soit l'homogénéité du rapport interphrastique (ainsi *le sole*il initial rappelle le *c'est la* dent du début du texte, le *c'est l*ui et *c'est le* feu repris en fin de phrase), soit l'unité interne du syntagme. Ainsi l'écho contracté de la cellule *n/r* dans une suite comme : chez *n*ous dans le f*r*oid *N*ord ; ou, déjà signalé, l'écho diffusé du *m/t* dans : qu'il *m*e*t*te la *m*ain à la pâ*t*e. Le biphone *tr*, enfin, si important ici, en raison en particulier de sa présence répétée dans nô*tre*, se répercute dans *r*ô*t*i, comme il le faisait tout à l'heure dans *terre*. Il est vrai que c'est bien, en réalité (dans la réalité du fantasme tout au moins), la *terre* elle-même qui rôt*it* !

La troisième et dernière scène du pain reprend les deux mêmes isotopies que la première :

> *Nous ouvrons d'un soc fort dans la terre solide la raie où naît la croûte que nous coupons de notre couteau et que nous broyons entre nos mâchoires.*

Nous voici replacés au moment premier de la culture, le labourage, et au moment dernier de la manducation, le mâchement du bol alimentaire. Ces deux moments continuent à se correspondre homologiquement (par l'identité du geste ouvrir/couper-broyer; et par la parenté de l'instrument : soc/couteau-mâchoires), mais le relief syntaxique de la phrase les dispose désormais *à la suite* l'un de l'autre. Une double articulation relative *(où* naît; *que* nous coupons... et *que* nous broyons) transforme le parallélisme en une histoire. La même signification qui se disposait dans les deux premiers mouvements (surtout d'ailleurs dans le deuxième) sous la forme d'un feuilletage comparatif s'écrit ici dans l'ordre, beaucoup plus dramatique, d'un enchaînement temporel et linéaire.

De ce drame, quelles sont les caractéristiques, répétées ou inédites ? La reprise d'initiative, d'abord, du *nous*, replacé à nouveau, sans marque syntaxique d'insistance cette fois, mais avec quelle vigueur, du côté des agents sujets (et masculins) : *nous* ouvrons, *nous* coupons, *nous* broyons... Puis une qualification plus précise du rapport matériel des deux acteurs : le *soc fort* s'attaque, avec la densité de son double monosyllabe, à la terre *solide* comme le couteau et les mâchoires le font ensuite à la croûte dure. L'acte agricole et le geste du manger impliquent ainsi le contact de deux rigidités antagonistes, mais secrètement complices (du *soc* à *so*lide, de *croû*te à *cou*teau...), chacune appelant l'autre de toute la force de sa tension même. Bachelard dit bien que toute résistance de matière provoque presque irrésistiblement dans le corps humain un désir de réplique, une agressivité, un effort, souvent appuyé sur des instruments, pour en vaincre, en fracturer le défi. On remarque le caractère ouvertement sexuel que prend cette incision dans notre texte : une *raie*, aussitôt donnée comme le lieu d'une *naissance...*

Celle-ci comporte un aspect étrangement instantané encore. Comme au cours de la première phrase toute durée gestative se voit supprimée, et l'ouverture inséminante se lie aussitôt à l'apparition d'un nouvel être. Celui-ci, gonflé, durci, phallisé, la *croûte*, autre métonymie pour la plante (et glissé ici à partir de la scène précédente), anticipe à nouveau la fin du processus dans ce qui devrait être l'une de ses phases formatrices. D'où encore une accélération du temps, et, à sa limite, la sensation d'une quasi-simultanéité entre tous les gestes évoqués. Cette impression se confirme à travers divers effets de signifiance : ainsi la suite kaléidoscopique des présents actifs *(nous ouvrons, nous coupons, nous broyons)*, ou l'enchaînement ultra-rapide des monosyllabes dans la série signifiante : nous ouvrons d'un *soc fort la raie où naît la croûte que nous* coupons..., avec des assimilations phoniques internes de tel terme à tel autre (*raie/naît, ouvrons/où/croûte/coupons*, fort/raie/ croûte, naît/nous, soc, croûte, coupons, etc.). Violence du geste, intensité de la lettre.

Mais si le corps s'hallucine ici dans le rythme d'un présent si rapide qu'il en devient presque immobile, voyez pourtant l'inégalité essentielle de ce temps. Il implique, dans les paysages même, l'enchaînement formel d'une suite de creux et de convexités sans aucun moment de planitude. Raie creusée par le soc, croûte érigée, entaille du couteau s'engendrent les uns les autres comme une suite aiguë de redents et de saillants. Cette figure se répète au niveau signifiant avec le zigzag vocalique de deux phonèmes fort écartés, sur le plan articulatoire, l'un de l'autre, *è* et *ou*. La suite : la r*aie où naît* la cr*oû*te forme (avec l'appui supplémentaire du *a*) un enchaînement signifiant tout aussi marqué par l'effet de différence que les réalités signifiées auxquelles il renvoie. Différence qui est bien ici celle des sexes (des sexes en combat), et celle peut-être encore du sens (de son inégalité foncière, de sa violence), avec le rapport secret qui le lie, en Occident du moins (et toujours selon la fantasmatique claudélienne), au motif obsédant de castration.

Cette castration, elle se parle avec peu de déguisements dans la fin de notre scène. Le *nous* sadique y *coupe* instrumentalement la terre, puis l'objet, avant d'écraser celui-ci de son corps même, dans l'étau d'une dent multiple et élargie, entre ses *mâchoires*. Ainsi s'achève, dans le comble d'un jouir/détruire, le cycle du désir occidental. L'oralité (celle d'une bouche d'ogre) s'y satisfait en une sorte de massacre, qui se donne ses moyens dans l'écriture même. Ainsi, à la fin de la phrase, dans le syntagme : *que nous broyons entre nos mâchoires*, s'entend, de part et d'autre du *entre*, et articulé sur lui (cet en*tre* qui renvoie encore à no*tre, terre*, rô*t*it, croûte...) l'écho inversé *roi/oir* d'une auto-fermeture annulante. Plus significative encore la rencontre allitérative si proche des quatre termes, *soc, croûte, couteau, coupons*, où se dit et s'écoute à la fois le fantasme d'entaille (y entend-on aussi l'écho d'un *cou coupé ?*...). On s'y retrouve dans la prégnance des gutturales sourdes. Est-ce un hasard si ce phonème commande la série si fournie des termes par lesquels le texte satisfait aussi sa libido de logique et d'articulation : *qui, que, avec, comme ?* Peut-être toutes ces attaches si pesamment prédicatives finissent-elles, en s'exagérant, par se charger de la valeur inverse, celle, tout autant désirée, d'une universelle rupture pulsionnelle. A moins que ce ne soit au contraire (ou aussi) la rationalité, fait d'Occident, qui ne s'avoue ici de façon directe, littéralement, spécifiquement, et jouitivement comme castrante. Impérialisme, voracité, *ogritude* du concept...

Quoi qu'il en soit, on est sensible à la force, à la solennité aussi de ce broiement final. La disposition syntaxique de la proposition terminale *(où naît la croûte... que nous coupons... et que nous broyons)* retrouve, comme pour poser la phrase sur un socle binaire, et presque l'y *caler*, le modèle déjà utilisé dans la phrase précédente *(qui cuit... et qui rôtit)*. La prosodie implicite, surtout, atteint à des effets de régularité plus forts que partout ailleurs : 12-6-9-10. Cette dernière phrase s'ouvre sur un alexandrin et se clôt sur un décasyllabe, comme pour prêter à l'écrasement de l'aliment le rythme d'une cérémonie : tailler, manger, mâcher, à l'Ouest, chez nous, c'est bien en effet toujours à la fois un sacrifice et une messe. Seule change, çà et là, la figure du Dieu.

Tel serait à peu près, écrit en trois scènes enchaînées, le portrait du pain claudélien, comme objet de culture, de cuisine, et d'incorporation. Portrait lié à tout un système fantasmé du paysage, du savoir, du langage aussi. Agressivité, dureté, incisivité, instantanéité, sécheresse, nudité, violence, oralité, castration, différence : voilà, révélées par son rapport au pain, quelques-unes des grandes marques catégorielles du corps occidental. Il suffira au texte de les renverser pour accéder à la possession de l'univers inverse, l'Est, et à travers lui à la jouissance, ou la connaissance (la co-naissance), de son aliment symbolique, le riz.

Le second volet de notre diptyque se découpe en quatre scènes, dont la première sert à construire un nouveau paysage :

> *Mais ici le soleil ne sert pas seulement à chauffer le ciel domestique comme un four plein de sa braise : il faut des précautions avec lui. Dès que l'an commence, voici l'eau, voici les menstrues de la terre vierge. Ces vastes campagnes sans pente, mal séparées de la mer qu'elles continuent et que la pluie imbibe sans s'écouler se réfugient, dès qu'elles ont conçu, sous la nappe durant qu'elles fixent en mille cadres.*

Tout commence par un *Mais*, pivot adversatif du texte, signe d'une bascule de toutes ses valeurs. A sa suite la phrase reprend, sous un tour négatif *(le soleil ne sert pas seulement à chauffer)*, le contenu développé dans la scène II du pain (l'analogie mûrissement/coction), mais pour le dépasser, après la rupture de ponctuation des :, vers une signification et même *(il faut)* une exigence toutes nouvelles, celles que pose, en fin de phrase, le concept inédit de *précaution*.

Or la notion en est antithétique à tout ce qui précède. La précaution se donne comme un contraire de la brutalité (de l'agressivité), mais aussi de l'immédiateté, donc de la nudité : et bientôt en effet la terre se réfugiera sous le voile d'une « nappe durante ». Implicitement la précaution récuse encore toute relation trop vorace établie avec la pointe d'un présent. Son pari, c'est la lenteur du geste, c'est un souci fait de prévision et de mémoire : elle noue alliance avec une durée, ce qui suffit à nous engager, nous lecteurs de ce texte, en un système objectal très différent, axé sur les qualités de médiation et de patience.

Deux autres transformations, tout aussi importantes, viennent, dès le début de ce second portrait, affecter la structure imaginaire de l'objet. La première intéresse la direction, et la valorisation du rapport agent/patient. Dans le système du pain, on s'en souvient, l'agent (masculin) restait toujours doté de prévalence, ou du moins d'initiative, par rapport à un patient (féminin) quelquefois flatté (mûri ou cuit : la galette, la viande), plus souvent violé et maltraité (labouré, dévoré : la terre, la croûte du pain). Ici le rôle essentiel s'attribue à l'ancien patient (la terre, la nourriture), qui rassemble sur lui tous les avantages, toute la libido aussi de la créativité, le rôle masculin se voyant, lui, réduit à une fonction secondaire de service ou d'adjuvance. Dévitalisé en partie par son passage à la troisième personne, l'acteur viril (l'*agriculteur*, *le village*, *l'homme jaune*, *l'Annamite*, etc.) n'est plus que le supplément d'une activité située en dehors de lui, que le servant, bientôt l'adorateur, à demi masochiste, d'un être dont il ne régit plus vraiment, dont il se contente d'assister la production. Sous sa forme cosmique et solaire il se voit, de même, décisivement écarté du sol : plus question, pour lui, d' « y mettre la main à la pâte »... C'est du côté féminin qu'est passée désormais la prévalence, c'est la sensibilité de la terre elle-même, et non plus du soc, du couteau, de la dent, du soleil, qui émeut toute cette fin de texte. La logique du riz s'y construit donc à partir des phases imaginées d'une féminité terrienne : virginité, menstrues, insémination, naissance, allaitement. Ces phases l'inscrivent dans le cycle plus large d'une durée cosmique. Peut-être faudrait-il avancer ici l'idée que, face à l'immobilité du temps masculin, fait d'une suite foudroyante/foudroyée de petits présents orgasmatiques, seule la femme est capable d'accéder à cette mobilité, ou à cette inventivité de l'être : une évolution, une histoire.

Cette modification — en termes claudéliens, peut-être, cette conversion d'*animus* en *anima* — s'accompagne d'une autre transformation névralgique encore, qui intéresse, elle, le régime élémentaire de l'objet.

Dans le duo euphorico-conflictuel du soleil (du feu) et de la terre, intervient en effet un élément tiers, qui va peu à peu devenir l'élément majeur, le maître du jeu (et du je), l'*eau*. Cette présence tierce suffit à déséquilibrer l'ordre binaire sur lequel avait été jusqu'ici fondé le fonctionnement polysémique de l'objet. La petite grille ci-dessus esquissée se montre donc désormais sans pertinence. Car l'eau est à la fois agente, et patiente, et bien d'autres choses encore. On remarquera que son activité s'exerce dans toute l'échelle des isotopies : eau d'arrosage dans le paysage cultivé ; eau de la coction du riz, sous une forme double, plus ou moins aérisée, la sauce, la vapeur ; eau du manger, avec, dans la bouche, la fluidité d'un aliment semi-liquide savouré par le suc d'une salive ; eau sexuelle enfin sous forme de lait et de menstrues. Cette omniprésence devrait être rapportée à la force de l'imaginaire aquatique (fleuves, sources, canaux, cascades, bassins, lacs, océans, marées, pluies, larmes, inondations) dans tous les poèmes de *Connaissance de l'Est*, et dans tant d'autres œuvres claudéliennes encore, avec, par exemple, l'attrait des grandes dérives maritimes ou des pays entièrement régis par la liquidité : ainsi Hollande (l'œil y écoute, dans le silence des tableaux, la montée du flot imperceptible) ou Angleterre (léchée, pénétrée de toutes parts par le flottement océanique).

Quelles sont ici, dans ces premières phrases, les valeurs promues par l'eau ? La transitivité d'abord. Glissée *entre* terre et feu, elle s'adresse à la fois à l'une et à l'autre : pour fournir à la coction solaire un feu qui la contente (« pour suffire », dit un peu plus loin le texte, « à l'ardeur soutenue du fourneau céleste »), et pour protéger les mécanismes de la gestation une fois que la terre « a conçu ». Voile d'eau, robe, pudeur liquide, sous laquelle les campagnes arrosées se replient, « se réfugient ». L'eau participe ainsi, à son niveau, au thème de « précaution » (ici de rétractilité), et d'amortissement. Elle s'oppose au motif de l'*à nu*, de l'attaque directe, encore présent dans un premier état de cette phrase, où il qualifiait la frappe du soleil : « lui-même il *tape* avec sa *face* insupportable »...

Ce don défensif se double pourtant, chez l'eau, d'une vertu, inverse, de spontanéité, d'inchoativité. Liée au travail d'une origine *(dès que l'an commence...)*, l'eau se donne en un surgissement que célèbrent à l'envi deictiques et anaphores : *voici l'eau, voici les menstrues de la terre vierge...* Et la courbe même de la phrase élargit l'épiphanie première en une ampleur inondée d'espace. Mais d'où vient cette eau ? A cette question il n'est pas de vraie réponse, ou bien il en est de trop nombreuses. Car elle arrive à la terre d'en haut, sous forme de pluie imbibante, mais latéralement aussi, comme mer continuée, et d'en bas encore, du sous-sol même, avec le rythme des menstrues, le déversement jubilatoire de la source, le flux du fleuve, ou le puisement des norias qui chantent un peu plus loin, comme cigales au soleil, la « montée » cosmique de l'eau-lait. Élément primitif donc, et nutritif, mais d'une primitivité toujours déplacée de lieu en lieu, de niveau en niveau, et d'une nutritivité qui ne peut être assignée à aucune partie spécifique du monde, ni du corps. L'eau pose la question de l'origine, mais ne la dépose, si l'on peut dire, nulle part, en tout cas elle ne la résout pas, la renvoyant plutôt au concept d'un cycle, d'un procès perpétuel d'interpénétration et d'autofécondation. Elle ouvre ainsi aux euphories généralisées du passage, de l'échange. Après la joie d'entame, voici le plaisir d'osmose.

Cette prégnance d'eau régit toute la nouvelle spatialité du paysage : définie d'abord, celle-ci, on le remarquera, en termes négatifs, par un certain nombre de manques. *Sans pente* est-il dit des campagnes orientales : s'y affiche la domination d'un non-relief, d'une absence d'étiage, et donc de gravité, signe d'une perdition de la forme, de cette forme où Claudel reconnaît, on le sait, le refuge dernier de l'individualité. Le même principe de dédifférenciation se vérifie dans l'ordre étalé du contour et de la frontière, ces campagnes étant dites encore *mal séparées de la mer qu'elles continuent...* La carence du cerne, menant à un mixage d'éléments, aboutit encore à une abolition de la forme, donc du sens, du sens du moins tel que le fabriquait la raison occidentale. Mais l'Est encourage un autre mode de compréhension, branché sur une autre exigence pulsionnelle. « La Chine n'est pas, comme l'Europe, élaborée en compartiments », lit-on dans *Halte sur le canal*, « nulles frontières, nuls organismes particuliers n'opposaient dans l'immensité de son aire de résistance à la propagation des ondes humaines ». Et certes une telle perméabilité, si propice aux dérives du désir, tient d'abord à la puissance d'un « vide constitutionnel » dont la Chine montre partout l'image, et dont sa société comme son paysage entretiennent « l'économie ». Au lieu de l'ordre occidental, fondé sur le foyer et la limite, l'illimitation chinoise se donne comme le monnayage d'une « lacune » béante, elle est la jouissance (l'écriture) d'un manque qui ne postule plus, pour se creuser devant le désir, la suite inégale (castrante, analytique) des traits ni des frontières, mais l'indifférence, jamais fixée, d'un unique plan d'expression (celui dont l'idéogramme chinois mimera, justement, la physionomie globale). Cette plasticité vaut donc dans le temps aussi, car « l'homme n'a point fait du sol une conquête suivie, un aménagement définitif; la multitude broute par l'herbe ». Interpénétration, alimentaire encore, de deux entités collectives, l'herbe, la multitude, que n'arrête plus, et jusque dans leur contact même (le nomadisme du *par*), aucun critère de singularité.

Il y a dans cette élection libidinale de la nappe, de la « nappe durante » (« le présent y comporte toujours la réserve du futur et du passé », lit-on dans *Halte sur le canal*) quelque chose qui peut faire songer à « l'océanisme » maniaque du processus primaire tel que l'évoque par exemple Ehrenzweig dans *l'Ordre caché de l'art*, océanisme toujours lié aussi à un travail de disruption. Une opération secondaire vient pourtant nécessairement en contrôler et comme en rationaliser la production. C'est ce qui se passe ici même, à la fin de cette première scène orientale. Car si l'ouverture plurielle de *ces vastes campagnes* s'y était opposée d'abord à la circonscription singulière de *notre champ*, la « nappe durante » s'y trouve finalement fixée en *mille cadres* (*cadre* apportant d'ailleurs un écho phonique renversé à *durante*). Comprenons que l'indétermination errante de la terre se trouve à nouveau discriminée, et donc parcellisée, par les limites de chaque champ, redessinées en dessous de l'eau universelle. Si bien que les deux ordres, ou plutôt l'ordre et le non-ordre en viennent à se superposer. Mais ils connaissent un autre mode de résolution aussi : car ces cadres, dit le texte, sont *mille*, ce qui dans le registre de la définition territorialisante réintroduit la présence du *grand nombre*, porteur lui-même d'un nouveau pouvoir de dispersion, voire d'indéfinition... On sait que cette complicité paradoxale du pluriel et du continu, chacun appuyant et corrigeant l'autre, gouverne, selon des motifs divers (ainsi la touffe, la foule, la ville, le monstre), toute la Chine de Claudel.

Resterait à analyser, dans cette première scène du riz, le jeu propre de la signifiance. Au niveau syntaxique, après la première phrase, cassée autour des : , la deuxième, avec l'anaphore expansive du *voici*, soutient un effort continu d'élargissement. La troisième étend cette sensation d'ouverture au paysage tout entier, mais avec des moyens autres : en séparant le syntagme sujet *(ces vastes campagnes)* de son prédicat verbal *(se réfugient)* par une suite de déterminants locaux (eux-mêmes complétés par des propositions relatives) qui en distendent de façon très efficace le rapport. Sous un autre aspect on ne peut qu'être frappé par l'insistance, et même la lourdeur de cette qualification relative, ou de ces marques conjonctives de durée (*dès que* l'an commence, *dès qu*'elles ont conçu, la mer *qu*'elles continuent, les campagnes *que* la pluie imbibe, la nappe *qu*'elles fixent). Toujours la rigueur d'armature logico-syntaxique, même pour dire l'objet le plus liquéfié. En un point, cependant, cette logique cède. Dans la suite en effet des deux relatives, *ces vastes campagnes... mal séparées de la mer qu'elles continuent et que la pluie imbibe sans s'écouler*, une première lecture distraite poserait les deux relatives comme parallèles, selon un modèle plusieurs fois utilisé déjà dans la première partie du texte. L'analyse révèle pourtant leur dissymétrie réelle, la première ayant pour antécédent la proche *mer*, mais la seconde ne pouvant, sauf absurdité, se rattacher qu'au plus lointain *campagnes :* l'égalité jouant alors entre *mal séparées...* et *que la pluie imbibe.* D'où, entre ces deux propositions relatives, symétriques pour l'oreille mais inégales pour le sens, une connexion trouble, qui rappelle certains procédés mallarméens d'écriture, et qui fait peut-être écho, dans son registre propre, à la relation d'indétermination dont le paysage signifié est ici tout entier marqué.

Quant à la texture phonique de ces premières phrases, elle se fabrique, mis à part de multiples petites isophonies proches (ainsi : mens*tr*ues de la *terre* vierge; chau*ff*er, *f*our, *f*aut; *campagnes s*ans *p*ente; séparées de la mer; *d*urante, *cadres*, etc.), sur la propagation de quelques sonorités dominantes, le plus souvent liées à des signifiés névralgiques (soit par leur valeur thématique, soit par leur place dans la phrase). Ainsi, à partir de la gutturale sourde dont on a déjà marqué la dominance (série du *qu*i, *que*, *qu*and, dès *que*, *c*omme, etc.), se tisse une chaîne phonico-sémique régie par une cellule *l/q*, enrichie parfois en *s/l/q* : par exemple dans dome*s*ti*qu*e *c*omme, pré*c*autions ave*c l*ui; dès *que l'*an *c*ommen*c*e; *c*ampagnes; *qu'elles c*ontinuent; *que la p*luie; *s*ans *s'*écouler; dès *qu'elles* ont *c*onçu; *qu'elles* fixent en mi*lle c*adres. Cadre, conception, commencement y croisent leurs concepts à celui d'une *l*iquidité, d'un *coule*r pourtant jamais directement écrits. La cellule *s/l*, si fréquente dans cette suite, peut s'associer ailleurs au *v*, en expansion peut-être du paradigme démonstratif *ici, voici, c'est.* D'où une autre chaîne signifiante, étroitement enlacée à la première, dont les affleurements seraient par exemple : mais i*c*i *l*e *s*o*l*eil, *s*ert, *s*eu*l*ement, *l*e *c*iel, *v*oi*c*i *l'*eau, *v*oi*c*i *l*es menstrues, *l*a terre vierge, *c*es *v*astes, ma*l s*éparées, *s*ans *s'*écou*l*er... Cette double série prolonge d'ailleurs son insistance dans les quelques phrases qui vont suivre.

La première de celles-ci installe le sens dans l'isotopie d'agriculture :

> *Et le travail du village est d'enrichir de maints baquets la sauce :*
> *à quatre pattes, dedans, l'agriculteur la brasse et la délaie de*
> *ses mains.*

Cette activité se situe après le moment de l'insémination qui a été évoqué dans la phrase précédente : mais évoqué, rappelons-le, avec quelle discrétion, quel manque étrange de détails... *Dès qu'elles ont conçu...* : nul ne sait en vérité quel a été l'auteur de cette conception, la mer peut-être, ou la pluie, mais pas le soleil, ni aucun personnage humain, pas le *nous* en tout cas, armé de son soc, de son fer ou de sa dent. La scène génitale (la scène primitive ?) se trouve ainsi passée sous silence, et comme noyée elle aussi sous la nappe des eaux. Le geste occidental originant (morsure, incision, labourage) se voit remplacé par une activité différente, liée à un fantasme d'allaitement (ou d'éjaculation) : l'arroser. Et l'on note à quel point les porteurs mêmes de cette action se trouvent désingularisés, dédynamisés par le travail d'écriture. Ils sont non pas un *nous*, bien sûr, mais même pas *un tel* ou *un tel* : leur existence se donne sous le mode du concept ou de la généralité collective, le *village*, l'*agriculteur*, l'*homme jaune*, l'*Annamite*. Et leur activité se présente sous l'aspect, peu passionnel, d'une définition : « le *travail* du village *est* d'enrichir » ; « l'*attention* de son peuple *est* de lui fournir... » Rien ne permet de rêver, face au grand corps féminin en travail (et en travail dans le langage même : la terre mère vierge en ses *menstrues*...), la présence d'une virilité tant soit peu aiguë ni singulière.

A quoi sert donc désormais le rôle masculin ? Privé de sa fonction occidentale de semailles, affecté à celle de repiquage (ce que dénote sans doute techniquement le *brasser*, le *délayer*), le cultivateur devient surtout le responsable de la maturation (phase laissée, à l'Ouest, à la seule initiative solaire), et pour cela le grand manipulateur de l'eau, une eau d'arrosage qu'un glissement à partir de l'isotopie cuisinière métaphorise bientôt en une *sauce*. Il s'applique à *enrichir de maints baquets la sauce*... Comprenons qu'il ajoute de l'eau à celle qui se trouvait déjà là, mais que cette adjonction représente aussi un gain, une prime d'énergie, un surplus de saveur. Cette plus-value de fécondité, ou de jouissance, l'homme l'*apporte* désormais, sous forme de « sauce », à l'objet en train de cuire ou de mûrir. De prédateur il est donc devenu oblatif. Au lieu d'attaquer l'instance nourricière (pour la punir peut-être, ou pour en prévenir le tarissement redouté), il se sacrifie entièrement à elle afin de tenter, par son dévouement même, d'en prolonger sans hiatus la production. Ce travail se situe dans la progressivité d'un temps : *maints baquets* correspondent au *mille cadres* de la phrase précédente, *sauce* y répondant aussi à *nappe*. Comprenons que la cuisine en sauce, comme la culture sans eau, s'adresse à une épaisseur, sur laquelle elle agit par imprégnation lente. Et l'imprégnation même, quelquefois, d'un liquide que l'aliment a d'abord *exprimé*, puis qu'on lui réinjecte. Se dessine ainsi le cycle, ou plutôt peut-être la spirale, d'une sorte de trajet autonutritif : la sauce y est à la fois le produit et la nourriture du mets en train de cuire ; l'eau d'arrosage sort de la terre qu'elle arrose ; le corps maternel boit son propre lait ; et le texte, peut-être, à un autre niveau, s'engendre de l'élan, ou de la matière de son propre fonctionnement lui-même. Ressource toujours secrète, don d'autoressourcement des sauces... Leur vocation d'intériorité, le type de prise et de transmutation culinaire qu'elles autorisent sont en tout cas antithétiques de la frappe rapide du rôtir, et de son résultat à la fois érigé et cutané, la croûte.

La même visée d'intériorité s'affiche dans un autre domaine parallèle, celui de la *posture* : dans le paysage d'Est c'est le geste agricole aussi qui a changé. Plus d'actions telles que *mettre, ouvrir, couper, broyer*, qui, supportant divers fantasmes de pénétration, impliquaient toutes plus ou moins aussi un retrait ultérieur de l'organe pénétrant, un certain *quant à soi* du corps plantant ou mangeant. Toute la gestuaire orientale d'agriculture oblige au contraire à une mixtion presque complète, et comme à une plongée, passive, de l'agent cultivant dans l'espace, ou l'objet de son action. *A quatre pattes, dedans*, insiste le début de phrase (avec, dans la maladresse de ce *dedans*, comme le balbutiement fiévreux d'une pulsion). On remarquera, dans la logique de cet engagement profond, l'absence de toute médiation instrumentale : le corps s'y passe des diverses prothèses, soc, fer, couteau, qui servaient, en Occident, à prolonger, mais aussi à durcir et à limiter son geste. Toute technologie abandonnée, il s'enfonce directement dans la pâte élémentaire, ou alimentaire, y redécouvrant, *à quatre pattes*, une primitivité enfantine, animale, du maintien.

Plutôt d'ailleurs que d'enfoncement, il faudrait sans doute parler ici d'installation, ou même d'un simple rapport d'immanence *(dedans)* : car aucune entrée ne se produit vraiment dans l'espace matériel de jouissance, aucune « raie », aucun sillon, aucune localisation sexuelle trop précise n'en vient fixer *quelque part* la possession. Le désir occupe en quelque sorte hors organe, hors orgasme, et dans toute l'ouverture du plaisir possible, l'épaisseur indifférenciée de son objet. Dans le plein de ce que Freud aurait nommé sans doute *perversion polymorphe* se produit alors un englobement, actif et réciproque, du corps et de la matière désirée. L'agriculteur, pris, empâté dans la substance de sa terre-mère, la prend à son tour entre ses mains, la palpe, la *brasse* dit le texte : le vertige de cette double implication aboutit — au contraire encore du mûrissement occidental, toujours générateur de fermeté — à un *délayage* généralisé de l'élément. C'est comme si le travail du paysan consistait ici à accroître, de sa libido la plus tenace, le tropisme d'indifférenciation partout rêvé déjà dans la matière. Mais tout cela à l'intérieur d'une circularité tenue : l'indique bien l'écriture de la phrase, où *à quatre pattes* allitère directement avec *agriculteur*, où *mains*, surtout, referme sur lui-même, et sur la courbure suggérée d'un seul corps au travail, le cercle gestuel entamé avec *à quatre pattes*.

Est-il besoin de préciser les bases fantasmatiques d'une telle scène ? Cette jouissance multiple de la pâte renvoie à une exaltation d'ordre excrémentiel, mais d'une analité curieusement paisible, non sadique, au rebours des plaisirs oraux que procurait la manducation du pain. Il semble qu'il y ait ici une innocence, en tout cas une non-violence de la boue. Y correspondrait peut-être la technique ambiguë du *repiquage*, sorte d'insémination seconde, où l'acte érotique, analisé (sorte de corrélat, dès lors, d'une naissance cloacale), déplacerait, éparpillerait, diluerait en somme lui aussi, si l'on veut, son champ d'application, son moment, et son angoisse. La force chez Claudel de cette inscription excrémentielle apparaît très vivement dans un autre poème de *Connaissance de l'Est*, *le Porc*, texte d'autant plus utile à invoquer ici qu'on lui attribue parfois valeur d'autoportrait. L'intérêt du *Porc* est de dessiner, face à la jouissance du paysan chinois, une version plus occidentale du plaisir analo-terrestre. Car cet animal est « solide et tout d'une pièce ». Son monolithisme anatomique (« sans jointure et sans cou ») soutient l'effort d'une agressivité : « ça fonce en avant comme un soc. » Mais sa jouissance est plus encore dans l'embourbement que dans l'incision : « Que s'il a trouvé le trou qu'il faut il s'y vautre avec énormité. » Le plaisir, à la fois nutritif et anal, d'envasement (*vautre* c'est *ventre*, dit Claudel) renvoie directement alors, en un aveu d'une belle crudité, à l'activité intestinale elle-même : « il s'avance et s'enfonce au gras sein de la boue fraîche, il grogne, il jouit jusque dans le recès de sa triperie. » Ce jouir déclare pour finir son véritable objet : « Son instinct l'attache à deux choses, fondamentales, la terre, l'ordure. » Deux choses qui n'en font sans doute qu'une. Ce porc fouissant nous aide ainsi à mieux comprendre la jouissance du paysan boueux. Çà et là, pour Claudel, il s'agit de jouir de l'ordure, certes, de manipuler excrémentiellement la terre, mais de la traverser aussi, ou de se laisser traverser par elle, et d'atteindre peut-être en elle, à la fois symboliquement et littéralement, la valeur, l'*or* auquel elle peut toujours conduire. Ainsi s'achève du moins, sur une note de sublimation, le poème du *Porc* (dans la lettre de celui-ci on peut entendre, encore, un *père* qui *dort*, ou qui se *dore*...) : « *Je n'omets pas que le sang du cochon sert à fixer l'or.* » Dénégation à lire sous forme d'aveu, ou, dirait Leiris, de glose. *Ordure : l'or y dure.*

Mais voici que s'ouvrent à leur tour les espaces attendus de coction et de manducation :

> *L'homme jaune ne mord pas dans le pain; il happe des lèvres, il engloutit sans le façonner dans sa bouche un aliment semi-liquide. Ainsi le riz vient, comme on le cuit, à la vapeur. Et l'attention de son peuple est de lui fournir toute l'eau dont il a besoin, de suffire à l'ardeur soutenue du fourneau céleste.*

De ce nouveau manger asiatique on notera d'abord les marques de son opposition à tout le régime occidental : l'affirmation de sa non-morsure, l'insistance mise sur son caractère indifférentiel, amorphe. Frappe aussi la douceur de ce nouveau rapport avec la nourriture. Car il laisse l'aliment intact : fidèle à la loi qui régit tout le cosmos oriental, il ne le forme, ni d'ailleurs ne le déforme, il le traite comme un morceau libre de substance (songeons *a contrario* à l'existence si singularisée, si définie, de *la* galette, ou *du* rôti). Pour remplir le rôle d'une absorption aussi discrète il fallait remplacer la dent par un organe buccal plus pacifique : les *lèvres* joueront ce rôle, dessinant, à la place du saillant dentaire, le trou où viendra s'enfoncer la nourriture. Mais voit-on qu'avec cette substitution la bouche a, si l'on peut dire, changé de sexe ? Bien moins phallique désormais (et donc menacée de castration) que vaginale, ou utérine, elle devient, à l'égal de la terre, le lieu vers lequel doivent converger les gratifications, l'instance à qui il faut, comme dit le texte un peu plus loin, les *fournir*. Au système antérieur du manger est venu s'en substituer un autre, semblable apparemment, inverse en fait, celui du *nourrir*, ou de l'*être-nourri*. Car si le manger correspondait à un accaparement de l'objet autre par le moi, le nourrir vit par l'apport spontané d'autrui au moi qui le demande.

Cette réclamation n'est pas sans avidité : presque aussi vive même que l'impérialisme masculin de tout à l'heure. Cette nouvelle bouche en effet happe (mot qui renverse en lui un *pas* et un *pain*), puis elle engloutit, ce qui correspond, juste avant la morsure, à l'activité infantile de succion. La manducation ici décrite se distingue assez mal en effet d'une tétée (bientôt évoquée d'ailleurs dans la suite du texte). Quant à la substance de l'*aliment semi-liquide* ainsi happé et sucé (et à sa substance phonique aussi, avec la quadruple répétition des *i*, l'insistance du groupe *l/m/q*, où se réentend la chaîne prégnante en *l/q*, celle d'un *couler* caché, modulé ici encore en *engloutit*), elle renvoie, plus qu'à celle du lait, à l'image d'une sorte de bouillie pâteuse : un aliment mixte encore, situé entre fluidité et dureté. Sa mollesse répond, dans deux directions différentes, tant à l'élasticité des lèvres happantes qu'aux vertiges troubles de la boue.

Dans ce nouveau système tous les seuils ont été, ou presque, abolis. Aucune discontinuité d'essence ne sépare plus concrètement le corps de l'élément, ni l'aliment du corps, ni, métaphoriquement cette fois, l'aliment de l'élément. Le désir circule dans le cercle indéfiniment réouvert d'une même homogénéité matérielle. Tout y arrive de soi-même, y *vient*, comme le dit bientôt le texte, de l'objet végétal et culinaire. *Ainsi le riz vient, comme on le cuit, à la vapeur.* L'isotopie de coction redouble comparativement à son tour celle de culture, tout en s'incluant en elle par l'ordre syntaxique, et par sa place enchâssée dans l'écho : *le riz vient/à la vapeur*. La dominante vocalique *i*, de son côté, continue à contrôler, depuis *aliment semi-liquide*, la suite : ains*i* le r*i*z, cu*i*t, puis, plus loin *suffire, fournir* (eux-mêmes consonan-tiquement allitérés à *fourneau*). Quant à la cellule *m/l/q*, réaffirmée à la fin de la phrase précédente (sem*i*-l*i*qu*i*de), elle gouverne, presque à l'état pur, le syntagme de coction : *comme on le cuit*. Resterait à commenter thématiquement cette *vapeur* qui doit se lire sur le double plan agricole (climatique) et culinaire. Elle offre l'intérêt de faire intervenir dans l'histoire du riz une nouvelle substance mixte, entre eau et air cette fois, comme sauce ou bouillie l'étaient entre eau et terre. Substance plus ambiguë d'ailleurs encore, puisque résultat aussi d'une coction, produite par l'action d'un feu (solaire, domes-tique) sur une étendue liquide. D'où sa richesse de connotation sen-sible, et aussi son pouvoir rêvé de liaison. Car boue, sauce, vapeur, ces états équivoques si divers n'ont pas seulement pour fonction ici de permettre l'épiphanie glissante de l'objet à travers l'échelle de toutes ses possibilités matérielles d'existence, ils représentent aussi les instruments actifs de ce passage, les moyens de cette transformation constante : ce qui fait pousser, ce qui fait cuire, ce qui fait manger... Leur être ne se sépare pas d'un faire. Dans l'indifférenciation d'un cosmos jamais rompu ils sont à la fois les lieux favoris et les agents les plus sûrs de la dérive.

A partir d'ici le texte se déporte quelque peu vers une vision, disons, plus pittoresque de l'objet. Moins directement axé sur la manipulation onirique des matières (aliments ou éléments), il silhouette des person-nages (hommes ou animaux), dessine des gestes exotiques, les uns et les autres demeurant d'ailleurs contrôlés, mais plus discrètement, par les mêmes structures de désir.

Il semble que tout ce développement final puisse se comprendre comme une sorte de monnayage visuel de l'expression *son peuple*, présente dans la suite : *et toute l'attention de son peuple est de lui fournir...* Ce peuple, par définition dévoué au riz (et situé par rapport à lui dans une attitude masochiste), se distribue en deux séries parallèles d'acteurs, la première marquée par le signe de la *servitude*, la seconde par celui de l'*adoration*. Voici d'abord, lié à l'autocélébration de l'eau montante [1], le portrait des serviteurs :

> *Aussi, quand le flot monte les norias partout chantent comme des cigales. Et l'on n'a point recours au buffle; eux-mêmes, côte à côte cramponnés à la même barre et foulant comme d'un même genou l'ailette rouge, l'homme et la femme veillent à la cuisine de leur champ, comme la ménagère au repas qui fume.*

Cette évocation du service agricole mobilise le registre comparatif nouveau de l'animalité (cigale, buffle, dans un premier état *truie*, bientôt tortue). Si les paysans n'ont pas recours au buffle (on est familier maintenant avec cette formulation initiale négative), c'est qu'ils sont en réalité *comme lui*, ce que marque l'*eux-mêmes* directement rattaché à *buffle* par la rupture conjonctive des deux points. A travers une phrase qui se construit à la manière mallarméenne encore, avec, entre le pronom personnel antéposé *(eux-mêmes)*, et le sujet substantif qui le reprend *(l'homme et la femme)*, une longue et double incise déterminante, s'élabore ainsi un tableau marqué par une double

---

1. Un premier état du texte liait explicitement cette montée à un processus de lactation :

> *Quand (la marée) monte (à l'heure où la mer débonnaire donne à boire comme une truie qui se couche sur le flanc), les norias chantent dans le riz comme l'enfant qui presse de ses deux mains le sein (ferme et) tendu, trépignant sur ce sol aux veines gonflées, ils traient l'eau dessous leurs pieds.*

La présence de la *truie* fait à nouveau ici lien avec le poème du *porc*. Elle permet le syncrétisme du jouir excrémentiel et du plaisir de lactance : on remarque, au niveau de cette dernière activité (l'enfant tétant), la persistance des gestes de la possession terrestre-anale *(pressant des deux mains, trépignant sur ce sol)*. Un motif nouveau intervient cependant qui régularise (et donc technologise) le rapport à l'objet lacté-boueux (au sein anal ?) : celui du vaisseau, du canal, chargé de drainer, de tracter et de distribuer le liquide nourricier (il s'anatomise ici en *veine gonflée*, et se dynamise dans le motif animal du *traire*). Motif urétral obsédant dans tout le paysage de *Connaissance de l'Est* (et ailleurs chez Claudel, ainsi dans *L'œil écoute*, avec la rêverie hollandaise de capillarité) : il y donne lieu, par exemple, à l'angoisse du *canal obstrué*, ou inversement, à la joie (au rire) du *vaisseau débouché*, de la liquidité *délivrée*, ou comme le dit plus étymologiquement Claudel, *désopilée*.

intégration : celle du geste humain à l'effort animal (avec, à nouveau, la tension de la gutturale sourde : côte à côte cramponnés), puis, en reprise de tout ce qui précède, celle du travail agricole à l'acte cuisinier. Leur lien se signale ici à la fois par un *comme* comparatif et par la métaphore bi-isotopique *la cuisine de leur champ*. On remarque la situation à nouveau enlisée des travailleurs humains (mais *jusqu'au genou* seulement non plus *à quatre pattes*, et ils *foulent*, ils ne *brassent* plus), et la neutralisation, par dédoublement cette fois, puis par ravalement au même *(l'homme et la femme, d'un même genou)*, de leur sexualité.

Vient enfin la série de l'adoration, avec un branchement curieux sur un registre clérical qui fait du paysan non plus seulement le serviteur d'une culture, mais comme le servant et même le desservant d'un culte :

> *Et l'Annamite puise l'eau avec une espèce de cuiller; dans sa soutane noire avec sa petite tête de tortue, aussi jaune que la moutarde, il est le triste sacristain de la fange; que de révérences et de génuflexions tandis que d'un seau attaché à deux cordes le couple des nhaqués va chercher dans tous les creux le jus de crachin pour en oindre la terre bonne à manger!*

Tout se déclenche peut-être ici à partir du mot *soutane*, qui mobilise à la fois une très forte série anagrammatique de termes commandés par un *t*, ou un *t/s* (avec appui ultérieur sur les vibrantes : pe*ti*te *tê*te de *tor*tue, mou*tar*de, *tri*ste *sacri*s*tain*, *tan*dis que, *d'*un *seau* a*ttaché*) et tout un paradigme signifié de l'éthos ecclésiastique. On y trouve des gestes — révérence, génuflexion, onction — qui métaphorisent religieusement le travail littéral de culture et d'arrosage (la série des récipients, seau, baquet, cuiller s'y complétant d'un *encensoir* demeuré implicite). Tout cela pris dans cette tonalité étrange, et si nouvelle, de *tristesse...* Pourquoi le paysan chinois au travail est-il dit *triste sacristain de la fange* ? Par une reprise de parole du surmoi ? A cause du caractère de contre-divinité qui s'attache à cet objet honteux, ignoble, parce que trop désiré, la *fange* (la matière, la mère), et qui frappe donc son service d'une mélancolie (d'une culpabilité) irrémédiables ? Ou à cause de la tonalité masochiste, déprimée (dirait Mélanie Klein) qui marque ici, après celle d'agression-revendication, tout le rapport libidinal à la terre-mère ? Ou bien parce que cet ultime personnage, le prêtre, est, à l'intérieur de sa soutane, ou de sa carapace de tortue, trop enfermé, (trop « caractériel », dirait Reich), ou trop femme peut-être, pour pouvoir véritablement posséder le corps terrestre ? Ou pour toutes ces raisons à la fois ? Car la religion anathématise certes le plaisir, mais adorer, n'est-ce pas, aussi, jouir, jouir (tristement) *de* l'interdit ?

L'écrivain, quoi qu'il en soit, n'est pas ici le triste sacristain de l'écriture (cette autre fange), ce qui maintient jusqu'au bout le plaisir textuel du riz. Une même pulsion y soutient en effet l'évocation de l'aliment (du double aliment : pain croqué, riz happé) et l'exercice, voire la matière de l'instance chargée de le nommer et de l'écrire. On y voit fonctionner à plein « ce jeu de tourniquet et de transfert entre les mets et les mots » dont parle Jean-Claude Bonnet à la fin d'une étude brillante sur l'alimentation rousseauiste. Les mets s'écrivent, comme les mots se mangent. Mots d'une extrême saveur parce que tout à la fois ici prononcés et inscrits. Car si l'œil écoute chez Claudel, si l'oreille regarde (songeons à sa rêverie des anagrammes), nul doute que la bouche n'y puisse, à sa manière, écrire le poème, le tracer, ni, *a fortiori*, le lire... Voyez, par exemple, cet autre texte de *Connaissance de l'Est* où Claudel compare, sur le mode du vœu, le jaillissement d'une source au déversement matériel d'une parole : « que ma bouche soit pareille à celle d'une source toujours pleine, qui naît là d'une naissance perpétuelle toute seule, insoucieuse de servir aux travaux des hommes et de ces bas lieux, où nappe étendue, mélangée comme une salive à de la boue, elle nourrira la vaste moisson stagnante. »

C'est bien au niveau de cette seconde bouche boueuse, salivante, nutritive, à la fois orale et anale, que s'écrit le poème du *Riz*. L'aliment y est donc signifiant aussi du discours en train de se tenir sur lui, ou plutôt de la production, de la production/consommation de ce discours par une seule parole désirante. Écrire d'ailleurs pour Claudel n'est-ce pas, à tous les sens du mot, *déboucher :* accéder, débloquer, « désopiler », ouvrir la, ou les bouches, en même temps que tenir toujours une *embouchure*, ce lieu, comme il le dit, d' « articulation à la forme et à la formule » ? Or ce sur quoi débouche, ou si l'on préfère embouche, ou désembouche le poème du *Riz*, c'est le jus de *crachin* (de *crachat*?) que l'Annamite va chercher dans tous les trous pour en *oindre la terre adorée:* liquide aéro-terrestre, oui, mais fort semblable à une humeur buccale encore, porteur de la même euphorie, « ce je ne sais quoi de moelleux et d'humide », dit ailleurs Claudel, « conféré par la salive aux mots que forme la bouche humaine ». Salive, onction du mot, sauce du langage. Ce « je ne sais quoi », le glissement allitératif du texte amène à le savourer ici (auto-érotisme de l'oralité ? langage se suçotant lui-même ?) jusqu'au terme de son avancée. Des syntagmes ou mots tels que : *génuflexions que, tandis que, deux cordes, couples de nhaqués, chercher, creux* y mènent musicalement au débouché de ce dernier signifiant qui en résume et réfléchit en lui tout le travail, toute la jouissance : le *jus* (ou *jeu*, ou *je*) *de crachin* s'y chargeant de recouvrir libidinalement (mais toujours à partir de lui-même, et de son propre « creux »!) l'espace désiré de la terre-mère, le lieu du bon aliment — et le corps, le corps parlé, parlant du texte même. Lorsque le poème, alors, s'achève sur la célébration enfin devenue unitaire, synthétique, d'une terre-nourriture, lorsqu'il se tait, après voir si longtemps provoqué, nourri le travail jouitif de notre (de sa) bouche, après nous avoir (s'être) si puissamment, et si diversement fait venir, le mot est de Claudel, « l'eau à la bouche », pourquoi ne pas dire qu'il a été, lui aussi, bon à manger ?

Petite remontée dans un nom-titre

Anabase : D'où venu ce titre ? Et allant vers où ? Chargé d'opérer, au seuil de son poème, quels appels, ou invocations, ou provocations de sens ? Saint-John Perse s'en est expliqué à plusieurs reprises, on le sait, insistant à la fois sur sa polysémie, et sur son absence de renvoi à toute Anabase antérieure, celle de Xénophon par exemple, ou d'Arrien. Parmi les significations suggérées la moins importante, dit Perse, et comme « venant de surcroît », signification liée à l'étymologie (mais en un terme qui veut dire justement retour, ou *remontée*, la puissance de renvoi à sa propre origine langagière fait bien partie de sa capacité de sens), c'est celle de la montée à cheval, de la vie cavalière : et toute une légende du cheval, à la fois étranger et proche, autre et double de l'homme, son « parfum » et sa « ténèbre », se déploie en effet dans *Anabase*, depuis le poulain dont la naissance ouvre le poème, jusqu'au cheval qui le clôt, arrêté sous l'arbre plein de tourterelles, en passant par diverses cavaleries de songe ou de bronze. Plusieurs lettres de la *Correspondance* chinoise développent (ainsi p. 869 *sq.*[1]) un éloge précis, technique, quasi ethnologique, mais très amical aussi, tout affectif, du petit cheval mongol. Est-il, par parenthèse, sans intérêt de remarquer que ces pages s'adressent à la mère du poète, cavalière émérite on le sait, qualifiée même par lui d'*amazone :* en même temps que d'étrangère à la mer, voire son *ennemie ?* N'aperçoit-on pas sur un petit exemple comme celui-là comment le thème maternel a pu en venir à distribuer ici autour de lui le paysage, à le névralgiser secrètement en côtés amis et en zones interdites, en territoires autorisés et en aires transgressives ? Dans ce partage inconscient le motif du cheval, charnellement lié au corps de la mère, mais toujours pourtant orienté vers l'Est, et comme instinctivement appelé par la mer (voyez p. 841), joue peut-être un rôle tout *critique* (au sens alexandrin que Saint-John Perse redonne à ce mot : « appeler, provoquer une crise »).

1. Tous renvois à l'édition des *Œuvres complètes* de Saint-John Perse, Paris, Bibl. de la Pléiade.

Mais revenons-en à la stricte polysémie du titre. L'auteur lui-même invoque, et toute sa critique lui emboîte le pas, le sens étymologique « d'expédition vers l'Intérieur, avec une signification à la fois géographique et spirituelle (ambiguïté voulue) ». Sens incontestable certes, et qui commande les principaux axes métaphoriques du poème. Mais n'est-il pas possible de raffiner sur son ambiguïté, d'en compliquer un peu le feuilletage ? En notant par exemple la « hantise » que ce signifiant trisyllabique, *anabase*, a toujours, c'est lui qui nous le dit, exercée sur Saint-John Perse. Trois syllabes commandées par la répétition du *a*, leur clef mélodique, leur « base » vocalique, et la première lettre aussi de l'alphabet. D'autres titres persiens se donnent comme des sortes de chiffres musicaux : *Pour fêter une enfance*, ou *la Gloire des rois* se construisent par exemple *(rf/rf; oire/roi)* sur la formule d'un écho interne ; le titre s'y enclôt, il y vibre dans le redoublement même de son égalité. Dans le cas d'*Anabase* la triple itération du *a* assure de même le lié sonore du mot, mais elle y autorise en outre l'effet d'une ouverture, elle y opère l'entrée (parallèle à celle du poulain) dans un monde neuf encore, inexploité, non dit, celui du langage peut-être, de sa force de nomination, ou de « récitation » (si souvent célébrée par Saint-John Perse), voire de son pouvoir, tout naïf encore, et littéral, d'*épélement : a, a, b/a, ba*, aube et *base* de tout le reste, de toute l'immobile procession verbale qui va suivre, comme une frise des Panathénées, ou comme, à Persépolis, la longue offrande ascensionnelle des peuples barbares vers le trône du Grand Roi, depuis la *naissance* où s'entame le poème jusqu'à la *connaissance* où il s'arrête, et se tait.

La *remontée* qu'indique notre titre il nous faut donc peut-être la tenir aussi, et l'allusion claudélienne nous y aide, pour une remontée opérée, ou désirée, dans l'espace même de la langue, de la langue maternelle, comme une expédition dirigée vers son foyer, son site d'origine, qui est aussi, bien sûr, un point de fuite, la ligne d'un manque, l'aire d'un dérobement. Et le poème peut se rêver alors comme une façon de conduire cette remontée, de la tenir, virilement, presque militairement : « J'aimerais seulement, écrit Perse en 1912 (p. 724), qu'il me fût donné un jour de *mener* une " œuvre ", comme une *Anabase* sous la conduite de ses chefs. (Et ce mot même me semble si beau que j'aimerais bien rencontrer l'œuvre qui pût assumer un tel titre. Il me hante.) » Œuvre *rencontrée*, comme venue d'ailleurs, émergée de son propre lointain, et pourtant *menée*, vers cet inconnu lui-même, sous la poigne d'un poète-capitaine... *Anabase* alors : poème du poème, « chronique » du déroulement d'une chronique, « histoire » où se chante la naissance, et l'espace découvert d'un chant ?

Il est, en tout cas, tentant d'en formuler l'hypothèse. On y lirait ainsi, et aussi, l'aventure d'un langage, de sa levée, et de son retour : son retour vers lui-même et sa propre puissance de nommer, l'épopée de son ressourcement (de la « ressource humaine » dit Saint-John Perse), le récit, et l'acte en même temps, du voyage par lequel le dire poétique, à travers la médiation d'exemples ou de codes littéraires multiples (ainsi : le rythme pindarique, l'abstraction mallarméenne, la voix claudélienne, le laconisme rimbaldien, la stèle ségalienne), et sous la garantie concrète ou l'illustration d'un certain paysage obsessionnel, se porterait vers l'espace de sa propre distance intérieure, vers le silence, peut-être, qui le limite et qui le fonde, vers cet horizon toujours immanent, Perse le nomme *ellipse*, qui ne cesse, à chaque mot écrit, d'en nourrir la cruauté, le bond, ou la « maigreur ».

La *Correspondance* nous apporte d'ailleurs d'autres lueurs, obliques, sur cette « expédition vers l'intérieur », sur la nature du mouvement qui la supporte, sur l'espace, aussi, auquel elle rêve d'aboutir. Elle cite, d'abord, le signifiant *base*, dans son lien avec le grec *basis*, en un importante note de Perse sur Pindare et son début de traduction des *Épinicies* (p. 732) : « *Basis :* c'est à mon sens une marche ou un déploiement cadencé, des évolutions ou des pas — avant le chant ou la danse, à l'ouverture de la fête — car l'ode triomphale est " exécutée", c'est : chantée ou dansée sur accompagnement de cithares et de flûtes. Elle est exécutée au retour du vainqueur dans sa patrie... » Cette évolution, cette cadence, n'appartiennent-elles pas à l'*ana-base* aussi ? A son effort de prosodie, à sa vertu d'allitération (elle est, comme l'a bien dit Caillois, l'un des moyens d'équilibrer, ou d' « immuniser » sa capacité d'ellipse) ? Dans la seule *base* s'entendait déjà le rythme d'un retour : le conquérant, le voyageur-poète s'y donne bien aussi comme un danseur.

Et cette danse, vers quelle figure d'espace, quel statut de matière a-t-elle vocation de nous mener ? Vers une hauteur, suggère *anabase*, qui s'égale encore à un dedans : vers la double acmé, terrienne, occidentale, d'une sorte de foyer-sommet, qui soit aussi, bien sûr, à la manière mallarméenne, le vide de tout foyer, l'absence de tout sommet, « là où les peuples s'abolissent aux poudres mortes de la terre ». Mais ces poudres, on sait qu'elles font chez Perse l'objet d'une rêverie curieuse, et toute dialectique. La poussière chinoise l'enveloppe et l'envahit au point de lui donner parfois l'envie de reconnaître en elle un cinquième élément, spécifique, foncièrement différent de tous les autres (base de notre « argile », élément de nudité, de nullité, matière de la dispersion minimale et infinie) : mais il peut la rêver aussi, à la limite, dans la puissance, dans le sans-borne même de son délitement et de son expansion, comme une sorte de liquidité seconde, presque comme une mer. A diverses reprises la *Correspondance* évoque cette similitude sensible de l'espace terrien et de l'étendue marine : « La terre ici, à l'infini, est le plus beau simulacre de mer qu'on puisse imaginer : l'envers et comme le spectre même de la mer. La hantise de mer s'y fait étrangement sentir » (p. 888). Spectre : double, creux qui appelle, vide désirable, et désirant. C'est la même « hantise » à la fin d'*Anabase*, qui, après la « vision d'une terre distribuée en de vastes espaces », ne distingue plus la « pensée du voyageur de celle du navigateur ». Au bout de l'intériorité terrienne s'ouvrira donc encore la mer, même et autre, la mer, toujours dépassée, transie (« cette haute transe par la mer »), « outrée » vers elle-même (vers son « outre-mer ? »). Mais cette issue s'indiquait déjà, si l'on y fait attention, par allusion historico-culturelle cette fois, dans le nom même d'*Anabase*. L'expédition des Dix Mille, commencée par une remontée à l'intérieur des terres, s'achève bien en effet, après la bataille de Counaxa, par une redescente vers la mer, les eaux du Pont-Euxin. La *Correspondance* confirme, à nouveau, que Perse rêve à cette fin. A la page 677, après un développement sur les voies et moyens de ce que pourrait être un « poème critique », il définit son aventure « comme une " anabase ", si vous voulez, ou retour à la Mer, à la commune Mer d'où l'œuvre fut tirée (dans sa définitive, et peut-être cruelle, singularité) ». Mer, ou mère ? L'eau s'en étale en tout cas au terme même du voyage critique qui est donc, tout autant que l'expédition poétique, pulsionnel et mémoriel. Anabase, c'est peut-être toujours catabase; et c'est sûrement anamnèse.

Saint-John Perse : Et le pseudonyme lui-même, d'où sorti ? De nulle part, dit Perse, sinon de l'inconscient, ou d'une injustifiable préférence linguistique : « le nom choisi ne le fut point en raison d'affinités, réminiscences ou références d'aucune sorte, tendant à rien signifier ni suggérer d'intellectuel : échappant à tout lien rationnel, il fut librement accueilli tel qu'il s'imposait mystérieusement à l'esprit du poète, pour des raisons inconnues de lui-même, comme dans la vieille onomastique : avec ses longues et ses brèves, ses syllabes fortes ou muettes, ses consonnes dures ou sifflantes, conformément aux lois secrètes de toute création poétique » (p. 1094). En même temps que titre de propriété, ou que chiffre personnel du recueil de poèmes, le pseudonyme doit donc être tenu pour un poème, lisible, interprétable, ou ininterprétable comme tel.

Peut-on dès lors prétendre en commenter un peu précisément l'attrait, ou le « mystère » ? Tout ce que tentera de faire le lecteur, c'est se rendre sensible, d'abord, à son étrangeté, au caractère incohérent, et comme bariolé de ses appels signifiés (une sainteté chrétienne sur un territoire asiatique ; un prénom anglais dans le plein d'une nomination française), hétérogénéité qui consonne déjà avec un aspect essentiel de l'œuvre même. Et puis il faudra *écouter* le pseudonyme, l'entendre résonner à la fois dans son incisivité et sa lenteur, dans son caractère percussif et dans le lié de son avancée, de sa musicalité intime. D'un côté : c'est la rapidité des trois monosyllabes, la dureté des phonèmes d'attaque (avec le *J* anglais de *John* renforcé de dentale, valant pour *dj*), l'accolement forcé de trois consonnes très diversement articulées *(p, r, s)* sur la dernière syllabe, celle de l'accent (dirons-nous aussi : de la rime ?). De l'autre : c'est, conformément à un moule phonique déjà reconnu (dans *Pour fêter une enfance*, ou *la Gloire des rois*), le recourbement du pseudonyme sur lui-même à travers l'écho initial/terminal de ses sifflantes, et son ouverture aussi, sa traîne, dans l'allongement final qu'apporte la vibrante. Le pseudonyme entretient ainsi et répare en lui le désir essentiel d'une brisure ; dans le court trajet de ses trois syllabes il délie et relie un espace spécifique de langage, comme le feront, à une autre échelle, tous les autres textes du recueil.

Mais cherchons, au prix de quelques risques interprétatifs, à ouvrir encore le pseudonyme, à l'étoiler vers d'autres virtualités. Et cela en laissant de côté les commentaires négatifs du poète lui-même (ou en les prenant pour des dénégations). Il paraît clair d'abord que le titre d'*Anabase* et le pseudonyme inventé pour lui de *Saint-John Perse* vont ensemble, qu'ils ne peuvent se dissocier l'un de l'autre ni par les rapports de sens, ni même par ceux de son (de l'un à l'autre : une égalité prosodique, et une assonance finale). Ce même type de relations unissait déjà, si l'on y prend garde, le nom du premier signataire de cette œuvre et le titre de son premier recueil d'ensemble. Albert Thibaudet, qui reste bien l'un de nos meilleurs *écouteurs* de textes, ne s'y était pas trompé : « *Saint-Leger Leger : Éloges*, cela est bâti sur les mêmes consonnes et donne à la couverture son unité euphonique. Et voici *Saint-John Perse : Anabase*, qui donne lui aussi un joli bloc sonore où court la ligne d'une image d'Asie » (*Honneur à Saint-John Perse*, p. 422). Et de rêver, de manière plaisante, une motivation parisienne et éditoriale de ce qu'il faudrait sans doute nommer ces *noms-titres* (concept nouveau, non encore reconnu par la poétique), par une publication du premier recueil rue de *Liège* (et non dans la misérablement régrénie rue de *Grenelle* : aujourd'hui le patronage de

Sébastien Bottin ne vaudrait d'ailleurs guère mieux...), et du second rue de Téhéran.

Et il est vrai que la rêverie cratylienne avait tout lieu de s'emparer d'*Éloges*, signataire, titre et texte. L'*éloge* s'y écrit bien comme la première suite anagrammatique du nom d'auteur, lui-même dédoublé, *Saint-Leger Leger*, en une sorte de caresse intérieure. Et comme sa première modification glorifiante aussi, comme la clef sonore d'une série de phrases ou de formules homophones, gouvernée par la cellule *lj*, allant toutes dans le sens d'une expansion narcissique ou d'une auto-célébration de celui qui les prononce. Ainsi celle où l'éloge (l'éloge léger) défait son tissu littéral en une instance subjective, un *je*, et en un espace objectif (un temps aussi, une occasion) où en déployer librement la jouissance : Ah! *j*'ai *l*ieu de *l*ouer! Ou bien celle où ce jouir lui-même, tout en restant à moi, se défait, s'échappe peut-être : O ma joie dé*l*iée...! L'éloge persien n'est-il pas d'ailleurs une certaine façon de *loger* le *je*, de le cadrer, et donc de le fonder dans l'espace d'une suite de petites scènes mémorielles, mais un art aussi de l'*éloger*, ou de le déloger, de le déplacer sans cesse dans le mouvement ou l'éclat de l'écriture, de l'emporter, à travers le bond même, redoublé, d'une légèreté sainte et souveraine ?... Mais ce redoublement est aussi, tout le paysage d'*Éloges* nous l'indique, un recourbement. Et cet emportement reste attaché à l'ordre d'une permanence vivante, dite par le patronyme, ainsi qu'à la fixité nommée d'un lieu : celui de *Saint-Leger les feuilles*, îlot natal du poète, espace dont la lettre générique, « cet O, qui est celui même de la forme île » (p. 739), se retrouve peut-être, si l'on joue jusqu'au bout le jeu cratylien, au cœur signifiant de l'é*log*e...

Mais le pseudonyme, *Saint-John Perse* ? On y reconnaît aisément une transformation du patronyme, ou plutôt du premier nom de plume (*Saint-Leger Leger*, lui-même, et déjà amputé de son prénom...). Vient un moment où le nom du père se scinde en deux noms nouveaux : l'un indexe une personnalité légale, prosaïque, et d'une certaine façon diminuée par rapport à sa nomination première. Un nom et un prénom : Alexis Leger, un Leger privé de sainteté, privé aussi du redoublement interne, et comme du rebond de sa légèreté; un Leger voué désormais aux *affaires*, fussent-elles étrangères... Quant à l'écrivain il semble vouloir perdre son lien immédiat au patronyme, et comme se couper de lui, inventant alors un autre nom pour s'y cacher, ou pour s'y perdre, ou s'y réinventer, dans la liberté de l'œuvre.

Ainsi se vérifie la vieille loi mallarméenne, redite par Gabriel Bounoure : pour écrire « il faut s'exiler de son nom même ». Mais cet exil continue à nourrir secrètement en lui les traces d'un passé. Relisons par exemple lentement ce nom de *Saint-John Perse*. Le *Saint* initial transporte dans le surnom le plus précieux peut-être du patronyme : son point d'origine, sa syllabe de départ, et, attachées à elle, la tonalité sacrale, l'aura religieuse qui vont lui aussi le colorer. A partir de là pourra se récupérer, comme de biais, toute une tradition, romantique et symboliste, du poète : célébrateur ou mage, énonciateur, voire producteur d'une vérité de l'être. Mais *Saint-John :* ici c'est vraiment l'énigme. Faut-il songer à saint Jean-Baptiste, l'annonciateur, l'homme du désert, le mangeur de sauterelles (on sait l'importance de ces motifs dans *Anabase*), l'homme du seuil temporel aussi, chargé de parler et de vivre, dans le silence du moment, une certaine vérité de l'imminence ? Moyen peut-être d'ouvrir le pseudonyme, ou de le tendre vers l'espace interne d'un futur. Mais pourquoi la transposition anglaise du prénom ? Peu compréhensible, avouons-le, même quand Perse nous déclare que ce *John* faillit bien être un *Archibald...* Le souci avoué par Perse fut celui de dérouter au maximum le lecteur éventuel, en l'embarquant dans le piège d'une autre langue. Mais quelque chose semble être demeuré ici d'indécidé, ou d'empêtré dans la démarche même du désir : car si Saint-John Perse déclare avoir cherché le masque d'une étrangeté qui l'éloigne au plus loin de sa personnalité officielle, il semble redouter aussi que cette étrangeté ne l'aliène vraiment, ne l'écarte finalement du plus précieux, c'est-à-dire du lien tenu à sa propre langue maternelle, et à tous les lecteurs qui la partagent avec lui... Et il en vient alors, occultant cette anglicité trop déviante, à signer de ses seules initiales, St. J. Perse... Curieuse solution de compromis où se noue peut-être, sans vraiment se résoudre, l'une des problématiques essentielles à tout mouvement d'écriture, celle d'altérité.

Et Perse, à quoi, à qui en rattacher l'invention ? Au poète latin du même nom ? Mais Saint-John Perse en a toujours refusé le patronage, déclarant ne voir en leur rencontre qu'une « coïncidence ». Il connaissait pourtant fort bien le satiriste, qu'il va jusqu'à citer élogieusement dans une lettre à Valéry Larbaud, du 30 juin 1911 (p. 787) : recopiant deux vers de la troisième Satire, il en loue les « soyeuses allitérations », le « gonflement » final, catégories bien persiennes on l'avouera, avant d'écrire cette curieuse conclusion : « ils sont [ces vers] d'un poète calomnié : de ce Perse, trop soigneusement élevé par une femme, mais qui fut l'ami de ce Lucain que vous aimez. » Bizarre manière de situer familialement, et comme sexuellement, quelqu'un dont on se déclarera plus tard absolument distant. Le refus d'une mère trop aimante, l'appel émancipant à une double rivalité amicale (celle de Lucain, et par lui, à un autre niveau, celle de Larbaud) : il est bien difficile de ne pas reconnaître dans tous ces traits un fait personnel de projection.

Mais n'y a-t-il pas projection aussi à travers le pseudonyme, dans l'espace d'un, ou d'une autre *Perse*, l'entité historico-géographique cette fois, qui borne l'Asie sur son flanc ouest, comme la Chine, base d'*Anabase*, le faisait, de son côté, vers l'est ? L'accolement du pseudonyme avec le titre d'*Anabase*, qu'il est bien difficile de priver de toute sa mémoire culturelle, de neutraliser, comme le voudrait Perse, « jusqu'à l'effacement d'un terme usuel » (est-ce là, de sa part, un trait d'humour ?), oblige, bien sûr, à une réponse positive. Le nom est une autre manière d'occuper le lieu, et de l'ouvrir, allusivement, à la dimension ou à la direction de son départ. La *Correspondance* encore le confirme qui, en une lettre au Dr Bussière (p. 821), établit une similitude entre les « hauts plateaux d'Iran », les « heures d'écart et de vraie solitude » qu'ils accordent au voyageur, « avant le temps venu des grandes caravanes nocturnes » et la montée soudaine des « étoiles fraîches », et « l'immense carence », « l'insistance extrême du vide et de l'absence » qu'apporte à son rêveur le paysage chinois. La parenté analogique des deux termes tisse donc un autre lien entre le sol (biographique cette fois) d'où prend naissance *Anabase* et le pays où se fonde allusivement le pseudonyme. Ce pays, d'ailleurs, ne conserve ou n'appelle-t-il pas aussi en lui, indirectement, quelque chose du *prénom*, de l'ancien prénom perdu (et perdu dès le *Saint-Leger Leger* d'*Éloges*) ? D'Alexis à Alexandre, conquérant de la Perse, le glissement n'est pas difficile à opérer : il permettrait de lire ainsi dans le *Perse* final de *Saint-John Perse* comme un retour métonymique du prénom oublié ou refoulé (parce que trop intime), et réservé alors au seul service de l'identité privée et prosaïque, celle d'Alexis Leger.

Autre, et dernière « avenue de rêve », comme eût dit Bachelard, qui se dessine peut-être dans le nom : celle qui, à partir cette fois de sa définition signifiante, le renverrait par anagramme à l'un des personnages essentiels de la société persienne, le *prince*, et derrière lui à ce *père* qui semble bien hanter tout le paysage d'*Anabase* comme son acteur familial privilégié. Dans l'invention du pseudonyme il nous faudrait bien voir dès lors (ou *apercevoir*...) le délaissement scriptural du patronyme, mais sa récupération détournée aussi, la réassomption, littérale, de sa valeur ou de son sens qui est l'attachement à une lignée, ou même à une *ligne* paternelle, la revendication d'un père devenu sien, devenu *soi* (dirons-nous : un *père-soi*, un *père-se*, un *perse ?*...). Père-prince, en tout cas, dont on ne se contente plus ici de chanter l'Amitié, vers lequel on ne se satisfait plus, après la célébration de la mère trop grasse, impénétrable (et de sa menace castratrice : toutes les têtes de guerriers pendues à sa ceinture), de revenir, de remonter, comme à la source gonflée d'un fleuve (*Amitié du Prince :* une anabase fluviale et épistolaire vers le Père), mais auquel on s'identifie, dans une confusion calculée de l'acte et de la parole, dans un brouillage fusionnel aussi des voix diverses du poème, celle du *je*, du *nous*, de l'*âme*, de l'*étranger*, du *conteur* et du *poète*. Il faudrait alors reconnaître dans *Éloges* le poème d'un moment féminin de l'écriture : s'y prononcerait l'adhésion à une pureté de l'immanence, s'y chanterait la parole d'un consentement au divers et d'une sensualité d'avant la loi. *Anabase* ouvrirait ensuite l'épopée de l'identification au père, et donc de la coupure, du manque, de l'insatisfaction, de l'intervalle, mais de l'unité aussi, et de la quête, ou de la conquête, disons, ludiquement : de la *percée*...

Cette paternité perçante on peut l'y voir informer le poème selon une modalité double du désir : celle de la fondation d'abord, de l'assise, de la balance, de la loi, mais d'une loi toujours libidinale, et plus proférée ou accordée que vraiment obéie ; celle, inverse, de la violence, de la transgression, de la prédation, de l'équivoque, de l'aberration, mais d'une aberration elle-même secrètement réglée, et selon des « lois errantes »... Nomadisme et sédentarité : ce sont les deux versants ici d'une même fonction érotique et d'un même rapport au sol, au grand sol amoureux de la terre et de la société. Versants d'ailleurs qui renvoient moins au fait d'un partage qu'à celui d'une implication, ou d'une imbrication réciproques. Car le mouvement persien (ou « anabasien ») de la libido n'obéit pas plus au modèle névrotique (celui où la pulsion est tenue par l'interdit), qu'au modèle pervers (celui d'une pulsion sans retenue) : il répond plutôt à la formule d'un état singulier et presque inouï du désir, formule d'un rythme peut-être, ou d'une danse, celle que Perse déchiffre avec ravissement dans Pindare, et selon laquelle le moi se découvre « κατασχόμενος ριπαῖσι », « *retenu par ses impulsions* ». « Couple de mots ennemis », commente Perse, parfait oxymoron dont la beauté tient à ce qu'il nous dévoile peut-être le secret pulsionnel de toute contradiction verbale analogue, l'intention profonde de tout oxymoron. Mais cette possession dansante, cette maîtrise jouitive de l'objet n'auront sans doute été possibles qu'à partir de l'invention, puis de l'assomption, et comme de l'*habitat* d'un nom. Autrefois l'enfant d'*Éloges* vivait, sous les feuilles, sous les palmes, les plumes de l'îlot Saint-Leger, au contact charnel et léger de l'origine. Maintenant il est devenu comme le *Prince* honoré de l'*Amitié :* « Honneur au prince sous son nom... » « Ton nom fait l'ombre d'un grand arbre... » Tout *Anabase* s'écrit sans doute à l'ombre, sous l'arbre, dans le bruit, le « bronze » d'un tel nom.

Prendre le métro

Prendre le métro, ce n'est pas chez Céline un acte si fréquent : dans la grande mythologie de la vadrouille qui marque si fortement cette œuvre, d'autres moyens de communication peuvent sembler plus souvent choisis, train, bateau, tramway, autobus, ou même et surtout pieds, apparemment infatigables. Mais chaque fois que se produit la descente en métro, c'est dans un climat d'acuité passionnelle particulière, et avec de vives conséquences dramatiques. Dans *Guignol's Band*, par exemple, Ferdinand y supprime un certain Mille-Pattes, envoyé de son protecteur-père Cascade, sous l'œil de son autre père persécuteur, le policier Matthew. Dans *Nord* Céline s'y voit poursuivi par une horde de Jeunesses hitlériennes, avant d'y être conduit, en un renversement miraculeux de situation, vers son sauveur, le professeur SS Hauboldt. On sait d'autre part, et Henri Godard a minutieusement étudié, la place qu'en divers moments de son œuvre, dans sa *Correspondance*, mais surtout dans les *Entretiens avec le professeur Y*, Céline a attribuée au métro dans l'exposé de son art poétique, présentant le trajet métropolitain comme une allégorie du voyage en écriture et de la création littéraire elle-même. Voici donc un motif de toute évidence névralgique, malgré sa fréquence faible, et qui touche à divers niveaux de sens : il intervient dans la constitution du paysage (voyager en métro instaure un certain rapport spécifique avec l'espace, le temps, la matière, le mouvement); il appartient à l'ordre du fantasme (cette enfoncée dynamique dans le sous-sol de la ville satisfait à une libido particulière; elle y exploite une certaine figure du corps désiré, avec ses zones érotiques élues, la plus vivante y étant, comme si souvent ici, l'excrémentielle); il intéresse enfin le statut du texte, puisqu'il va jusqu'à le signifier. Pourquoi ne pas prendre dès lors ce motif comme un lieu choisi, un petit observatoire, si l'on peut dire, pour regarder (d'en bas!) la vérité célinienne ? Relisons les quelques textes que commande sa présence; tentons d'y dégager les phases de ce qu'on pourrait nommer, comme on parle ailleurs de *scène primitive*, la *scène métropolitaine* de Céline.

1. Premier moment : l'entrée, ou plutôt l'introduction, l'intromission. Le métro apparaît d'abord au promeneur urbain comme un trou, quelquefois agrandi en gouffre, qui bâille dans l'horizontalité du sol : y donnant accès à la profondeur d'une sorte de corps terrestre. Ce sous-sol béant s'ouvre bien souvent comme un abri; le persécuté célinien y découvre à plusieurs reprises le refuge où fuir un danger pressant. Ainsi, dans *Guignol's Band* Ferdinand, Delphine et Borokrom après l'assassinat de Van Claben :

> *Les gens nous regardent... tout le trottoir!... On a été vite... à la station, l'entrée « Stéphane »... ils s'engouffrent... le « Tube »... je radine... il prend les tickets... Voilà enfin! si-site! ouf! le compartiment...*

C'est un peu de la même manière que, dans *Mort à crédit*, Courtcial des Pereires s'enferme dans sa cave, comme en un giron maternel, pour y oublier, en une sieste « profonde », la poursuite de ses créanciers. Lieu tout autant fécal au reste que fœtal (et, peut-être, létal!) : ceci se dit explicitement dans l'épisode new-yorkais du *Voyage*, où l'entrée du W.C. souterrain — là même où se satisferont le « débraillage intime », la « formidable familiarité intestinale » de cette ville extérieurement si rigide et contraignante — se compare à l'entrée d'un métro. Et là encore l'angoisse de persécution, l'œil d'un policier fixé un peu trop longtemps sur Ferdinand, déclenche la fuite chthonienne...

> *Où qu'on se trouve, dès qu'on attire sur soi l'attention des autorités le mieux est de disparaître et en vitesse. Pas d'explication. Au gouffre! que je me dis.*
> *A droite de mon banc s'ouvrait précisément un trou, large, à même le trottoir dans le genre du métro de chez nous. Ce trou me parut propice, vaste qu'il était avec un escalier dedans tout en marbre rose. J'avais déjà vu bien des gens de la rue y disparaître et puis en ressortir. C'était dans ce souterrain qu'ils allaient faire leurs besoins.*

Par rapport à ce lieu littéralement excrémentiel le vrai métro, parisien par exemple, n'affiche son analité que par figure. Il se donne, métaphoriquement, comme l'organe essentiel de la vie intestinale, comme le « boyau », ou « l'égout » — à Londres, caractéristiquement le « Tube » — chargé d'assurer en lui l'accueil, puis le transit, et l'évacuation, toujours cachés, des foules citadines. Son entrée s'hallucine comme une sorte d'anus, d'anus avaleur, d'anus-bouche (correspondant, dans le *Voyage*, au dégoût inverse d'une bouche-anus [1]). Béance qui réabsorbe en elle la masse d'une matière humaine à demi fondue, défaite, prédigérée déjà avant d'arriver à elle, on voudrait presque dire : préfécalisée...,

> *... le métro avale tous et tout, les complets détrempés, les robes découragées, bas de soie, les métrites et les pieds sales comme des chaussettes, cols inusables et raides comme des termes, avortements en cours, glorieux de la guerre, tout ça dégouline par l'escalier au coaltar, et phéniqué et jusqu'au bout noir, avec le billet de retour qui coûte autant à lui tout seul que deux petits pains.*

L'intervention finale de ces *pains* vient confirmer de l'extérieur, et par détour, la nature essentiellement digestive du ruissellement métropolitain. Tous les éléments incorporés y portent la double marque du *dissous* (détrempé, découragé) et du *malpropre* ou du *manqué* (pieds sales, maladies, avortements). Mais l'essentiel y reste l'orientation spatiale de ce mouvement défectif lui-même : au lieu que, comme si souvent chez Céline, l'incontinence humorale s'y produise d'un dedans mal défendu du corps vers un dehors où elle s'épanche et s'éparpille (dans l'extase, alors, et la nausée, d'une dissolution quasi cosmique), le métro la fait oniriquement jouer *à contresens*, il l'oblige à prendre la forme, jouitive/infâme, d'un retour, d'une rentrée au sein d'un espace originel. Le fantasme si permanent de diarrhée, avec toutes ses notes si diverses de perte castratrice ou d'agression, s'y renverse dans le vertige d'une contre-naissance (ou d'une jouissance infâme). Et celle-ci se rêve érotiquement (se désire, se redoute) au lieu même où avait été sans doute imaginé l'acte de naître : dans le secret de l'abîme cloacal.

---

1. C'est, dans le *Voyage*, la bouche de l'abbé Protiste : « il avait des dents bien mauvaises, l'Abbé, rancies, brunies et haut cerclées de tartre verdâtre, une belle pyorrhée alvéolaire en somme... [...] J'avais l'habitude et même le goût de ces méticuleuses observations intimes. Quand on s'arrête à la façon par exemple dont sont formés et proférés les mots, elles ne résistent guère nos phrases au désastre de leur décor baveux. C'est plus compliqué et plus pénible que la défécation notre effort mécanique de la conversation. Cette corolle de chair bouffie, la bouche, qui se convulse à siffler, aspire et se démène, pousse toutes espèces de sons visqueux à travers le barrage puant de la carie dentaire, quelle punition! » Belle vision excrémentielle et autopunitive de l'énonciation, qui éclaire d'un jour neuf toute la mythologie célinienne du *parler*.

2. On entre donc dans le métro comme on revient vers quelque origine oubliée, quelque lieu, aussi, de sécurité première (*métro* c'est *mère* aussi). C'est là que le corps célinien peut espérer trouver la meilleure chance d'échapper au cercle de persécution qu'il a lui-même paranoïaquement projeté, agité, tissé, lié autour de lui. Et ce n'est pas hasard peut-être si cette angoisse de persécution, dont Freud a suggéré les fondements homosexuels, vient chercher sa rémission, d'ailleurs bien provisoire, au creux d'un espace anal.

Bien provisoire, oui : car entrer dans le métro, cela ne veut pas dire aller d'un seul coup au bout de son tunnel ou, comme le dirait Céline, de sa nuit. A peine est-on enfoncé dans ce « gouffre qui pue », repris dans cette bouche sale de « grand avaleur des fatigués », que, sous des formes différentes, la persécution repart. Sous un mode simplement topique d'abord, comme un malaise de désorientation. Où se trouve-t-on réellement dans ce lacis de tunnels entrecroisés ? Où est le chemin ? Et où l'issue ? A Berlin des milliers de voyageurs de toutes nationalités, de toutes langues y tracent ou retracent, inlassablement, les figures de leur perdition :

> *... ils butent!... s'entrecognent... bitte! bitte! pardon!... toutes les langues!... Lili demande pardon... Et La Vigue... je vais pas arrêter un de ces égarés pour lui demander où est* Grünwald ?*... quel bifu ?... notre changement ? ce quai est « pour » ?... on verra bien la rame venir ?... d'abord, ça doit être inscrit!... oh, un panneau!... et un immense!... au moins cent stations! en rouge et en néon!... toute la cohue dessous, cherche, ânonne... trouve! trouve!... trouve pas!*

Et puis, à côté de celle du labyrinthe (*bitte! bitte!* on y *bute* à chaque *bi*fur : honni soit qui mal y pense...), voici une deuxième souffrance de l'espace métropolitain, un mal plus dangereux encore : l'entassement. Dans le métro célinien il y a toujours trop de monde; le voyageur y est nécessairement inclus dans une foule dont la proximité, fût-elle indifférente ou neutre, ne lui laisse aucun espace personnel de liberté. On va donc se « faire comprimer dans le métro », on s'y retrouve, bien significativement encore, « comprimés comme des ordures »; on y étouffe, malaise qui apparaît tout spécialement dans *Guignol's Band*, ce grand roman londonien de la respiration impossible, de la brume, de l'asthme, de la dyspnée :

> *... On se trouve poussés dans l'ascenseur... étouffés entre les remous... tout de suite alors une inquiétude! [...] Enfermé comme ça dans cette boîte! je palpite! je palpite! un emballage abominable!*

... Nous voilà attendant la rame... comme ça pressés entre les gens. Je sais pas pourquoi ?... ils m'étouffent tous!... je peux plus respirer!... ils sont tous là contre!

Dans une telle angoisse de suffocation on voit bien que la promiscuité, d'abord ressentie seulement comme pression, tend à se muer persécutivement en poussée hostile, puis en agressivité franche et en attaque. Et certes cela est vrai de tous les espaces céliniens, bondés, bourrés, et dont le contenu chaotique ne cesse, en écroulements ou en bagarres, de recouvrir dangereusement les habitants. Mais le métro réalise de ce point de vue une sorte d'absolu de la clôture : et donc de la claustrophobie qui lui semble nécessairement liée. De là que l'angoisse du fermé puisse y prendre des aspects particulièrement redoutables. A Berlin par exemple la foule étouffante des personnes déplacées (déplacées : comme les parties toujours errantes, jamais réunifiables, d'un grand corps impossible) y devient peu à peu une horde de jeunes Allemands hitlériens accusant Céline, Lili et Le Vigan d'être des parachutistes canadiens, et les attaquant directement, de leur masse, voire de leurs dents :

... Je vois surtout la manière qu'ils se surexcitent, mômes et adultes, qu'ils vont nous déchirer vifs... pas question de filer, faufiler... il en arrive toujours d'autres, hordes sur hordes!...[...]... déjà j'ai une manche de partie! La Vigue aussi!... ils vont nous bouffer par les manches ?...

Mangé déjà par la bouche du métro, voici qu'on y retrouve à un autre niveau, plus profond, un grouillement de dévorateurs infâmes. Ainsi Mélanie Klein nous apprend-elle que, dans l'espace même du corps archaïque, et imaginairement pénétré, la première pulsion infantile peut retrouver la présence encore d'une foule de mauvais objets (fèces, pénis, frères éventuels), d'adversaires impitoyables, et celle surtout du seul rival véritable, le père, actif sous sa forme symbolique du phallus, ou dans la figure dynamique, monstrueuse, d'un couple de « parents combinés ».

Or c'est bien à une semblable image paternelle que se heurte finalement, chez Céline, l'errant métropolitain : image qui aiguise en elle toutes les possibilités d'un danger ressenti jusque-là, à travers la foule, de manière encore diffuse et plurielle :

Je me dégage... Ah! je me dégage!... J'avance de trois pas jusqu'au rebord du rail... Et là en face ? qui que je vois ? qui c'est qu'est là ?... là vis-à-vis ?... Ah! pardon! Ah! j'écarquille!... Son raglan!... son mou!... sa gueule!... Matthew là! Matthew!

209

là sur l'autre plate-forme!... Le Matthew qui nous gafe en plein!...
Mon sang fait qu'un tour!... Je respire plus!... Je bouge plus!...
je reste hypnotisé... Il me regarde!... Je le regarde!...

Grande rencontre, scène traumatique, chocs de regards, jouissance médusée : car Matthew, c'est le policier londonien qui n'a cessé, depuis le début de l'aventure, de poursuivre Ferdinand de sa vindicte sournoise, têtue, inexpliquée, celui qu'il fuit davantage encore depuis l'assassinat de son autre protecteur-père, l'usurier Van Claben... Et à côté de Ferdinand le petit nabot, « mille-pattes », qui est en train de le conduire, à quelle fin ? une punition sans doute, vers Cascade, l'autre personnage paternel, jusque-là généreux et tutélaire. D'un seul coup alors les deux figures, jusque-là clivées, du père, le bon et le mauvais, le flic et le mac, se réunissent dans l'éclair d'une sorte de conjuration essentielle. On était entré oniriquement, libidinalement, dans l'espace offert du grand corps archaïque, pour s'y abriter de la méchanceté universelle : voici qu'on s'y retrouve face au plus grand adversaire qui puisse être, celui qui vous refuse l'accès véritable à l'espace désiré, et à sa jouissance, et cela pour la simple raison qu'il l'occupe déjà lui-même. Comment dès lors *entrer* dans le métro, c'est-à-dire non plus dans la seule station, mais dans la rame, dans son mouvement, et dans sa volupté ? L'accès en est barré par cette autre statue du commandeur, et le voyageur se retrouve dans la même situation de frustration et de menace dont il avait cru pouvoir s'évader par la fuite souterraine. Avec la différence qu'il n'est plus désormais pour lui d'issue possible : voici, au même instant reconnu et refermé sur lui, le piège absolu.

3. Quelle issue le texte célinien va-t-il pouvoir apporter à cette angoisse ? Deux solutions sont, en deux moments essentiels de l'œuvre, élaborées et mises en scène, aussi radicales l'une que l'autre. Face à l'obstacle paternel interne peuvent s'inventer deux gestes de délivrance onirique : suppression, ou assomption. Ou bien le père sera concrètement tué (concrètement : sur le plan du fantasme, entendons bien), ce qui devrait laisser la voie libre pour une jouissance (infantile et régressive), mais il n'est pas sûr alors que celle-ci puisse continuer à se plier à une logique proprement métropolitaine. Ou bien le père est annulé d'une manière plus subtile, plus indirecte, en un retournement, quasi corporellement opéré, du rapport de filiation, ce qui permet cette fois l'embarquement direct dans le métro (un peu comme on parlerait d'un embarquement pour Cythère).

La première version s'écrit dans *Guignol's Band*, c'est celle de l'assassinat, version (archaïquement) œdipienne. A peine la rame a-t-elle débouché dans un bruit de tonnerre *(« Brrr Brrrroum!... Pfuuii! Pfuuii! »)* que, déplaçant la violence auditive ainsi subie en une pulsion inverse, de type musculaire et agressif, Ferdinand projette Mille-Pattes, messager et substitut de son « père » Cascade, sur les rails. Et la logique métropolitaine veut que l'instrument même de ce crime soit encore, anatomiquement, anal : « Plouf! un *coup de cul* moi que je l'envoie! le nabot! en l'air!... Le tonnerre déferle, passe dessus! Siffle! Sifflet! Siffle!... Ils hurlent tous! partout autour! Contre la voûte!... » Père tué sous le débordement et sous le choc (le cri, le sifflet, le hurlement, le débouché tonitruant) de sa propre giclée de jouissance... C'est comme si le meurtre fantasmatique avait seulement consisté à retourner sur elle-même l'une des données (mais Freud la dit essentielle : l'auditive, la bruyante, l'indiscrète) de ce qu'on peut lire ici comme l'équivalent d'une scène primitive. Et à partir de ce moment tout se renverse : Ferdinand s'échappe du métro pour prendre, littéralement, voluptueusement, son vol :

> *Je m'emporte en arrière moi tel quel! Je suis aimanté! c'est le cas de le dire!... positif!... Je suis soulevé!... J'ai plus de poids! Je pars!... Je suis happé par la sortie!... l'escalier! Je m'aspire!... Je m'envole!... [...] Je touche plus les marches comme je suis léger!... Je suis oiseau de peur!...*

Cette fuite en lévitation, dont l'euphorie érotique semble évidente, malgré la tonalité persécutrice qui continue à l'animer, aboutit jusqu'au consulat de France (mauvais père guerrier et assassin, qui repousse le héros), puis au personnage de Sosthène de Rodiencourt, nouvelle figure paternelle, nouveau maître (la devise du *métro* peut-être : « ni Dieu ni *maître...* »), à laquelle Ferdinand va choisir de se lier. Mais cette autre figure tutélaire relève d'un imaginaire, spatial surtout, bien différent de ceux auxquels nous avons eu affaire jusqu'ici : elle est non plus souterraine, mais aérienne, ascensionnelle, fluidique, engagée dans un projet mystico-financier de conquête de la « Fleur des Mondes ». Pour panorama matériel Rodiencourt n'a plus le souterrain infâme mais son opposé exact : le Toit du Monde, la hauteur d'Himalaya. L'accomplissement fantasmatique a complètement renversé ici les données originelles du paysage.

Dans *Nord* autre version de la même scène, peut-être plus surprenante, et plus avantageuse en un sens, car elle permet à son acteur de rester dans le métro, d'y voyager, et d'y arriver quelque part (là sans doute où, malgré l'apparence, il avait toujours voulu aller : chez le « père », dans la « maison du père »...). On se souvient comment Céline,

Lili et Le Vigan s'y étaient trouvés soumis à la pression dévorante, et déjà presque disloquante, de la horde persécutrice des jeunes hitlériens. Après un premier épisode où un adjuvant miraculeux, nommé Picpus (nom d'une station parisienne de métro), vient prendre leur défense et refouler momentanément les assaillants, l'attaque recommence et les défenses vont être submergées quand Céline se décide à accomplir l'acte magique, celui qui va retourner la situation :

> *Mais notre « adresse » ?... [il s'agit de celle du professeur Hauboldt, protecteur désiré, que toute cette expédition en métro vise à retrouver] je ne l'avais pas dans la poche, mais je l'avais fait coudre dans le fond de ma culotte... je l'avais montré à personne, je m'étais dit : pour le cas extrême... maintenant, un petit peu le cas extrême!... vous dire ma nature, me ressaisir à un poil de rien... là je me déculotte, brutalement... ils me regardent tous ce que je fais ?... j'arrache le fond... le bout de papier y est! et l'adresse!... je déplie, je leur montre...* Reichsgesundheitskammer! Professor Hauboldt, Grünwald, Sieger Allee 16...

Metro, c'est aussi le lieu où l'on *montre*, le lieu où l'on *se montre* (où l'on montre ce qu'on a en *trop* ? C'est-à-dire en fait ce qui vous manque ?). On lira en tout cas aisément dans ces lignes (à moins qu'on ne dise : *mais trop, c'est trop!*) l'allégorie d'une sorte de renversement (narcissique) de paternité. Son protecteur (son père sauveteur/persécuteur) Hauboldt, Céline ne le rencontre pas ici de l'autre côté du quai, il n'a pas à le précipiter sous les rails de la rame hurlante, il en produit lui-même l'apparition, et la présence, sous la forme d'un document secret dont la place, « dans le fond de la culotte », marque bien la qualité foncièrement, c'est le cas de le dire, excrémentielle... Céline crée ici son père, il le met au monde, ou au jour, analement, cela ne semble pas faire de doute, en un geste d'une grande violence exhibitionniste, d'une grande teneur pulsionnelle (« là je me déculotte, brutalement;... j'arrache le fond... »), mais d'une parfaite logique libidinale aussi, du moins si l'on se souvient de certaines équations freudiennes (l'équivalence enfant/pénis/fèces). Le fait que cet objet ait été si longtemps caché et retenu, non pas dans le corps, ni non plus hors de lui, mais dans ce lieu transitif qu'est le vêtement (et le vêtement anal, la culotte), n'est sans doute pas dénué d'ailleurs de signification (surtout quand on se souvient des incontinences décrites par exemple dans *Mort à crédit*). Et peu gratuite non plus, la modalité d'exhibition de l'instance paternelle : nominale (et sociale : le *nom* du père, avec la longueur germaniquement majestueuse de son adresse et de son titre), graphique (un document, un papier écrit, qu'il s'agira seulement de déplier et de lire). A travers ce document si triomphalement déféqué s'exhibe sans doute la liaison essentielle (et périlleuse, « extrême » dit Céline) du père, du nom du père, et de ce qui va devenir une pratique d'écriture [1] (une écriture excrétive, en son départ même : collée au corps, et pourtant détachée de lui, transitionnelle peut-être, selon la terminologie de Winnicott). En tout cas en redevenant fécalement, si l'on peut dire, le père de son père, et en s'affirmant en même temps le fils dévoué de ce fils-père anal, tout comme il est le père-fils de cette œuvre excrémentielle qu'il nous donne à lire, comme il l'est *par notre lecture même*, le Céline du métro berlinois retourne à son profit toutes les données de la situation dangereuse (et infantile) où il s'était laissé coincer :

> — Wollen sie uns nicht führen ? *« ne voulez-vous pas nous conduire ? » si!... si!... ja!... ja!... ils veulent bien!... ça doit leur paraître amusant... ja! ja! ja! ils savent par où c'est, eux, les mômes!... le couloir, le guichet, quel quai... y a qu'à les suivre!*

Les persécuteurs ainsi transformés en guides bénéfiques, le trajet se déroule avec la facilité d'un rêve : « on repasse par les stations, les mêmes... et puis on change, une fois... deux fois... comprimés, pressurés, mais pas tant... ah, voici *Grünwald!* tout le monde dehors!... » Céline et sa troupe sortent alors du métro et arrivent chez le professeur Hauboldt, maître d'un QG à nouveau souterrain!, qui va, durant deux cents pages de texte, leur accorder sa protection.

4. Mais il faut en revenir au métro lui-même, à ses véhicules en mouvement, pour y reconnaître d'un peu plus près le type de plaisir qu'y éprouve l'homme souterrain. Les textes ici invoqués n'appartiendront plus, ou plus seulement au corpus proprement romanesque, ils seront tirés de la *Correspondance*, ou des écrits où Céline tente de définir les

---

1. Il existe, chez Céline, d'autres rapports de l'écriture et du lieu anal. Il peut arriver que la phrase, ou la formule, s'inscrive directement sur l'arrière-train, sous forme alors de *tatouage*, et que celui-ci soit exhibé, triomphalement et moqueusement à la fois, dans une intention de séduction. C'est ce que fait Cascade, dans *Guignol's Band*. Pour consoler sa femme Carmen, blessée d'un coup de couteau dans la fesse, il se déculotte et lui montre son propre arrière-train, avec la marque qui s'y trouve dessinée : « Une idée!... Il baisse tout son froc, qu'on voye bien!... Il nous montre sa lune!... qu'il est tatoué sur les deux fesses!... celle de droite avec une rose... celle de gauche une gueule de loup!... Une gueule des dents longues comme ça!... et puis au-dessus... "Je mords partout!" écrit tatoué vert... On peut pas dire que c'est pas drôle!... » L'écrit tatoué qui parle directement ici le fantasme (sexe denté, gueule/fleur, avec sa séduction/danger) naît au lieu même où s'en enracine la structure (chez Céline, l'anale) : dernière enveloppe, première parole du corps désirant; architrace, égalée à une sorte d'archisexe.

213

fondements de sa propre pratique littéraire. On sait qu'il le fait de préférence à travers la métaphore du métro-écriture, où s'exhibe selon lui l'essence tout « émotive » (pouvons-nous dire, d'après ce qui précède : « pulsionnelle » ?) de sa création. Henri Godard a bien montré comment cette métaphore se déploie et se « file » dans les divers textes d'une « poétique » célinienne. Il faut la voir en effet se développer à travers les niveaux (deux explicites, un implicite) d'une triple isotopie : voyager/(jouir)/écrire.

Quels sont les différents éléments communs à ces trois étages signifiés ? Où s'y disposent les « nœuds » de la métaphore filée ? Le premier tient au sème d'*enfoncement*, déjà plusieurs fois reconnu, mais qui joue ici en une opposition quelque peu nouvelle du superficiel et du profond. On dira que le désir onirique s'enfonce au creux d'un corps archaïque *comme* le voyageur métropolitain descend au sein de la profondeur terrestre, et *comme* l'écrivain pénètre le corps d'une langue, de sa langue « maternelle », dans son passé retrouvé, ou dans sa familiarité vivante, pour y lancer le mouvement, interminable, de ses phrases :

> ... *la Surface est plus fréquentable!... la vérité!... voilà!... alors? J'hésite pas moi!... c'est mon génie! le coup de mon génie! pas trente-six façons!... j'embarque tout mon monde dans le métro, pardon!... et ça fonce avec : j'emmène tout le monde!... de gré ou de force!... avec moi!... le métro émotif, le mien! sans tous les inconvénients, les encombrements! dans un rêve!... jamais le moindre arrêt nulle part! non! au but! au but! direct! dans l'émotion!... par l'émotion! rien que le but : en pleine émotion... bout en bout!*

Le choix du parcours profond signifie donc, à tous les niveaux de la métaphore, celui de la voie la plus libre et la plus dégagée, celle qui, dans le corps comme dans la phrase, écarte toutes les exigences (codifications, interdictions, retards) du principe de réalité pour obéir à la seule loi d'un plaisir, et aller, comme le dit si bien Céline, droit au but [1]. La séduction propre du métro, allégorique ici du « charme »,

---

1. Quel est ce but ? Comment se nomme-t-il ? Le texte ne le signifie que sous le concept d'*émotion* ou de *rendu-émotif;* mais une analyse menée sur le signifiant, qui ferait entrer en jeu l'étude anagrammatique du mot, et plus spécialement du *nom propre*, poserait peut-être ici quelques jalons intéressants. Est-ce gratuit, ou insignifiant par exemple que Céline aille d'abord en métro de *Montparnasse* à la *Villette*, puis, en une deuxième version, de *Montmartre* à *Montparnasse*, enfin, dans les *Entretiens avec le professeur Y*, de *Pigalle* à *Issy* par le « *Nord-Sud* » ? Peut-être... Pourtant l'opposition *Montmartre/Montparnasse* établit une équivalence forte dans le sens possible de verticalité *(mont)* et/ou de possession *(mon)*,

de la « magie » de l'écriture, c'est la rectitude glissante de ses rails, c'est le lisse d'un trajet où le voyageur libidinal se sent à la fois guidé et emporté, comme en un rêve. Mais ce rêve reste un éveil : le déplacement souterrain s'y affecte toujours d'électricité (les « boyaux électriques » du métro, dit Céline), ou, organiquement, de « nervosité ». L'avancée s'y opère en une suite de petites secousses (« ça cahote [...], ça bahute sur ces petits wagons... c'est brusque... c'est nerveux ») qui miment sans ambiguïté le rythme d'une jouissance. Et la phrase de même se hache, halète, se fait trépidante, ou indéfiniment égrenée : voilà la fonction des fameux points de suspension, chargés de couper le flux de l'écriture, mais aussi, à en croire Céline, de le poser et de l'enraciner, grâce à cette coupure même, en une base pulsionnelle :

> — *Mes trois points sont indispensables!... Indispensables bordel Dieu!... je le répète : indispensables à mon métro! Me comprenez-vous Colonel ?*
> — *Pourquoi ?*
> — *Pour poser mes rails émotifs!... simple comme bonjour!... sur le ballast!... Vous comprenez ? Ils tiennent pas tout seuls mes rails!... Il me faut des traverses!...*
> — *Quelle subtilité!*

Subtilité d'un mouvement assuré, tenu par ses « traverses » mêmes. Mais à partir de là se développe une véritable mythologie de l'écriture, qui est aussi une fantasmatique de la création (de l'auto-création). Écrire, cela reviendrait, selon Céline, pour Céline, à parcourir sans arrêt, sans perte, sans débouché véritable (sans fin, sans mort : chaque livre se prolongeant en un autre livre), et peut-être aussi sans origine (sans naissance, ou en se donnant à soi-même sa naissance : écrire, c'est avoir toujours déjà écrit), mais avec la complicité narcissiquement réclamée de tous les hommes et de toutes les choses, de tout l'Objet, en somme, triomphalement récupéré (« Et toute la surface avec moi! Hein ? toute la Surface! embarquée, amalgamée dans mon métro! tous les ingrédients de la surface! toutes les distractions de la

---

comme si le trajet souterrain devait relier deux lieux *hauts* et *miens*..., avant de faire s'y répondre *(-mar, -par)* deux allusions phoniques possibles aux rôles parentaux. Dans *V*illette et dans *P*igalle on entendra des échos d'objets phalliques ou urinaires (autour du personnage du professeur Y d'ailleurs le *pipi*, le *pisser* ruisselle, obsessionnellement, et textuellement). Et *Issy* ne pourrait-il s'écouter encore comme un *ici*, comme l'espace énonciateur où *arrive* la pulsion du métro-écriture, ici même où s'écrit ce texte ? Pour ce type de remarques pas de preuves bien sûr, ni de sanction... En revanche la direction *Nord-Sud* correspond à un axe célinien bien reconnu, vivement valorisé, qui organise de multiples manifestations de paysage et de narration.

surface! de vive force! je lui laisse rien à la Surface! je lui rafle tout... »),
à parcourir, disais-je, la continuité, verbale-corporelle, d'un seul long
boyau [1].

1. L'érotisme excrémentiel de l'écriture, ici lisible au niveau de sa dynamique
interne, s'aperçoit aussi dans un imaginaire, tout corporel, de la *posture :* « Tu
sais j'écris comme un médium fait tourner les tables, avec horreur et dégoût.
Je n'aime pas, je n'ai jamais aimé écrire. *Je trouve d'abord la posture grotesque.*
Ce type accroupi comme sur une chiotte en train de se presser le ciboulot, s'en faire
sortir sa chère pensée! quelle vanité! quelle stupidité! Ignoble! Je ne m'en excepte
pas » (in *Valsez saucisses,* d'A. Paraz, p. 318). L'attitude écrivante, celle de la
contraction expressive (mais du repli aussi, avec l'appel à une intériorité mentale,
viscérale, voire spirituelle : les « tables tournantes »), s'oppose douloureusement
ainsi à toutes les euphories céliniennes de la danse ou de l'envol, du dépliement
musculaire, de la « légèreté ».

Mais cette légèreté elle-même, il faut bien voir qu'elle se fantasmait comme
une sublimation très spécifique de l'anal. Tout tourne peut-être ici autour d'un
rapport complexe à l'*argent,* dont on sait la valeur symbolique. Dans *Guignol's*
Band, par exemple, l'usurier Van Claben meurt d'avarice, et de *lourdeur :* il ne
peut expulser, ni vomir ni déféquer, un tas de pièces d'or qu'on lui a fait avaler
de force... A New York n'est-ce pas en revanche le luxe américain, la maîtrise
générale de l'or qui, après l'épreuve cathartique des W.C. souterrains, transforme
toutes les femmes en des sortes de déesses aériennes ? Chez Céline lui-même le
rapport à l'écriture s'affiche obsessionnellement dans le voisinage de la vie à
gagner et du souci, comme on dit, alimentaire. Écrire, n'est-ce pas la meilleure
façon de *faire de l'argent ?...*

Ce rapport de la pulsion anale à la maîtrise esthétique, ce lien (plus ou moins
médiatisé) de l'excrément à la beauté, on en verra un merveilleux exemple, à la
fin de *Casse-Pipe,* dans la voltige du capitaine Dagomart. Alors que la troupe
des cavaliers vulgaires culbute ignoblement dans le crottin, « chavire en vrac à
travers les sciures » (qui sont aussi des chiures), Dagomart (*dague, braquemart,*
mais *Dagobert* aussi peut-être, archétype ironique de toutes les « culottes de
peau » de la vie militaire), Dagomart donc extirpe de sa poche « une pièce de deux
ronds... Il nous la fait voir... Il se la coince sous les fesses... ». Ayant ainsi rendu
le symbole à sa source libidinale (et formelle aussi : des « deux ronds » de la pièce
à ceux des fesses!), il l'utilise en quelque sorte de l'autre côté, sous son autre
face, pour symboliser le dépassement de la pulsion, ou son achèvement glorieux
en art. Car Dagomart saute, ou plutôt il s'envole au-dessus des obstacles, sans
jamais faire retomber la pièce, puis il s'en va : « il part dehors, on le voit là-bas,
trottiner loin, disparaître, dans la lumière crue... *Il est bouffé par le grand jour.* »
La qualité symbolique de l'argent apparaît clairement ici à travers une problématique du *tenu,* du *non-lâché,* de l'art comme maîtrise musculaire, gestuelle,
de l'anal (ce cavalier est l'équivalent viril d'une danseuse), comme victoire donc
obtenue sur la lourdeur fécale (et animale : le cheval, ce nœud de rage, de nuit
pulsionnelle), comme faculté aussi de s'en délivrer, de s'en détacher librement.
Car à la fin de son exercice, en une sorte d'autocastration dédaigneuse et exhibitionniste, Dagomart « reprend la pièce dessous les fesses... Il la rejette au loin
derrière lui... ».

Comme tout à l'heure le nom du SS Hauboldt la pièce de deux sous est ainsi
restée fixée, *de loin,* sous la culotte de l'artiste, avant de s'en détacher pour le
glorifier. Le contrôle provocant de ce qu'il *pourrait perdre par le bas* (un véritable

5. Profond, direct, rythmé, ce parcours, Céline y insiste fortement, n'est pas sans risques. Dans les wagons du métro le danger de vitesse s'accroît de l'angoisse de la surcharge humaine, du bourré : on y reste dans la perspective d'un déraillement toujours possible, avec un avenir obsessionnel de corps écrasés et disloqués. Cette éventualité désastreuse se répète fidèlement au niveau comparé de la métaphore : la phrase, ce « métro-tout-nerfs-rails-magiques-à-travers-trois-points », déroule son procès en un enchaînement si brutal et si délicat à la fois d'intensités que la moindre erreur l'expose à la catastrophe (le manque à jouir, l'émotion ratée) :

> *Pour un rien du tout... vous crevez tout : ballast! voûtes!... un souffle! une cédille!... à culbuter! mille à l'heure! votre récit verse! déraille! votre rame laboure! c'est l'écrabouillure très infecte! honteuse! vous et vos 600 000 lecteurs! satané sinistre! pour un souffle! sur un souffle!... en bouillie...*

Spectaculaire reflux d'agressivité (on en notera la marque toujours si caractéristiquement anale : *cul*buter, écrabouillure, infecte, bouillie...) dans ce qui s'affirmait comme le comble esthétique d'un plaisir.

Cela s'explique peut-être par la nature même de la sublimation, qui ne réussit chez Céline, chez d'autres sans doute aussi, voire chez tous, qu'à la condition de conserver en ses produits des traces très actives, donc toujours dangereuses, de la pulsion primitive transformée. Il serait aisé par exemple de montrer que la musique, la « petite musique », cet autre comparant célinien de l'écriture, ne sublime en elle l'expérience originelle et vulnérante du bruit (songeons au *pshuii!* métropolitain...) qu'à la condition d'en conserver les caractéristiques les plus immédiatement émouvantes. La qualité percussive, le syncopé rythmique, l'éraillé ou le hurlé vocal sont les modalités artistiques selon lesquelles le trauma auditif s'informe, s'esthétise, tout en continuant, sourdement, mais délicieusement, à déchirer. Il en est de même de l'écriture métropolitaine. Son équilibre propre n'atteint au « rendu émotif » qu'en ménageant en elle l'espace d'un déséquilibre permanent. La forme artistique n'y informe en somme la pulsion que dans le

---

défi anal, qui fonde peut-être ici une hiérarchie) lui permet alors de se perdre *par le haut*, de l'autre côté de son corps, dans l'ouverture, la *bouche* d'une grande instance lumineuse et primitive : « Il est bouffé par le grand jour. » La maîtrise anale permet donc l'émergence d'une forme, qui tend à se réincorporer aussitôt à un autre niveau ou plutôt à se perdre, *extatiquement*, dit Céline, dans l'absolu d'un *non-formé*, d'un *léger*, ou d'un *vibrant*. Trajet exemplaire sans doute d'un lieu de jouissance à l'autre, d'un trou anal à un infini solaire. A se demander si Ferdinand ne fut pas, peut-être, notre président Schreber.

jeu et sous la pression d'une déformation toujours présentée comme possible.

Et c'est sans doute la conscience de ce besoin (ou le désir, peut-être, d'en contrôler encore, et comme au second degré, la satisfaction — à moins que ce contrôle lui-même ne soit comme un autre jeu, un autre déguisement de la pulsion...) qui dicte à Céline sa tactique d'écriture. Celle-ci consiste, à travers la pratique maintenue d'une invention réglée, normée (rythmée par la « petite musique », par les pouvoirs de l'allitération, par les lois respectées du code romanesque), à laisser ses chances à la rupture : mais à une rupture prévue, et comme organisée, ou même programmée dans le projet d'écrire. C'est ce qu'expose, en termes métropolitains encore, la théorie des rails « profilés », ou « bizeautés » :

> *Exprès profilés!... spécial! je les lui fausse ses rails au métro, moi! j'avoue!... ses rails rigides!... je leur en fous un coup!... Il en faut plus!... son style, nous dirons!... je les lui fausse d'une certaine façon, que les voyageurs sont dans le rêve... qu'ils s'aperçoivent pas... le charme, la magie, Colonel, la violence aussi!...*

Dans ces « rails tout à fait spéciaux, des rails tout à fait droits et qui le sont pas!... que vous avez, vous, bizeautés!... vous-même! d'une façon tout à fait magique!... vicieuse!... », ce sont bien finalement le vice et la torsion qui assurent la qualité directe de l'élan. La réussite « émotive » du discours se fonde ainsi sur un mixte de sublimation et de déviance, de déviance maintenue dans la sublimation, de « charme », dit Céline, et de « violence ». Ce qui amène l'artiste à préserver dans la forme sublimante, sous les signes d'une cassure, ou d'une « fausseté » guidées, un peu de l'agressivité même (de la subversion, du flux, de la douleur, de l'autopunition) que la sublimation avait eu pour travail de dépasser et de reprendre.

La pratique littéraire, explique ailleurs Céline en une autre allégorie favorite, ressemble en cela à l'art pictural impressionniste qui, « avant de plonger un bâton dans l'eau », entendons dans la lumière, dans la visibilité, prend soin de le rompre pour y « corriger » à l'avance « l'effet de réfraction » et lui donner, en dernière vision (celle du tableau), l'air droit. La rectitude du représenté (du signifié) se machine ainsi à travers sa cassure (signifiante) même. Sur le plan du fantasme on dira peut-être qu'une satisfaction phallique/narcissique se réalise ici à travers une parodie de castration. C'est bien la même chose qui se cherche, en une problématique anale cette fois, à travers l'acte d'écriture. Lire « fidèlement » Céline, ce serait donc se rendre particulièrement sensible à tous les effets de « réfraction », de « torsion », de « profilement », de « bizeautage » dont son texte est si prodigue : effets de parodie par exemple, ou de transposition. Et parmi eux le plus actif, le plus nouveau aussi, le plus pervers, celui qui bouleverse les normes de la langue écrite pour ramener le discours à la violence désirée de l'oral, au charme de la voix, mais d'une voix *écrite* encore, et non transcrite, destinée à être non pas parlée, mais entendue, mais *lue* (ou parlée par le seul regard lisant), et dont toute la force d'attaque pulsionnelle, le *punch* si spécifiques tiennent peut-être à ce déplacement même, à ce détour, ou ce détournement... Comme le Dieu du *Soulier de satin* le roman célinien s'écrirait ainsi tout droit en lignes torves. En lui ce serait le dévoiement (le génie dévoyé, l'art voyou) qui assurerait le voyage. A nous de l'imaginer, avec le colonel Y, comme une sorte de déraillement contrôlé, comme une manière de tenir, c'est-à-dire aussi d'entretenir l'incontinence. Rien d'étonnant si le désir s'en lie, à travers le fantasme métropolitain, aux figures élues de la grande vibration excrémentielle.

Mots de passe

Casse-Pipe : cent pages, le premier chapitre d'un roman perdu, prélude peu connu, mais fulgurant d'une fiction qui était la plus extrême peut-être, la plus pure de l'œuvre célinienne. Ce qui s'y raconte, c'est l'histoire, à tous les sens du mot, d'une *incorporation*. Nous y retrouvons, après ses calamiteuses aventures de *Mort à crédit*, le héros célinien, Bardamu, engagé dans l'armée : introduit donc, ou en voie d'introduction plutôt dans le corps de l'institution militaire, de la cavalerie lourde, un régiment de cuirassiers basé dans la nuit, le vent, la pluie quelque part du côté de Rambouillet. Son intromission a valeur physique aussi, et sociale : elle se donne comme entrée dans un certain espace clos, pénétration du corps étendu d'une caserne (des corps successifs qui s'y ouvrent devant l'entrant : corps de garde, cours, écuries, poudrière), admission, enfin, dans le ou les groupes humains occupant ces divers lieux. L'engagé devra être reçu, inscrit comme soldat, reconnu par des chefs (un brigadier, un maréchal des logis), accepté par des camarades, intégré, en somme, à un ensemble social, une escouade dont il partagera toute la nuit la déambulation. Mais derrière ce vœu d'une triple intégration, spatiale, humaine, institutionnelle, se lit aisément le désir d'un autre corps encore, d'un corps charnel cette fois, originel, tout maternel, dans lequel le héros ne cesse de rêver régressivement le calme d'un retour, l'issue d'une reprise. Incorporation fantasmatique donc aussi, incestueuse, dont toutes les péripéties de l'histoire ici contée ne font sans doute que moduler l'urgence, et l'échec. Incriminera-t-on la banalité d'un tel fantasme, et du schéma narratif qu'il a pour fonction de soutenir ? Deux éléments lui donnent pourtant ici une acuité particulière : la crudité et la cohérence avec lesquelles il se parle, le lien qu'il entretient avec un problème spécifique du langage. Tout *Casse-Pipe* agite en effet, et agit la question du nom, et celle du prénom, l'énigme du mot échangé, ou « mot de passe », le problème aussi (mais c'est le même) du pseudonyme, c'est-à-dire du procès en vertu duquel tout texte littéraire tend à produire son auteur, à la limite à le nommer : à s'inventer, en somme, un signataire.

Revenons au point de départ du texte, et de l'aventure qui s'y conte. Comme souvent chez Céline l'accès (signifiant) à l'écriture coïncide avec la pénétration (signifiée) d'un lieu. Mais comment *entrer* dans la caserne ? Bardamu s'est longtemps arrêté devant la grille, « une grille qui faisait réfléchir, une de ces fontes vraiment géantes, une treille terrible de lances dressées comme ça en plein noir ». Il y a éprouvé l'inquiétude de l'énorme *(géantes)*, celle aussi de la massivité matérielle (cette *fonte* dont l'effet s'anticipe phoniquement sur le *f*aisait ré*f*léchir), le malaise encore de l'enchevêtré (la *tr*eille *terr*ible, avec l'amplification phonique du *tr* vibratoire), l'angoisse enfin, soulignée et comme partagée par un vague geste déictique *(comme ça)*, du surgissement menaçant et agressif (les lances *dressées* en plein noir).

Mais le factionnaire de guérite permet un premier passage. Il pousse le portillon avec sa crosse, et prévient « l'intérieur » :

— *Brigadier! C'est l'engagé!*
— *Qu'il entre ce con-là!*

Parfait exemple d'une de ces formules que les logiciens de l'information nomment aujourd'hui *injonction paradoxale*, ou, sous sa forme américaine d'origine, *double bind* (double lien, double contrainte). Ce terme définit, on le sait, un ordre en soi contradictoire, et tel qu'il constitue, pour celui à qui il s'adresse, une impasse structurelle, un piège sans issue. S'y rencontrent divers caractères spécifiques : l'urgence par exemple de la situation dans laquelle l'ordre est émis, urgence qui exige du récepteur une réaction nécessaire (impossible de se réfugier dans l'abstention); le refus par l'émetteur de toute métacommunication, de tout commentaire explicatif de l'injonction (ce qui pourrait en dénoncer, au moins partiellement, le paradoxe); le fait enfin que les deux actes commandés se situent à deux niveaux différents d'abstraction (ce qui empêche d'établir entre eux aucune solution de compromis, aucun refoulement de l'un par l'autre : le *double bind* exclut le symptôme, refuse la névrose). Parmi les exemples canoniques de double contrainte on citera la formule de la liberté forcée (« Je t'ordonne d'être spontané »), ou celle de l'identification œdipienne (Du père au fils : « Sois comme moi *et* ne fais pas comme moi »; « sois un homme *et* ne couche pas avec ta mère »).

On reconnaîtra sans mal dans la réponse du brigadier *(Qu'il entre ce con-là!)* un type achevé d'injonction paradoxale : un ordre rendu inapplicable par la manière même dont il est proféré. Il faut entrer *(Qu'il entre)*, mais l'insulte *(ce con-là)* désigne en même temps *(ce, là)* et repousse de toute sa force l'entrant obligatoire. Impossible de s'abstenir, de rester sur le seuil. Impossible aussi de discuter : toute la discipline militaire enclôt le conscrit dans le silence, la suite de la fiction le montre bien. L'ordre, enfin, scinde son destinataire en deux niveaux logiques d'existence : l'*engagé*, l'être militaire, qui doit entrer, l'homme, ce *con-là*, qu'exclut toute l'énergie du discours institutionnel (et secrètement sans doute paternel). Ce premier paradoxe ne fait d'ailleurs qu'ouvrir une longue suite de formules allant dans le même sens, ou le même non-sens, formules identifiables à la limite avec tout le discours parlé de *Casse-Pipe*. A travers le torrent d'insultes promu, nourri, vomi alternativement, ou successivement, par tous ses petits porte-parole (tous les porteurs aussi de hiérarchie), l'armée se donne à la fois comme l'être auquel il faut absolument s'intégrer (pour être un homme), et comme celui qui vous refuse non moins absolument, vous dresse, vous punit, vous blesse, vous castre de mille manières (parce que vous êtes une femme, ou pour que vous en deveniez une...). L'accueil et le rejet s'y dessinent dans les mêmes gestes, s'y parlent, ou plutôt s'y hurlent dans les mêmes paroles. Le va-et-vient de la paranoïa persécutoire, si fort chez Céline, avec son alternance sans fin d'introjections et de projections, d'attaques subies et infligées, s'y fige dans la stase d'une seule fureur vibrante. Il arrive même que chaque terme de l'injonction paradoxale semble vouloir se mettre, absurdement, comme *au service de* l'autre : c'est par l'agression que l'on devra être intégré; et l'on ne pourra s'intégrer, inversement, qu'au pur mouvement d'une agression. Cette aporie ne se tranchera ou ne s'opérera qu'à un autre niveau, l'esthétique, par l'extraordinaire réussite du texte célinien: par la calme, *et* rageuse beauté de *Casse-Pipe*.

Mais regardons de plus près la formule déchirante *(qu'il entre ce con-là!)* : et nous verrons comment sa littéralité insiste encore, appuie sur sa qualité de paradoxe. Car de part et d'autre du foyer signifiant de la séquence (*entre*, dont la cellule consonantique *tr* se diffuse, dans le voisinage, en une chaîne phonico-sémique assez claire, liant des termes tels que *ordre de route, guérite, écrite, portillon, intérieur*), le début et la fin de l'injonction, ses deux lieux névralgiques, on le sait, entrent en exact écho sonore : *qu'il en* et *con-là* réitèrent la même unité consonantique *Kl*, qu'ils modulent selon un vocalisme nasal analogue (qu'il *en*, *con*-là). L'isophonie entraîne isosémie, mais isosémie portant sur deux éléments, on l'a vu, sémiquement incompatibles... D'un autre côté le fait syntaxique du rejet du sujet, si courant chez Céline, et bien analysé par Spitzer, semble marquer comme une chute de niveau sémantique, une petite retombée dévaluante entre les deux termes par ailleurs égalisés. Ce nœud littéral de relations se complique encore si l'on y fait intervenir la première partie du dialogue injonctif, occupée par les paroles du factionnaire : « *Brigadier! C'est l'engagé!* » Car le syntagme *c'est l'engagé* forme couplage avec la suite *ce con-là :* la position terminale dans le discours des deux interlocuteurs s'y conjugue avec un riche écho phonique (sifflante initiale répétée; groupe *Gl* aussi réitéré, avec modulation de la sonore à la sourde K; variation de nasale du *en* d'*engagé* au *on* de *con*-là) pour établir, ici encore, une forte égalité de sens entre le concept d'engagement et celui de connerie. « S'engager, quelle connerie! », c'est là toute la moralité implicite de *Casse-Pipe :* une leçon qu'il n'est pas besoin de conforter par le jeu d'une éventuelle anagramme *(C'est l'engagé : Céline...)* pour le rapporter à l'auteur nommé, ou du moins au scripteur, pseudonyme, de ce texte.

Comment échapper, donc, à la pression de la double contrainte? Par l'invocation, peut-être, d'un ordre issu d'une autorité supérieure au niveau qui est le sien. C'est ce qui se passe en effet ici avant le moment même de l'entrée, quand le héros se présente devant la grille avec sa convocation officielle, pièce qui semble devoir lui ouvrir impérativement les voies de l'espace comme la disposition du temps : « L'ordre de route, je l'avais dans la main... L'heure était dessus, écrite. » Mais ce sésame manuel ne vaut que pour le franchissement du premier obstacle. Il faut ensuite que Bardamu se fasse inscrire sur le registre officiel du corps de garde, c'est-à-dire reconnaître par l'autorité devant laquelle il se présente sous le prénom et le nom qui sont les siens. Or cette consécration bureaucratique du patronyme qui, moyennant certes une abdication essentielle, une acceptation de tous les sévices à venir, marquerait l'entrée dans un nouvel ordre symbolique, et dépasserait donc d'une certaine façon l'aporie de l'injonction paradoxale, semble être extraordinairement difficile à obtenir. « Le brigadier il avait du mal à ouvrir ma feuille... Elle lui collait entre les doigts... puis à lire mon nom. Fallait qu'il recopie sur un registre... Tout ça c'était très ardu... Il s'appliquait scrupuleusement. » Mauvaise humeur des matières, engorgement excrémentiel de l'objet (le porte-plume s'écrase bientôt en un « pâté »), maladresse presque hystérisée du corps (le brigadier copie « toute langue dehors »), voilà bien des obstacles mis au simple enregistrement du nom.

Et la situation s'aggrave encore quand ce nom (jamais d'ailleurs prononcé dans toute l'étendue de la fiction) doit être lu et consacré, on voudrait presque dire *consigné* par le plus haut porteur officiel d'autorité, le grotesque substitut paternel qu'est ici le maréchal des logis Rancotte :

> *Malheur! qu'il s'exlame... Fernand ? Ferdinand ? fils d'Auguste...*
> *né Auguste... mon canard! Maréchal des logis Rancotte... fils*
> *de Rancotte, adjudant trompette, 12ᵉ dragons. Ça te la coupe,*
> *hein, fayot ? Enfant de troupe... Oui, parfaitement. Enfant de*
> *troupe. C'est clair... C'est clair... C'est net! ça! merde! Auguste...*
> *assurances... employé... voyez-vous ça ? l'Assurance ?... qui c'est*
> *l'Assurance ? Connais pas l'Assurance moi! Ah! Hein! Qu'est-ce*
> *que ça branle l'Assurance ? Vous êtes prétentieux! mon ami!*
> *prétentieux! Audacieux! Oui! Hein! Moi Rancotte! Vous avez*
> *compris ? Fixe! Repos! Garde à vous! Talons joints! Talons*
> *joints! La tête dégagée des épaules! là! Fixe!*

Ce qui est incriminé ici, et repoussé, avec quelle vigueur (une parole si violente, si tendue qu'elle ne peut atteindre au comble de sa prédication qu'à travers un silence, et musculairement : dans l'hystérie projetée du geste réglementaire, dans la raideur d'un *fixe*, d'une catatonie) c'est en fait le manque de netteté du patronyme (sans doute du patronyme romanesque : Bardamu). Cette incertitude se symbolise, par dénégation, et par métonymie, dans le signifiant qui désigne le métier paternel, *les assurances*, bientôt renforcé d'une majuscule et singularisé en *Assurance*. « Prétention », en effet, « audace » que d'être si assuré de son origine paternelle... Et métier vide par ailleurs, qui ne « branle » rien, qui n'assure érotiquement, virilement, la possession d'aucun objet réel. Si puissante fantasmatiquement cette *assurance* qu'elle contrôle, par anagramme, le surnom dont sera affublé dans toute la suite du texte le conscrit : le *russe*, ou l'*ours*... Face à cette sécurité insolente et suspecte, le maréchal des logis Rancotte a beau jeu de trompeter, c'est le cas de le dire, la franchise de sa propre filiation : indiscutable celle-ci, tranchante, « coupant » toute objection, parce que jamais sortie des cadres de cette institution essentiellement masculine qu'est l'armée. A l'abstrait d'une généalogie bureaucratique ou mercantile (« Qui c'est l'Assurance ? Connais pas l'Assurance moi! ») s'oppose ainsi la certitude, la caution toute concrète de « l'enfant de troupe ».

Mais Rancotte est-il si sûr en réalité (dans sa réalité inconsciente) de son origine et de son nom ? Bien des détails du texte sembleraient nous prouver le contraire, ne seraient-ce que l'extrême extension, voire que la diffusion de paternité inévitablement suggérées par l'expression : « enfant de troupe »... Un peu plus tard dans le déroulement de l'histoire Rancotte harcèle bizarrement, et comme compulsivement Bardamu pour lui faire répéter son nom :

> *Alors, dis donc un peu, truffe, comment que je m'appelle ? Hein, dis voir tout de suite, malotru ? Comment que je me nomme ? Un! Deux! Un! Deux! Au pas la godille! Comment que tu dis ?... Il asticotait la cadence... Ça le turlupinait subitement si j'allais bien retenir son nom...*

Nom devenu soudain élusif, presque infixable. Et c'est que ce nom n'est pas en effet véritablement un nom, un nom *propre*, comme le dit bien notre langue, mais un jeu de mots et un indice, le moyen, tout littéral, de renvoyer le personnage à une certaine appartenance humorale et pulsionnelle, d'en faire donc dépendre l'existence du registre imaginaire auquel ce ludisme verbal l'aura significativement relié. *Rancotte*, c'est par anagramme *En crotte*, l'un des représentants les plus clairs de cette épopée, rageuse, sadique, de l'urine et du crottin dans laquelle tout le texte de *Casse-Pipe* est emporté. Rancotte (qui assone encore avec *rancœur, en rang!, rendra, crever* ou *botte*) dessine ainsi par son nom même, et par le monde excrémentiel qu'ouvre ce nom, une certaine image négative de la paternité : assez semblable à celle que décrivait, plus près de la biographie (au moins fictive), *Mort à crédit*. C'est bien un père en crotte, c'est-à-dire violemment agressif, par le geste et par la parole (il y a chez Céline toute une modalité orale de l'anal), par l'insulte donc et la menace, mais fragile en même temps et incertain, friable en somme, tout comme ces tas de crottin (« rondins », « brioches », etc.) sans cesse déféqués, entassés, et effondrés dans l'espace obsessionnel de *Casse-Pipe*. Et certes l'excrémentiel s'attache aussi, chez Céline, à une jouissance, peut-être même la plus vive, la plus essentielle qui soit (nul doute par exemple que Rancotte ne soit *aussi* désiré par Bardamu...). Mais il n'arrive de toute évidence pas à *tenir* le nom propre, à lui assurer la permanence qui fonderait sa transmission, sa capacité généalogique, qui assurerait son aptitude à s'inscrire symboliquement dans une société et une langue. De là vient peut-être, par parenthèse, et parmi d'autres raisons, que personne n'arrive véritablement à *parler*, c'est-à-dire à communiquer, dans *Casse-Pipe :* les uns, les figures hiérarchiques, par excès, emportés qu'ils sont dans la démesure d'un discours sans cesse éclaté, outré, hors de toute articulation rationnellement signifiée; les autres, les acteurs soldatesques, par manque, parce qu'ils restent perdus dans la pâte, toujours grommelée, grognée, d'une sorte de sous-langage animal et infantile. Et le héros lui-même se taisant.

Retenons de tout ceci l'incapacité de l'entrant (ou peut-être son refus, sa révolte projetée) à se faire garantir par la solidité d'un patronyme : faiblesse qui affecte à des degrés divers tous les personnages nommés de la fiction. C'est donc à travers d'autres moyens qu'il faudra déjouer, ou forcer le piège de l'injonction paradoxale : d'autres moyens, entendons-le bien, littéraux, verbaux, puisque c'est dans le seul langage que le *double bind* tisse son piège et construit son aporie. D'où, à partir de la page 20 de *Casse-Pipe*, et après l'échec de la nomination patronymique, l'apparition d'un nouveau motif qui va contrôler toute la suite de l'histoire : celui du *mot de passe*.

Il se manifeste pour la première fois au moment où le brigadier Le Meheu, parti avec une escouade relever diverses sentinelles, et celle surtout qui garde une très dangereuse poudrière, s'aperçoit que le soldat chargé de cette relève, un certain Kerdoncuf (version bretonnante, sans doute, de *merde en cul...*), a oublié ou « perdu » le mot de passe. Pour apprécier la valeur de cet « oubli », dont on va voir bientôt la force et l'étendue, il faut penser, ou rêver plutôt à quelle réalité ce mot aurait dû donner accès : au cœur le plus retiré de la caserne, son lieu le plus précieux, et le plus inquiétant aussi, à l'espace suprêmement actif, et suprêmement clos, défendu, de cette *poudrière* dont on anticipe à chaque moment l'explosion. S'en approcher sans mot de passe, même en étant reconnu du factionnaire, c'est risquer un coup de fusil, ou, à coup sûr, une vilaine affaire. On lit ici une image assez claire du danger qui menace toute entreprise trop ouvertement incestueuse ; car « relever » la sentinelle, comme le dit si nettement la langue, cela revient à la remplacer, dans son activité virile elle-même, dans sa garde et dans sa jouissance, auprès de l'instance maternelle. Le fantasme de détonation, qui nourrit, dans le monde célinien, la plupart des grandes catastrophes (avec éclats, coupures, mise en morceaux des corps et des langages, *casse* universel en somme, érotique, guerrier, forain, verbal, *casse-pipe...*), fixe aussi son objet privilégié dans l'espace métaphorique, focal, de cette *poudrière* (elle anagrammatise aussi le *père*, du côté cette fois de l'interdit), puis diffuse son angoisse dans tout un paradigme concret de l'explosion : violence des voix et des bruits, éréthisme des visages, déchaînement surtout d'une animalité ruante, galopante, déféquante (« Z'ont bouffé des cartouches... Z'ont l'enfer au cul... ») dont la « nuit », à tous les sens du mot, submerge la faiblesse des acteurs humains. Toute une tonalité psychique de colère, tout un climat énergétique d'intensité, de fureur substantielle ne cessent d'exaspérer ainsi, jusqu'au bord de la rupture, l'histoire et le récit. Et le lien en est toujours marqué avec la menace essentielle.

Pour exorciser une telle force d'interdit, il faudrait, tout le monde en tombe d'accord, un mot de passe : mais celui-ci a été « oublié », comprenons barré, refoulé, à jamais expulsé de la mémoire. La recherche vaine du « mot », le long échec de son anamnèse, voilà le vrai « sujet » de *Casse-Pipe*. En tout cas le motif qui sert de point d'origine à toute une série de petites variations dramatiques où viennent au premier plan, successivement, les divers acteurs de la fiction. Cela commence, par exemple, par un soldat ne trouvant pas le mot, et provoquant par là l'agression de son supérieur immédiat, le brigadier Le Meheu :

> ... *Il est vidé ton cassis alors ? Que même ton casque il tient plus !*
> *On te l'a donné, dis, le mot, pourtant ! Merde ! Tu vas pas dire*
> *le contraire ! Malheureux maudit ours ! Tu sais plus rien, dis,*
> *Kerdoncuf ? Tu sais plus rien, dis, rien du tout ?*

On voit comment le motif de l'oubli se lie ici à celui de la tête vide, et bientôt de la tête manquante (coupée), du casque retombant, l'un des cauchemars spécifiques de ce texte. Et un peu plus loin c'est encore au nom propre, impossible aussi à *retenir* (on sait chez Céline la difficulté de toute retenue), que s'attache, en vertu d'une logique souterraine, l'oubli du « mot » :

> — *Tu sais t'y comment que tu t'appelles au moins ? toi, malheur*
> *de la vie ? Tu l'as oublié ton nom ? C'est-y bien toi le Kerdoncuf ?*
> *C'est-y pas un autre ? [...] Je vais te le dire, moi, le mot !*

Mais le brigadier se constate bientôt frappé lui-même d'amnésie. Le mot lui a été volé, soutiré de la tête, « soufflé », comme chez Derrida :

> — *Le putain de bourdon ! La merdure ! Il me passe au vent ! Ça*
> *me le souffle, pardi ! à l'allure ! Je l'avais sur le bord le mot !*
> *Vlouff ! Je l'ai senti sauter de ma tête ! Ça me fit ça l'autre fois*
> *à la forge ! La berlue ça file d'un coup de vent ! Je me connais !*
> *Et que je l'avais officiel ! C'est pas « Navarre », hé, la malice ?*
> *Hein ! Pas Navarre ?*

Et ce *Navarre* ouvre dans le texte toute une archéologie du mot de passe, une remontée des anciens mots, *Navarre, Pyramides, Magenta, Renoncule, Malplaquet*, toute une litanie guerrière et florale, avec les souvenirs ou épisodes narratifs divers s'y rattachant.

Mais la diégèse continue, à travers ces parenthèses, à suivre le fil de la recherche de ce mot, ce mot unique, irremplaçable, qui a été perdu cette nuit-là, et qui seul — un peu comme l'oracle de la Dive Bouteille pour le Panurge du Quart Livre — eût permis l'intromission du conscrit (de l'initié), son entrée en un espace concret de vérité. La lecture parcourt successivement en effet les phases suivantes (n'hésitons pas à très vite les redire) : le brigadier propose d'abord de relever le factionnaire de poudrière sans mot de passe (sans autre introduction que ses hurlements et ses insultes) ; mais l'agressivité ne lui apparaissant pas être un mode évident de la reconnaissance, l'escouade déconseille cette solution, et Le Meheu décide d'aller chercher ailleurs le mot de passe, en laissant ses soldats dans l'abri d'une écurie voisine; puis, après un épisode dont on reparlera un peu plus loin, c'est le retour du brigadier ivre, sans le mot, et l'arrivée du maréchal des logis qui, dans un ouragan d'injures et de punitions, et de façon étrangement matérielle, en cherchant le mot *dans le livre même* (« Rancotte il a foncé sur le registre pour voir les choses d'encore plus près, il l'a même saisi à deux mains, l'a secoué d'un bon coup *pour en faire tomber le mot...* Un petit griffouillis quelconque »), reprend à son compte cette nouvelle quête du Graal. Chacun se passe ainsi vainement, et toujours dans la vitupération de l'autre, le relais du mot manquant. Au petit matin, une Diane particulièrement aigre et incisive clôt le déroulement de la chaîne signifiante (cette ronde, ce « furet » du mot perdu), Rancotte envoie Le Meheu relever la sentinelle sans mot de passe (ou du moins, on le verra plus loin, sans mot de passe *officiel*) : nous ne saurons jamais comment s'est achevée son aventure.

Ce petit et mauvais résumé de *Casse-Pipe* en a pourtant laissé de côté deux épisodes essentiels. Épisodes cruciaux parce que les plus chargés d'affect peut-être de toute l'histoire, les plus proches aussi de la production fantasmatique, et surtout les plus précisément liés à la question qui nous intéresse ici : celle du mot, du nom, de la formule (magique/libidinale), du « petit griffouillis » donnant accès au lieu, au corps, et à leur jouissance. Ces deux scènes se correspondent d'ailleurs de façon presque symétrique, dans le traitement qu'elles font de l'espace et du langage (entendons : du langage chargé d'ouvrir à l'espace, d'en assurer pulsionnellement la possession). La première décrit, sans l'aide d'aucun sésame verbal, l'entrée du héros dans un lieu clos, le plaisir qu'il y prend, plaisir fragile, souvent interrompu, et bientôt achevé en expulsion. La seconde suit au contraire l'effort d'une production allant d'un dedans à un dehors, d'une proféraison : la mise hors-corps et presque hors-lieu du secret si longtemps cherché, qui s'arrête, se fixe dans la littéralité d'une formule. Entrée sans mot de passe; mot de passe attaché à un geste de sortie. Voilà les deux possibilités qu'explore successivement le travail textuel de rêverie.

La première de ces scènes n'étonnera, dans son étrangeté, sa construction si crue, que le lecteur peu habitué aux fantasmes céliniens, à la complaisance excrémentielle en particulier qui les marque si souvent de son sceau. On y voit Bardamu et ses camarades d'escouade s'introduire quasi clandestinement, pendant que le brigadier est parti chercher le mot de passe, dans l'une des écuries de la caserne, gardée par un ancien, « L'Arcille ». Après le franchissement d'un rideau liquide d'urine (« mais pas de la pluie, de la cascade, de la pisse de tous les étages. Ça arrivait en drôles d'averses. Pour que je ne triche pas à la douche, ils m'ont bousculé plusieurs fois, les affreux, sous les arrosages... Ils voulaient que j'en sois bien trempé, que ça me baptise sérieusement »), obstacle de valeur, on le voit, tout à la fois immédiate et symbolique, d'une immédiateté qui dénonce crûment son symbolisme (puissance de désublimation du texte célinien : l'eau baptismale s'y avoue *comme* liquide urinaire ou amniotique; c'est la *pisse* elle-même, et sous son vrai visage, qui *baptise*...), l'escouade s'installe au lieu d'une intimité enfin conquise, dans le blottissement d'un creux maternel récupéré. Mais cet espace, selon l'exigence célinienne majeure, doit se présenter aussi comme un cloaque (puisque c'est d'un cloaque que l'on naît...). Le désir régressif va donc tisser autour du corps de Bardamu, tassé contre ses camarades, une sorte de nid fécal. Tout le monde s'agglomère dans une « planque, entre la muraille et le coffre, la géante boîte aux avoines, un monument!... ». Autour des parois de cette première cache, L'Arcille vient déposer les éléments d'une seconde enveloppe, plus voluptueuse encore, plus viscérale, sous la forme d'un tas, ou plutôt d'un rempart de crottin amoncelé, du crottin tout frais, déféqué, follement, par la troupe des chevaux en furie. « Il rapportait du purin, de pleines hottes de dessous les chevaux. Ça devenait un grand monticule sur les civières autour de nous... [...] Le crottin autour de nous, de plus en plus culminait. Ça collait bien avec l'urine, ça faisait des remblais solides, des épaisses croûtes bien compactes. Ça déboulinait seulement quand L'Arcille en rapportait. Ça croulait alors sur nous, dans l'intérieur, dans les fissures, ça comblait tout peu à peu. » Plaisir tout intestinal, de l'homogène, du lisse, du collant, du compact : il s'achève à la limite en une sorte d'ensevelissement, pleine réincorporation que consacre un sommeil heureux.

L'un des éléments de l'euphorie ainsi rêvée tient de toute évidence au rôle ici joué par L'Arcille, sorte de père pour une fois tutélaire, permissif, qui non seulement autorise le plaisir, mais en favorise activement les conditions. Sa bienveillance (« il venait nous remonter le moral ») ne suffit pourtant pas à protéger véritablement la jouissance. Au sein de l'espace maternel reconquis se manifestent en effet de nouveaux ennemis, de nouveaux dangers de déchirement et de coupure. « C'était chaud dans le fond de la mouscaille, gras, et même berceur. Seulement on se trouvait trop serrés, surtout avec les casques, les éperons, les sabres, les aciers qui se coinçaient de traviole dans les membres, vous crevaient les côtes. » L'angoisse célinienne du *pressé*, de l'*en-tas*, du *trop-plein* qui caractérise dans cette œuvre tous les espaces enfermés, y nourrissant une claustrophobie tenace (elle se sublime peut-être dans le trop-plein voulu, assumé, de l'écriture), y retrouve sans doute ici certains des fantasmes les plus tragiques analysés par Mélanie Klein : père/pénis ou frères ennemis présents au cœur même du corps maternel oniriquement réinvesti. Dans l'écurie d'autre part, en une répercussion et extension externe de la même figure malheureuse, les chevaux, ruant, déchaînés, font régner une sorte d'enfer incontrôlable. Et ce moment de répit dure peu : surprise par le maréchal des logis, l'escouade est arrachée à la paix trouble de son sommeil anal, puis renvoyée, sous les éclats du discours despotique, à l'insécurité du corps de garde.

L'échec de cette petite réincorporation libidinale tient sans doute au fait qu'elle s'est opérée hors « consigne », dans l'illégalité, sans mot de passe. Voici pourtant que la suite de l'histoire semble faire revenir de quelque part, mais d'où ?, le mot perdu. Le brigadier Le Meheu, d'abord, « qu'était si prostré il lui passe un soubresaut. Il se requinque, il braille : Maréchaogi! Maréchaogi! Ça y est! J'y suis! C'est une fleur! ». Fleur qui se donne d'abord comme *Jonquière*, puis en une deuxième version corrigée *Jonquille*, sans que cette révélation soit acceptée par l'escouade (« C'est pas une bataille, hé, jonquille! »), ni par le maréchal des logis. Quelques minutes plus tard un autre soldat du corps de garde, le planton de Rancotte, éprouve un « soubresaut » d'une ampleur et d'une conséquence bien plus remarquables encore. D'abord plongé dans une sorte de sommeil comateux d'où le tire la brutalité du maréchal des logis (un seau d'eau en pleine figure), ce jeune soldat éclate soudain en une crise épileptoïde dramatique, avec contractions musculaires, cris d'égorgé, mousse à la bouche, yeux écarquillés, langue sortie... Puis ce mouvement, qui installe, on le voit, dans l'espace même du corps, du corps désirant, le motif obsessionnel d'explosion, aboutit à quelques mots balbutiés :

Il est parvenu à gémir... Il en avait après sa mère...
— Maman... Ma...man... ma...
Du violet il est passé jaune, puis vert aux oreilles.
Il nous regardait... Nous voyait pas... Il s'est remis à déconner :
— Do... donne... moi... gli... glisse...

*Il faisait l'enfant, le petit conneau, c'est ça qu'il demandait :
du gliglisse!*
— *Maman... Man... Man... du gli... glisse...*
— *Je vais t'en foutre, moi, du gliglisse! Meheu! Le broc! Passez-
moi le broc!*
*Une potée alors en pleine poire! Avec violence... Ça éclabousse
tout!...*
— *Maman!... Ma... ma... qu'il hurle alors... Ma... man...
Mar... gue... rite...*
*Ça alors c'est du nouveau. Meheu il sursaute, il se tient plus, il
exulte de joie subitement, il trépigne autour, il est forcené.*
— *Le mot! qu'il s'excite! Le mot!*
— *Le mot de quoi ?*
— *Le mot!*
— *C'est ça ?*
— *Le mot, le mot! C'est celui-là!*

Il a donc fallu l'aide, au niveau du corps libidinal, d'un pur mouvement de conversion hystérique (car c'est bien à cela que ressemble
en fait cette crise de haut mal) pour que la formule refoulée soit
remise au jour, parlée, affichée, filée dans sa suite bouleversante :
ma-maman gli-glisse marguerite... Pour en apprécier la charge sensuelle il n'est qu'à voir l'attrait qu'elle exerce sur Le Meheu (presque
gagné d'hystérie lui aussi), sur toute l'escouade, et la violence inversement avec laquelle la récuse le maréchal des logis, plus que jamais
en cela figure du pouvoir paternel (« Ça ne veut rien dire Marguerite!
C'est pas une bataille Marguerite! »), la lucidité aussi, tout inconsciente bien sûr, sur laquelle il fonde ce refus : « C'est encore un nom
de putain! Ils pensent qu'au cul, ces voyous-là! C'est-y du service ?
Il en voulait pas, Rancotte, du mot Marguerite, pas plus que Jonquille... » Il n'en voulait pas parce que le *mot* (« Votre Marguerite!
Votre petite sœur! ») et la suite de mots, syllabes, phonèmes où il
s'insère avaient de toute évidence à voir avec la sexualité : avec une
sorte d'ouverture en tout cas, obscure encore, inexpliquée, mais sûre,
du, ou du côté du désir.

Face à une telle formule on songe aux exemples, si curieux, que
Serge Leclaire a pu donner, dans ses différents travaux, de ce qu'il
nomme la « représentation inconsciente », ou « formule incantatoire »,
suite de phonèmes chargés de rassembler, de conduire, de déplacer
en elle « comme le ferait le processus primaire », la plupart des objets
libidinaux spécifiques d'une histoire personnelle. Ce « thème inconscient », par exemple *poordjéli* dans le cas de Philippe, l'analysant

232

« à la licorne », se donne à la fois comme un nœud de signifiants originaux et comme une sorte de sceau énergétique, comme l'indice d'une certaine singularité dynamique (pour Philippe « l'impulsion créatrice figurée par un mouvement de culbute », et une syncope, produite, par exemple, par le choc des deux phonèmes centraux de la formule *dj*). La formule ouvre à l'inconscient, à « l'autre scène », tout en en maintenant en dessous d'elle (ou en elle, par la syncope même) l'ouverture vide, la distance, l'altérité irréductible.

Or n'est-ce point là l'exacte description d'un « mot de passe », entendu au sens célinien de *Casse-Pipe* ? Et ne pourrait-on interpréter la suite bégayée *ma-maman gli-glisse marguerite* du soldat saisi de transe hystérique comme le *poordjéli* de l'analysant à la licorne, ou le *défricher la terre* de Justin, le rêveur au rocher ? Les liaisons signifiées d'une telle suite verbale apparaissent sans trop de mal dans le champ de conscience du lecteur. Lecteur, entendons-le bien, du texte célinien pris dans sa totalité écrite : ce contexte, ou intertexte personnel, on posera qu'il forme le champ, implicite mais sûr, de sa propre association libre. Le lien le plus évident est celui que la formule établit avec le monde maternel *(maman)*, en en faisant, à la lettre, l'objet d'un désir réitéré de possession (*ma*, *ma*man, *ma*rguerite) : cette seule constatation confirme tout le symbolisme pulsionnel de la marche à la poudrière et de la quête du « mot ». La même relation se prononçait d'ailleurs déjà, si l'on y fait attention, sous forme directe ou inversée, dans quelques-uns des anciens mots de passe (ainsi *Mal*plaquet, *Ma*genta, Charle*ma*gne, Pyr*ami*de, et même *Navarre*, si on en réintègre le léxème dans la suite peut-être ici sous-jacente, où se nomme d'ailleurs une femme-écrivain : *Marguerite de Navarre*). Le *gli-glisse*, lui (où s'occulte peut-être une *raie* censurée), évoque une modalité dynamique particulière, un *glisser* libidinal, que soutient littéralement, et oralement aussi (un bonbon glissant dans la bouche), la métonymie de la *réglisse*. Dans celle-ci, sucrée, un peu poisseuse, mais de goût vif, noire (par une secrète référence anale ? la coprophilie se dit très ouvertement chez Céline), on reconnaîtra sans mal le bon objet donné par la mère à la jouissance de l'enfant, la bonne nourriture, venue du bon sein, celle qui *glisse* dans le corps avec l'aisance des aliments heureux — à l'inverse des substances néfastes, trop violentes, ou trop brûlantes, ou trop aigres (vins, bières, alcools, etc.), que l'homme célinien ne peut pas, à la lettre, *avaler*, et qu'il n'a d'autre ressource alors que de *vomir*. Ce *glissement* (ou *réglissement ?*), mimé dynamiquement par la reprise bégayée *gligli*, il correspond peut-être aussi, comme la « culbute » de Philippe, à une certaine forme mobile, et toute primitive, du désir : désir glissé, coulé, de naître, de sortir, mais aussi de pénétrer, d'aimer; désir de nourrir, et d'être nourri; désir de parler, et d'être entendu. On sait que les *Entretiens avec le professeur Y* hallucinent de manière très analogue un autre mouvement, où s'opère d'ailleurs peut-être le déplacement sublimé de celui-ci : la suite des phrases d'un roman, l'emportement émotif d'une écriture. Tout le problème esthétique, et libidinal, de Céline étant alors de *couper* ce glissement, de le scander de négativité, de castration nécessaire (mais d'une coupure elle-même glissée, et comme indéfinie : la « suspension », peut-être, des trois points toujours repris), d'aboutir en somme, comme le suggère la longue métaphore de l'écriture-métro, à un rythme verbal tel que la cassure (discontinuante, décorporante) vienne sans cesse y menacer et y soutenir paradoxalement la liaison (la continuité incorporante). Paradoxe seul capable sans doute de répondre à celui de l'injonction paradoxale.

Mais plus qu'à travers ses appels signifiés c'est probablement par son pouvoir de mobilisation signifiante que vaut ici le thème inconscient. Leclaire le dit constitué sur la variabilité, en lui fixée, de quelques « éléments différentiels » originaires. On reconnaîtrait sans doute ici pour tels les groupes consonantiques névralgiques GL, GR, GT, RT, GD, GS, et la relation vocalique A/I. L'écho s'en entend, d'abord, sans mal, dans quelques-uns des autres mots de passe essayés : ainsi l'étrange *Jonquière* (qui s'anagrammatise aisément aussi vers la dénotation sexuelle), puis *jonquille*, ou même *renoncule* (où le sexe lie peut-être encore son allusion littérale, double d'ailleurs, à celle du non, du nom, et du renom...). Tout l'alentour textuel, ensuite, de l'épisode d'hystérie résonne, et le plus souvent dysphoriquement — comme si c'était d'abord à un malheur que le mot devait donner accès —, dans la même tessiture (au sens que Gérard Farasse donne à ce terme) : des signifiants comme *glouglou*, *grelottant*, *s'étranglant de terreur*, *cris d'égorgé*, *broc*, *gniole*, *aigre*, *gueuler* (et *dégueulé*) n'en sont que quelques points, les plus visibles, d'insistance. Et il faudrait tenir compte encore de toutes les possibilités de régie musicale du thème littéral : celle par exemple qui par conversion de la gutturale sonore (G) en sourde (K) aboutit à la double constellation du *casse* (*saccade*, *secouer*, *bourrasque*, *casque*, *cassis*, etc.) et de la *crotte* (*crever*, *excrément*, *écurie*, *Rancotte*, etc.). Avec dans la bouche du maréchal des logis la figure parfaite, à la fois sémantique, pulsionnelle et phonique, de la mutation dépréciative faisant passer de la première série à la seconde : « *Marguerite mon cul!* » Une pleine exploitation de la formule devrait enfin, et surtout, faire entrer en ligne de compte des signifiants plus lointains, plus précieux peut-être, plus chargés d'affect et d'énergie (plus bourrés d'investissement, plus aptes à commander l'articulation d'un paysage personnel) : termes, ainsi, tels que *guignol, guerre, crédit (mort à crédit)* ou *rigodon*. Mais ceci ne pourrait se tenter valablement qu'à partir d'une véritable psychanalyse du texte célinien, tâche en soi peut-être impossible, en tout cas hors de notre portée.

Tout ce qu'on peut constater, sans trop de risques, c'est l'importance que possède, à l'intérieur même de la « séquence de passe », le prénom féminin floral et final *Marguerite :* il corrige, et condense (« épanouit ») en lui la première moitié du syntagme balbutié *ma-maman gli-glisse*, ce qui lui permet d'en assurer très fortement la charge. On voit alors sa capacité multiple : car s'il contrôle, selon l'histoire racontée, l'accès au lieu interdit (disons vite : la mère-poudrière) et à sa jouissance, il gouverne aussi, sur le plan signifiant, tout un certain champ tonal de la lettre célinienne, et donc du texte, de ce texte-ci que nous lisons. N'est-ce point lui en fait la véritable poudrière, en même temps que le vrai mot de passe, le « petit griffouillis » si vainement cherché par les acteurs de la fiction ? Tenons donc la formule hystérisée, et le prénom féminin ou la fleur qui la gouvernent, à la fois pour un instrument et pour une figure (presque allégorique) de l'*entrée*. Entrée toute plurielle certes : elle se fait aussi dans notre lecture, dans le secret, et le plaisir, jamais jusqu'au bout permis, ni compris, de la fiction.

Mais ne peut-on pas ouvrir dans une autre direction encore le questionnement du prénom, du « prénom de passe » ? Il faudrait pour cela opérer une sortie (provisoire) hors du texte célinien. Réalisant ce qu'on pourrait nommer un « saut biographique », on reconnaîtrait dans le prénom hystériquement avoué par le soldat de *Casse-Pipe* le, ou l'un des prénoms aussi (le premier) de la mère de Louis-Ferdinand Destouches, Louis-Ferdinand Céline. Elle se nommait en effet *Marguerite* Louise Céline Guilloux. Voilà une belle (trop belle peut-être) confirmation apportée de l'extérieur à notre lecture : l'accès à la vérité interdite du plaisir, et à la vérité du texte qui s'écrit autour de cette interdiction même (autour *et* vers elle), se scellerait, chez l'écrivain de *Casse-Pipe*, dans le prénom de l'être qui fixe pour lui la visée la plus primitive du désir. Comment montrer plus clairement qu'écrire, ici, c'est prononcer le mot (le nom, le prénom) défendu, c'est se l'approprier, c'est le voler au père à qui il appartient. A moins que ce ne soit à l'inverse, ou aussi, à un autre niveau, par un tourniquet inarrêtable de l'identification, un moyen de se faire désirer par le père lui-même à travers l'usurpation du prénom féminin et conjugal : on sait la richesse de la problématique homosexuelle chez Céline, et son malaise, son lien avec la paranoïa persécutoire. Écrire, ce serait, en tout cas, disperser ce nom brûlant dans la substance, rendue par lui voluptueuse, parce que secrètement liée, ductile, électrisée, d'un texte. Texte toujours heureux donc dans sa viabilité charnelle, même si apparemment désespéré.

La question se complique cependant (ou s'éclaircit peut-être!) si on se souvient que Louis-Ferdinand Destouches prit comme nom de plume un autre prénom de sa mère, le troisième, *Céline* (le deuxième, *Louise*, devenant son premier prénom « officiel »), nom-prénom plus secret peut-être que le premier, Marguerite, et plus libre, donc plus aisément annexable, à partir duquel en tout cas il réclame la responsabilité de *Casse-Pipe*, comme de tous ses romans d'ailleurs. De là, pour nous une tentation : puisque *Céline* et *Marguerite* sont deux prénoms de la mère de l'écrivain, prendre l'un pour l'autre, ou pour une figure de l'autre, et lire dès lors la recherche, puis l'aveu libidinal du mot de passe comme une sorte d'allégorie détournée où se dirait l'invention du *pseudonyme*. Mais qu'est-ce, en fait, qu'un pseudonyme, à quoi cela sert-il ? A part quelques réflexions aiguës de Jean Starobinski et de Gérard Genette, menées surtout autour de l'exemple de Stendhal, la critique s'en est jusqu'ici peu occupée. Le désir de pseudonymie semble, selon les deux écrivains précités, répondre au refus œdipien du patronyme, mais aussi à une fuite devant la fixité du nom (« Je ne suis pas là où vous pensez me trouver »), ou bien, suggère Genette, à une sorte de passion métalinguistique, à une labilité de la nomination (« Mon nom n'est pas le mien, je me nomme toujours autrement » — comme tous les objets, d'ailleurs, de mon discours...). Starobinski déchiffre chez le passionné pseudonymique un goût d'autonomie, mais le choix aussi d'une certaine légèreté, liée à l'ouverture d'un « nom imaginaire » : « Dès lors il ne porte plus son nom, il est porté au loin par un nom imaginaire. Il peut ainsi s'abandonner à un sentiment de propulsion vertigineuse, où l'énergie du mouvement paraît tout entière provenir du masque, et non pas de l'être " réel " qui se dissimule derrière le masque. Ce masque et le pseudonyme favorisent une parfaite dynamique de l'irresponsabilité. » Ces remarques s'appliqueraient-elles à Céline ? Oui certes, dans la mesure où le surnom littéraire est pour lui porteur indubitable d'énergie, dans la mesure aussi où son choix dévoie de toute évidence l'écriture hors de la conformité sociale et de la fidélité au père. Mais on ne saurait parler ici d'irresponsabilité, d'identité volage, puisque le pseudonyme vise au contraire à fixer son inventeur, à en consacrer l'attachement à l'autre pôle du rapport familial, le maternel.

Acceptons pourtant l'idée selon laquelle *Casse-Pipe* écrirait, par déplacement, et en allégorie, l'histoire d'une signature. On y suivrait, à la fois à travers les solidarités littérales et par la logique d'une histoire, dans le corps d'un récit, puis, à la fin, dans le récit d'un corps, la quête, la production, l'aveu d'un pseudonyme. La formule qui ouvre le texte comme jouissance le clorait donc aussi, d'une certaine manière, comme identité signée. Reste que la formule d'assignation n'est pas une, mais dédoublée (implicitement) ou du moins déplacée, et que, s'il l'appelle, par voisinage et par analogie, le prénom, ou mot de passe, ne coïncide pas avec le pseudonyme. *Marguerite* n'égalant pas littéralement *Céline*, leurs champs d'expansion ne peuvent pas non plus se recouvrir. D'où deux tâches théoriquement nécessaires. La première : déterminer, comme on a tenté de le faire pour *Marguerite*, la zone d'hystérie textuelle de *Céline*. La seconde : interroger le rapport des deux prénoms, se demander pourquoi l'on a ici, probablement, *Marguerite* pour *Céline*, et partout ailleurs, peut-être, *Céline* pour *Marguerite*... Aucun moyen, en vérité, de le savoir. L'escouade de *Casse-Pipe* s'en est bien aperçue déjà : « Les hommes ça les faisait discuter si c'était vraiment Marguerite le mot ? C'était celui-là... C'était autre chose... Ils ne pouvaient pas décider. » Cet indécidable appartient sans doute à l'essence même du « mot », du « mot » comme mot, comme fait de littérature. Car de toute formule qui prétendrait l'ouvrir vers *un* secret, fût-ce celui de sa propriété ou de sa paternité, le texte se charge bien vite de faire le lieu d'une division d'abord (ici la scission secrète, le tourniquet *Céline/Marguerite*), puis d'une expansion et d'un vertige (le peuple infini de ses simulacres, signifiants et signifiés). « C'était celui-là, c'était autre chose » : belle définition de la vérité d'écriture. Le pseudonyme ainsi n'est jamais sûr, toujours perdu, ou toujours à perdre ; la signature n'assigne rien : toujours il faudra écrire, signer de nouveaux livres, pour (re)produire en eux, indéfiniment, leur signataire. Toujours il faudra chercher, jusqu'au bout de la nuit, pour inventer, et dépasser, dépenser, dé-penser (écrire ?) le mot de passe.

Casque-Pipe

Soit, dans *Casse-Pipe*, roman célinien de la vie militaire et cuirassière, ce motif privilégié : le *casque*. En faire une étude thématique serait dessiner la place qu'il occupe dans la grille d'un paysage personnel. Le lire analytiquement reviendrait à reconnaître les constructions fantasmatiques auxquelles il participe, la charge pulsionnelle qui lui est attachée, et la valeur de rupture liée à celle-ci. Mais le motif fonctionne selon une autre modalité de sens encore, celle qui le situe dans un espace proprement textuel, qui l'insère en particulier dans l'ordre d'une histoire et dans la suite d'un récit. Tenter d'apercevoir, sur un petit objet tel que celui-ci, et dans le cadre d'un texte assez court (une centaine de pages), l'articulation éventuelle de ces trois niveaux, voilà le projet de ma lecture. Elle traversera une série d'analyses détaillées, allant dans des directions diverses, avant d'en arriver à un essai de conclusion plus générale. Elle prendra donc l'objet romanesque non pas dans l'horizon d'une présence, mais dans le profil d'une successivité, occurrence par occurrence. Avec l'espoir de voir se dessiner au bout de son trajet l'image de ce que pourrait être, disons vite, le *relief syntagmatique* d'un motif.

1. La première apparition du casque se produit très tôt dans le récit célinien. A peine sommes-nous entrés en narration, selon le point de vue de focalisation interne, que l'œil du héros, et du lecteur, bute sur lui :

> *C'était le brigadier Le Meheu qui tenait le fond du corps de garde, les coudes sur la table, contre l'abat-jour. Il ronflait. Je lui voyais de loin les petites moustaches aux reflets de la veilleuse. Son casque lui cachait les yeux. Le poids lui faisait crouler la tête... Il relevait encore... Il se défendait du roupillon...*

Deux qualités définissent clairement ici le casque : la vertu dissimulante, la lourdeur. La première a pour fonction de scinder le champ du visible, et plus particulièrement du visage, de la *face* visible, en deux régions, dont l'une se donne au spectateur, les petites moustaches éclairées, et l'autre lui demeure refusée, les yeux du brigadier Le Meheu (brigadier posé lui-même comme maître de l'espace militaire, de ce corps de garde qu'il *tient* sous ses coudes, et son autorité). Moustaches visibles et yeux cachés, ces deux centres névralgiques de la physionomie s'opposent entre eux comme le purement matériel (le poil : tout le borné, ici, d'une chair opaque) au vivant, ou à l'humain (le regard : tout le transparent du corps, la clarté d'une ouverture à l'autre). Qu'il soit impossible, en existence militaire, de se faire reconnaître, ou même simplement *voir* par quelqu'un, c'est la constatation que modulera de multiples manières le texte de *Casse-Pipe*. Les yeux s'y enfonceront dans le noir de la nuit, s'y perdront sous l'amoncellement des pèlerines, ou sous la visière des képis ; ou bien, figés par la raideur du garde-à-vous, ils accommoderont sur le vide d'un lointain ; ou bien, inversement, ils s'exorbiteront de rage, de colère ; si on les saisit enfin, ce sera pour constater leur nature infixable, ces yeux de paysan breton, par exemple, « pas très francs, mal ouverts, bleu lavé, pâle des pupilles ». Tout un paradigme du *regard impossible* s'ouvre ainsi à partir de ce premier corps casqué. Métonymique de la vie militaire, le casque y coupe d'emblée toute perspective d'accueil, d'échange humain, ou de simple relation. Il est à la fois obstacle, et écran.

Le sème de lourdeur vient aggraver encore cette première définition si négative. *Le poids lui faisait crouler la tête* : poids attaché à la tête elle-même, certes, mais plus encore sans doute au métal militaire chargé de la recouvrir. Le casque a pouvoir aussi d'*accablement*, ou, comme le dit mieux Céline, d'*écroulement*, notion où se lient les deux concepts concrets de décomposition et de chute. Il est l'un des objets, si nombreux dans le paysage célinien, qui interdisent au corps la simple satisfaction d'une verticalité, d'une tenue dressée. A partir de là s'entame dans *Casse-Pipe* toute une épopée de la retombée, aux modalités très diverses (affalement, affaissement, écrasement, piétinement, vautrement, reptation, etc.), avec deux motivations toutes-puissantes : fatigue, sommeil. Il faudrait ajouter que le lieu du corps frappé d'écroulement n'est pas fantasmatiquement sans importance. Tête tombante, comme d'ailleurs déjà privée de ses yeux, c'est tête à demi coupée (coupée *par* le casque qui prétend la remplacer...), et l'on sait quelle crainte s'attache à ce type de blessure. La logique souterraine du texte le montre bien, qui, quelques pages plus loin, évoque le sol de la caserne, si inégal et bombé que l'on a peine, là encore, à s'y tenir debout : « J'ai bien remarqué les pavés plus gros que la tête... presque à marcher entre »... La force de cette métaphore s'explique sans doute par le lien de ce pavé-tête avec notre tête croulante du début, cet objet détaché du corps, partiel, dont le trajet aurait normalement fini par retrouver et pénétrer la terre. Les saints décapités des cathédrales portent quelquefois leur tête entre les mains : aucun salut, ni arrêt de cette sorte pour l'homme célinien. S'il perd la tête, c'est jusqu'au bout, jusqu'en bas, jusqu'à y marcher dessus. Conclusion logique, après tout, d'un exercice qui choisit dès le départ de s'annoncer : *casse-pipe.*

Voici donc un motif qui ouvre sur le plan du signifié à un double paradigme essentiel : chute et cache, tout en manifestant, par sa nature d'objet partiel, par son lien aussi à la castration (lien ambigu, car il est tout autant castré que castrant), une vive urgence pulsionnelle. Mais sa valeur d'entame n'est pas moins forte au niveau de la littéralité, ou de la signifiance : il marque les premières lignes du roman du sceau d'une figure phonique forte et dure, la combinaison d'une gutturale sourde (redoublée) et d'une sifflante : *ksk,* figure qui y commandera la diffusion d'un réseau textuel très virulent. On en retrouvera la trace çà et là en des mots clefs tels que *saccade, secouer, cascade, cassis, bourrasque, cadenas, suffocant* et bien d'autres encore, sans compter toutes les combinaisons syntagmatiques (appuyées en particulier sur les signifiants *ça, ce, que, qui, c*omme, *sa, ses,* etc.) telles que : *se secoue, ça cascade, ses crosses,* etc. Dans une telle constellation la propagation littérale ne s'écarte pas d'une cohérence thématique : cela apparaît dès ce début, où *casque* répercute le *casse* du titre, *Casse-Pipe,* dans une confirmation générale (et déjà signifiée, nous l'avons vu) de coupure (*castratrice...*). La valeur phonique redouble ainsi l'opération d'un sens. Dans cette première occurrence, par exemple, le *casque ca*che, puis, par l'intermédiaire du poids, croule : la prégnance d'un moule prosodique (monosyllabique à rime féminine), l'insistance surtout d'une forme phonique (la gutturale sourde à l'initiale) confortent la qualification sémique (le lien du sujet à ses deux prédicats), à moins que celle-ci ne soit inversement chargée de contrôler l'expansion littérale, de trier en quelque sorte ou de filtrer l'infini de la production signifiante. Écrire, c'est vivre sans doute l'urgence simultanée de ces deux pressions, et le caractère indécidable de leur priorité, ou de leur hiérarchie. Ainsi le casque célinien cache, casse et attaque, dans la lettre comme dans le sens. *Casse-Pipe* c'est *cache-pipe,* et c'est, encore, *casque-pipe* [1].

---

1. La mémoire étymologique (mémoire perdue : c'est-à-dire inconsciente) renforce ici le jeu littéral. Car *casque* se dérive de l'espagnol *casco,* signifiant lui-même proprement *éclat, tesson,* donc objet partiel né d'une brisure — èt

2. Trois pages plus loin, nouvelle intervention du casque, mais dans un climat bien différent. Le texte a suivi les efforts du brigadier Le Meheu, occupé à recopier le nom du conscrit dans le registre d'entrée. Puis, sans raison apparente, le regard du narrateur-héros se déplace :

> *Juste au-dessus de lui, sur l'étagère, toute une ribambelle de casques, plumets tout rouges, gonflés, crinières énormes à la traîne, faisaient un effet magnifique.*

Toute une série de sèmes inédits apparaissent ici dans le motif : le nombre d'abord *(toute, tout)*, la quantité vivante — marquée par le mot, toujours euphorique chez Céline, toujours dansant, de *ribambelle* — puis la qualité d'intensité, d'éréthisation énergétique : la couleur (le rouge), la forme (le gonflé), la taille (l'énorme) manifestent de façon convergente la vitalité nouvelle de l'objet. Son statut spatial aussi s'est renversé depuis l'occurrence précédente. La force qui faisait « crouler » le casque s'est retournée, devenant un pouvoir inverse de montée ou de surgissement. La coiffure de métal ne tombe plus (oniriquement) sur le sol, mais s'élève, s'envole, se pose sur une étagère au-dessus de la tête abandonnée. Le casque lui-même, perçu désormais à travers ses parties légères (et connotées d'animalité vibrante : *plumet, crinière*), s'emporte tout entier vers la hauteur : il s'y dilate dans le rouge gonflé du plumet, avant de s'y détendre dans la traîne épanouie de la crinière (et à nouveau s'entend, de *c*rinière à *c*asque, le lien littéral de la gutturale sourde). Image particulièrement heureuse (il faisait un « effet magnifique »), et complète (le casque y est une totalité, non plus un objet partiel), d'une jouissance (éjaculée) sans retombée ni perdition de forces (les crinières restent « énormes »), d'une virilité tout à la fois dressée et déployée, exhibée et consacrée (par le flot docile de la traîne). Le casque ici ne castre plus : au lieu de cacher ou d'accabler la tête, il la remplace dans un rôle de gratification rêvée. Écran toujours, mais où se dessinerait le diagramme d'un plaisir.

Cette transformation ne prend sans doute son sens plein qu'une fois intégrée au niveau narratif, lue dans son contexte, proche et

---

sorti du verbe *cacer* : *bri*ser, *c*asser... Cet éclat, ce tesson en viennent donc à viser le crâne par un fantasme de castration déposé dans la langue même, et en une logique de type métonymique parallèle à celle qui fait par exemple sortir *tête* de *testa* : coquille, ou *écaille*. Le casque, dans son passé linguistique, c'est donc déjà un éclat, une cassure, un objet cassant/cassé, qui recouvre (mal) la tête. Et la tête c'est un autre casque, plus interne, une coquille, fragile, creuse, éminemment cassable et détachable. Tout comme la « petite chose » dont parle Freud.

plus lointain. Elle s'enchâsse, en effet, sans rapport diégétique apparent, entre deux passages de narration consacrés au recopiage du nom propre du héros (Bardamu) par le brigadier Le Meheu, premier représentant de l'autorité militaire. Or si cette inscription fait problème, c'est qu'elle se lie dans *Casse-Pipe* à un malaise général du patronyme (on l'a étudié ailleurs), donc à une difficulté d'ordre symbolique, à l'inaptitude qui affecte le héros d'être jamais véritablement reconnu ni intégré dans l'ordre d'une société, d'un langage, d'une loi. Cette incapacité tient sans doute à l'angoisse d'une privation nécessaire, mais jamais pleinement acceptée, et c'est bien en effet en termes de castration menaçante (une castration de type anal, comme tant d'éléments de la fantasmatique célinienne) que pourrait s'interpréter ici l'étrange maladresse du brigadier Le Meheu : « Le brigadier il avait du mal à ouvrir ma feuille... Elle lui collait entre les doigts... puis à lire mon nom. Fallait qu'il recopie sur un registre... Tout ça c'était très ardu... Il s'appliquait scrupuleusement. »

Cette scène de maladresse et de manque, les quelques lignes qui suivent aussitôt, celles de notre occurrence, n'ont-elles pas pour rôle, comme dans le glissement d'une association libre, de la dénier, ou de la compenser ? L'absence phallique redoutée s'y dirait à travers la ribambelle insolite des casques, un peu comme les multiples cheveux-serpents de la Méduse traduisaient pour Freud l'horreur du seul organe retranché. L'impuissance à écrire, à écrire le nom, se répare (ou se dit *a contrario*) dans la gloire sexuelle de cette fausse tête séparée du corps, de ce casque où s'inscrit en l'éclair d'un coup d'œil l'image d'un petit jaillissement voluptueux. Ce que la *plume* en tout cas ne pouvait faire, le *plumet* le réalise sans mal... Car après ce petit orgasme imaginaire le brigadier Le Meheu réussit à écrire enfin le patronyme : « le brigadier toute langue dehors il est tout de même parvenu à recopier mon nom ». Dans cette langue, *toute dehors*, on reconnaîtra peut-être même la trace, ou le déplacement, charnel cette fois, de la turgescence triomphale qui en avait précédé, ailleurs, l'apparition.

La mutation thématique de l'objet correspond donc, en ce point précis du texte, il me semble, au besoin d'une certaine revanche pulsionnelle, à la nécessité d'y construire une scène imaginaire où figurer *a contrario* l'infigurable, l'impensable. Cela, seules l'immédiateté non motivée de la suite narrative, l'absence de jonction logique entre ces lignes et les deux passages qui l'entourent permettent de le conjecturer : cas d'un processus primaire au travail dans le simple mouvement d'un regard (d'un regard porté par l'écriture), et dans les failles, dans l'abrupt même d'un discours. Mais notre occurrence entretient avec son contexte d'autres rapports encore sans doute, d'une nature différente : une relation non plus de contiguïté immotivée cette fois, mais de ressemblance lointaine. L'éclat sexuellement glorieux du casque annonce en effet un autre éclatement, tout aussi érotique, mais inquiétant celui-là, et même monstrueux, celui du visage du maréchal des logis Rancotte, qui advient quelques pages plus loin : « ... celui-là il était fadé comme impression de la pire vacherie. Ses joues étaient comme injectées de petites veines en vermicelle, absolument cramoisies, des pommettes à éclater. Les petites moustaches, toutes luisantes, pointues et collées des bouts. » On retrouve dans cette tête sans casque, mais coiffée d'un képi de fonction fort analogue (« Son képi, en avant, en éventail, une viscope extravagante », avec, encore, le motif du regard perdu : « Je pouvais pas bien lui voir les yeux à ce Rancotte »), la plupart des traits qui marquaient d'euphorie le casque orgasmatique, mais hideusement tournés au négatif, parce que traversés d'une autre angoisse célinienne essentielle (reliés à une autre modalité de castration), l'angoisse d'explosion. Ces petites veines éréthisées, le cramoisi de ces joues caricaturent le rouge et le gonflé du plumet; et au lieu d'une crinière librement flottante les petites moustaches (en rappel aussi de la scène d'ouverture) se collent sur la face. Déséquilibré, l'éros retombe alors à la violence, au malheur d'un déchirement trop prévisible, « ces pommettes à éclater »; il annonce et affiche (ces veines-vermicelles) la parcellisation de son objet. Mais il s'agit bien là de deux versions du même motif : l'une esthétisée et sublimée, l'autre plus sauvage, plus près d'une brutalité sadique. L'une des fonctions de la narration étant d'opérer, à distance, disons de *découvrir* cette ressemblance, et cette différence.

3. Une troisième apparition du casque se produit une quinzaine de pages plus loin, après un changement de décor extérieur. On y passe du paysage du corps à celui de la pluie et de la nuit :

> *Tout le monde s'est recampé sous l'averse, ça dégringolait maintenant par furies, bourrasques. Ça faisait un vrai bruit de récif la flotte qui brisait contre les casques.*

Les casques : ceux de l'escouade, dont le héros, bien que non casqué lui-même, partage désormais la destinée. Leur fonction a de nouveau changé : elle est maintenant de s'opposer à l'attaque élémentaire, de tenir sous l'assaut de l'extérieur, nuit et climat. Le dynamisme de l'objet s'est en quelque sorte retourné : d'actif (de jaillissant ou de coupant), il est devenu passif, sa force s'est muée en résistance. Et c'est cette qualité de résistance, de résistance toujours alliée à un tranchant (une aptitude à casser l'assaut), qui provoque l'invention métaphorique, la trouvaille du *casque-récif.*

Le casque se donne donc maintenant comme un roc sous une vague : vague qui est peut-être aussi celle du voisinage textuel lui-même... Car *bourrasque,* qui vient de l'isotopie climatique, appelle *casque* en vertu d'une pression très littérale. A travers des suites comme : *s*'est re*c*ampé, ou *q*ui *s*e brisait *c*ontre (et *c*as*c*ade à la page précédente), la cellule séminale *Ks* continue à régir un monde du contact intense et du choc. Il faut ajouter que le comparant métaphorique *récif* se trouve pris lui aussi dans des solidarités signifiantes très actives : lié à *casque* par sa sifflante centrale, mais gouverné, surtout, par le biphone puissant *fr* (modulable en *vr,* ou *fl*) qui commande *fu*rie, *fl*otte, a*v*erse, *vr*ai, et un peu plus haut, *rafa*le, *v*ociférations. Signifiants correspondant à des signifiés tous emportés, eux aussi, dans une connotation de violence, dans un reflet de colère. Si l'on note le tissage de ces deux chaînes phonico-sémiques à celle qui, à partir encore de *bour*rasque, et à travers l'appui cette fois d'un *br,* rejoint *br*uit et *br*iser, on aura constaté la force, à la fois sensible et littérale, d'un motif pleinement saturé, et comme comblé, ici, par un affect.

4. Mais voici que, le décor extérieur demeurant inchangé, c'est la suite des événements qui va provoquer une modulation nouvelle de l'objet. Noyée de pluie, l'escouade a perdu le mot de passe qui lui aurait permis de relever les sentinelles. Cet oubli s'impute chez le soldat Kerdoncuf, qui en est le premier responsable, à une faiblesse originelle de la tête (vidée de son contenu), et donc du casque, sa métonymie, sa prothèse inévitable :

Ça lui faisait vraiment une grosse tête à Kerdoncuf, ressorti dans la lumière, une plus grosse que moi encore. Son casque lui tenait pas très bien, lui retombait sur le front avec les rafales, puis lui retrébuchait en arrière, le haut cimier chavireur, comme d'une fontaine que ça le coiffait, dégoulinant de partout.
— Comment que t'es foutu, malagauffre! Regarde un peu ton monument. Comment que tu te promènes ? Comment que tu oses ? T'as pas la honte, ma parole ? C'est le pape qui va la souquer, dis, ta jugulaire, crème de vache ? Il est vidé ton cassis alors ? Que même ton casque il tient plus! On te l'a donné, dis, le mot, pourtant! Merde! Tu vas pas dire le contraire! Malheureux maudit ours! Tu sais plus rien, dis, Kerdoncuf ? Tu sais plus rien, dis, rien du tout ? T'es plus con que mes bottes ?
— Oui, brigadier.

Le motif réassume ici, selon des modalités nouvelles, des sèmes utilisés déjà dans ses trois occurrences précédentes. Celui d'*instabilité* par exemple qui servait à définir le premier casque (cachant et croulant) : mais au lieu d'ouvrir à une chute simple ce déséquilibre de l'objet lui fait épouser le mouvement inédit d'une alternance, d'une oscillation entre un devant et un derrière (« lui retombait sur le front... puis lui retrébuchait en arrière »). Le nouveau, surtout, c'est le constat d'une inadéquation entre casque et tête (trop grosse celle-ci, et pourtant vide), et donc, contrairement à l'exemple précédent, d'un manque physique. Rien n'empêche d'attribuer alors ce peu d'assurance, par une sorte de dénégation, à quelque figure burlesque (parce que incongrue) de père punitif : « C'est le pape qui va la souquer, dis, ta jugulaire ? » Reste la culpabilité, plus forte que partout ailleurs, la « honte » quasi sexuelle d'un « monument » si mal soutenu par son propriétaire, si menacé, si piteusement exhibé à tous les yeux. Sa ruine s'associe secrètement au *mot* perdu (quel joli mot-valise d'ailleurs que *monument*, où le mot se lie à la nudité, et au mensonge!), tout comme le cimier glorieux s'attachait au *nom*, si difficile à écrire, du texte 2. Mot de passe et nom propre, deux figures équivalentes de l'objet manquant (ici, le *cassis* vidé...). Le motif du casque peut, on le voit, symboliser celui-ci de deux manières : soit directement (ici), en se laissant marquer et emporter par le vertige de ce manque; soit inversement (tout à l'heure), en substituant à son angoisse l'élaboration d'un petit triomphe pulsionnel.

Quant à la scène aquatique de l'occurrence 3 elle continue à régir ici aussi la logique rêveuse du motif, mais avec une transformation notable. C'est que l'eau agressive s'y intègre désormais à la géographie même du casque, au lieu d'en attaquer de l'extérieur l'identité. Cela s'opère à travers un traitement métaphorique nouveau du *cimier*, que l'occurrence 2 avait dressé dans toute sa gloire ardente et gonflée : le voici maintenant saisi lui aussi de retombée. Deux métaphores successives relient alors ce mouvement de chute au registre liquide dont la contiguïté spatiale continue à faire peser sur l'objet sa pression : celle du *naufrage*, où le « haut cimier chavireur » se donne encore comme extérieur à l'eau, et pris du dehors dans son désastre; celle de la *fontaine* où il devient eau lui-même, eau ruisselante, « dégoulinant de partout », possédant l'initiative d'une sorte d'auto-inondation à la fois catastrophique et jouitive (d'un auto-érotisme). Ce casque n'est plus fait de métal désormais. C'est la nappe liquide qui coiffe uniformément la tête. La pluie ne bat plus le casque comme un englobant qui agresserait un englobé : elle passe métaphoriquement *en lui*, elle le transforme en elle. Cas remarquable d'une relation de voisinage devenue, par simple migration sémique interne, un rapport nouveau d'analogie.

Cette modification s'effectue sous l'empire, aussi, de la littéralité. Autour du *casque* du soldat amnésique (ce *s*ale *c*on, perdu dans l'ombre de *s*on *c*ol), *sou*q*uer*, *cas*s*is* font encore résonner nos deux consonnes séminales. La cellule *f* (ou *v*) *r* (ou *l*) continue, de son côté, son travail souterrain de production dans des éléments verbaux tels que su*r* le *fr*ont, a*v*ec les *r*a*f*a*l*es, cha*v*irer, *f*ontaine, ma*l*agau*ff*re. Les deux lignes se croisent enfin en quelques lieux textuels privilégiés : ainsi *q*ue *ç*a *l*e *c*oi*ff*ait (où le *casque* s'anagrammatise dans ce nouveau signifiant de la coiffure), et peut-être en justification (partielle [1]) d'un nom propre apparemment baroque, *Ker*d*oncuf*.

5. A la page suivante c'est à nouveau comme un obstacle opposé au ruissellement de l'eau que va se thématiser l'objet-motif. A l'inverse pourtant de ce qui se passait dans le texte 3 cette résistance apparaît comme négative, et c'est le flux liquide de la pluie qui se marque de positivité. Pour mieux participer à celle-ci il faudra dès lors *ôter* le casque...

> *Il rengueulait Kerdoncuf, ça servait pas à grand-chose. Il se connaissait plus de colère. Il a eu beau enlever son casque pour que la flotte lui trempe la tête, il bouillait de rage... Il en rejetait les vapeurs avec des tonnerres de jurons.*

La lettre de l'éclatement pulsionnel (inconscience, rage : il *s*e *c*onnaissait plus de *c*olère) commande ici encore celle du casque, mais pour en réclamer maintenant l'abolition. Quant au geste du brigadier Meheu il appelle d'autres passages analogues de *Casse-Pipe* : la scène en particulier où l'on voit le maréchal des logis Rancotte retirer sa houppelande, et dans sa seule tunique, « torse dégoulinant, culotte ajustée au moule », s'offrir furieusement à l'averse. Ce comportement peut donner lieu à deux lectures différentes, situées à deux niveaux distincts du sens. Sur le plan thématique la justification de ce petit strip-tease est aussitôt donnée : elle rejoint une constante imaginaire de la fiction, le complexe d'une explosivité omniprésente, l'obsession d'un feu qui brûle tous ces corps autoritaires, ardeur du despotisme même (colère, tonnerres de jurons, bouillonnements de rage) que l'eau du ciel aurait alors pour fonction très normale d'*éteindre* (normalité jouant au niveau d'une logique des substances). Mais la charge libi-

---

1. Partielle : car *Kerdoncuf* c'est sans doute aussi, dans la grille excrémentielle de *Casse-Pipe : merde en cul!*

dinale d'un tel geste ne paraît pas douteuse non plus, et cela dans la mesure même où le jaillissement premier du cimier-plumet s'était connoté déjà de gloire érotique. Exposer si complaisamment son corps nu, ou vêtu de très près (cette culotte « ajustée au moule » qui s'oppose au casque, trop large lui, ou trop petit, ne collant pas à la peau, carapace plus qu'épiderme), le donner au ruissellement d'une eau de pluie, cela revient à s'offrir au plaisir d'une sorte de douche sexuelle. Plaisir d'un contact eau-feu dont Freud (à propos de Jean Huss, de Prométhée), puis Bachelard nous ont appris toute la complexité libidinale. Un peu plus loin c'est la *salive* de Bardamu, liquide plus ouvertement humoral encore, dont Rancotte réclamera l'application attentive sur ses bottes (égales, elles, du casque pour le *bas* du corps, et souvent liées à lui par le courant du texte) : « Plus haut! Allez! Crache! Jus! Vas-y! La poigne! Tu pelotes! Du miroir! Que je me voye dedans! » Lien, très crûment parlé ici, entre libido militaire, auto-érotisme, et jouir homosexuel.

6. Dernière apparition importante du motif : c'est dans un décor à nouveau changé, au creux d'une écurie où l'escouade s'est réfugiée. Les hommes s'y abritent dans une « planque » parfaite : un espace entre mur et mangeoire, bientôt complété par une sorte de tapissage de crottin. Au cœur de cette régression fœtale, et fécale, on trouverait une paix d'avant-naissance si le casque n'était là encore pour y faire sentir, ou pointer, sa déchirure :

> C'était chaud dans le fond de la mouscaille, gras, et même berceur.
> Seulement on se trouvait trop serrés, surtout avec les casques, les éperons, les sabres, les aciers qui se coinçaient de traviole dans les membres, vous crevaient les côtes.

Résurgence de la vertu castratrice du motif, et d'une castration située cette fois au sein même de l'espace maternel réoccupé. Mais le casque n'est plus seul à tenir cette fonction : il s'inclut en deux séries concrètes parallèles, celle des instruments guerriers *(éperons, sabres,* un peu plus loin dans le même rôle : *fourreaux, crosses)* et celle des substances dures (l'*acier* qui s'oppose au boueux de la *mouscaille*). Le texte dessine aussi les divers modes possibles de coupure : dans le malaise préalable du *coincé* (lié, comme si souvent chez Céline, à l'*en-tas,* au *bourré*), puis dans l'achèvement terrible du *crever.* L'angoisse d'explosion y devient en quelque sorte interne, orientée vers le volume du moi charnel, sous sa forme la plus résistante, la plus dure, les *côtes,* comme si c'était au contact de l'os, de la cage osseuse, que l'élément tranchant devait manifester le mieux sa force. Explosion muée en implosion.

La littéralité du texte surdétermine ici encore ces valeurs. Si on laisse de côté la dominance, en ce paragraphe, de la cellule *tr* ou *str* (on *se trouvait trop serrés, surtout*, de *traviole*, *crevaient* les *côtes*), on entend notre basse biphonique familière résonner à plein, de mou*sc*aille à *casque*. Mais son ascendant s'exerce plus encore peut-être ici dans la disjonction de ses deux consonnes constituantes, qui gouvernent séparément deux chaînes phonico-sémiques homogènes : l'une commandée par la sifflante (avec adjonction partielle de vibrante) à travers des mots ou syntagmes tels que ber*c*eur, *s*eulement, on *s*e trouvait, *s*urtout, *s*abres, a*c*iers; l'autre, manifeste surtout à la fin du texte, pour y régir, en double attaque, le procès, littéral donc aussi, du jouir sadique : *cr*ever les *c*ôtes... Les deux lignes se rejoignent enfin dans la formule primordiale chez Céline, on l'a vu, de l'étroitesse, de l'exiguïté castrante : *qui se coinçaient...* Casque coincé, casque coinçant : c'est bien la parfaite allégorie, pour Céline, de la tyrannie militaire; le lieu d'affleurement aussi, imaginaire et littéral, de la libido multiple, comme du plaisir d'écrire.

Essaiera-t-on maintenant, à partir de ces petites analyses, d'engager, au moins à titre d'hypothèses, quelques conclusions plus générales ? On assignera, sans surprise, le fonctionnement de l'objet-motif à la mise en jeu d'une relation à double face : similitude et contiguïté. Porteur et propagateur de ressemblance, c'est par son retour que le motif fait sens. Celle-ci pourra se présenter pourtant sous des formes diverses : soit totale, par une répétition de l'objet dans toute son intégrité signifiante, avec l'ensemble inchangé de thèmes, ou de sèmes qui le définissaient en son départ; soit partielle, avec une reprise de certains sèmes, mais une disparition d'autres, une apparition d'autres encore. Autre division éventuelle : l'objet pourra revenir lui-même en personne, si je puis dire, sous la fixité de sa dénotation lexicale (dans sa totalité, ou sa partialité), ou bien il sera remplacé par un substitut, un objet de même fonction que lui, ou de fonction opposée (lui-même partiel ou total).

On illustrera aisément à partir des pages qui précèdent l'éventail de ces possibilités diverses. Le premier cas, celui d'une répétition totale, sans variation sémique, ne se rencontre pas dans nos exemples, ni sans doute dans tout le texte de *Casse-Pipe*, à l'inverse de ce qui se produit en d'autres récits, celui de Proust, par exemple, ou de

Gracq, ou (sur le plan de la fiction autobiographique) de Chateau-briand. Quand il reparaît, inchangé, à divers moments de l'évolution du texte — ceci valant pour la suite de l'histoire comme pour celle du récit —, le motif peut y avoir valeur de repère, de jalon spatio-tem-porel; il organise la scansion, ou la mise en écho de la matière roma-nesque; il permet au texte de disposer autour de certaines attaches fixes le volume articulé d'un sens. Si le procédé de répétition se donne explicitement pour tel, portant le sceau d'une sorte de contrôle esthé-tique, on le nommera peut-être, avec une allusion wagnérienne, *leit-motiv* (c'est le cas de Proust ou de Chateaubriand). Sinon il s'inclura, chez Gracq par exemple, dans une problématique non marquée du *même*, à valeur de monotonie, ou de miroir.

Le cas le plus fréquent est pourtant celui d'une réitération variée de l'objet-motif. Le même élément y reparaît sous la même dénotation lexicale, mais avec une définition sémique nouvelle. En lui ce ne sont plus tout à fait les mêmes éléments qui se manifestent, ni qu'utilise le récit. Ainsi le casque, invoqué d'abord dans son pouvoir de cache et dans sa pesanteur; puis dans son expansion glorieuse; puis dans sa résistance (et son lien métaphorique au récif); puis dans sa disso-lution (et son lien métaphorique à la fontaine); enfin dans sa capacité de déchirure. Décrire thématiquement un motif, ce n'est rien d'autre que relever les qualités et fonctions dont il est successivement por-teur, et les articuler les unes aux autres dans une sorte de modèle achronique, ou comme dit Lacan, après Mallarmé, de *fiction*. Mais une ambition de mise en perspective narrative du motif nous assi-gnerait sans doute d'autres tâches encore : celle par exemple de rendre compte de l'*ordre* d'apparition des divers attributs, et, s'il en est une, de leur cohérence successive. Celle aussi de savoir d'où vient la varia-tion, quelle est la force qui la provoque. D'une transformation interne, et comme autonome du motif, ou bien d'une action qui s'exercerait sur lui à partir de son dehors ? Dans le premier cas il s'agirait d'une exploitation, d'une auto-exploitation des diverses possibilités signi-fiantes d'un objet : possibilités dues à la place qu'il occupe dans la grille d'un paysage (donc à l'ensemble des relations qu'il entretient avec les autres objets constitutifs de celui-ci, à sa vertu connotative, à sa charge « poétique »), et dans la logique d'une histoire pulsion-nelle. Dans la seconde — on examinera ce cas un peu plus loin — ce serait son contexte qui amènerait l'objet à varier. On aperçoit d'ail-leurs bien vite que la distinction ici tentée est toute spécieuse puisque, même dans le premier cas envisagé, c'est toujours par le travail d'une connexion externe que le motif se module, voire se constitue. C'est par sa différence même qu'il s'instaure; c'est son écart qui l'identifie.

Une division plus pertinente passerait peut-être alors entre l'influence de deux sortes d'extériorités, c'est-à-dire de contextes : un contexte lointain, éparpillé, flottant (métaphorique ?), horizon formatif et comme toujours mémoriel du paysage; un contexte plus proche, plus brûlant (métonymique ?) où joueraient à plein les forces du contact, les contraintes, les frottements de la linéarité.

Soit à envisager maintenant le cas d'une réitération substitutive, c'est-à-dire d'un retour d'éléments investis de la même fonction, mais affectés d'une identité différente. Cela se produit chaque fois que le texte s'attache, de près ou de loin, à décliner un paradigme imaginaire, une de ces « avenues de rêve » dont parlait Bachelard. Du motif à son substitut (mais le motif devra toujours être tenu aussi pour le substitut de son substitut : point d'origine ici, ni de butée, point de terme premier ni de terme dernier), le rapport pourra être à nouveau d'une compréhension variable. Complet, il mettra en jeu des éléments entièrement équivalents, bien que marqués, peut-être, d'un affect différent : ainsi la relation du casque éréthisé au visage furieux de Rancotte. La substitution la plus fréquente cependant est la partielle, celle qui articule toute une série de termes autour d'un axe sémique commun, en les laissant par ailleurs participer à des valeurs thématiques différentes. S'instaure alors, dans le courant de la lecture, une relation catégorielle générale, garante, pour ce qui la concerne, de l'une des homogénéités, ou, si l'on peut dire, des pertinences imaginaires du texte. Ainsi le casque cachant la tête renvoie implicitement la mémoire lisante à tous les autres éléments d'habillement, képis, manteaux, pèlerines, qui la cachent également : tous les passages évoquant de tels objets, affectés d'une telle fonction, entrent donc dans une aire de résonance thématique, à laquelle appartiennent aussi d'ailleurs les habits chargés inversement de *montrer* la tête, ou plus généralement le corps, de l'exhiber, culotte collante, ou bottes fines. Objectera-t-on que casque, manteau, képi font partie déjà, ou aussi, d'un autre ensemble, métonymique celui-là, l'ensemble, disons, du vêtement militaire, solidarité qui facilite grandement leur liaison substitutive ? Certes, mais on peut invoquer des exemples de résonance mettant en jeu des éléments privés de toute relation autre que paradigmatique. Ainsi le casque faisant « crouler » la tête renvoie à toute la série des objets tombant, ou faisant tomber, dans *Casse-Pipe* (le cheval, la nuit, le sabre, la fatigue, etc.), objets ne possédant pas ou peu de parenté métonymique. Ou le casque inondé par son plumet « rappelle » (appelle à lui) tous les autres liquides inondants (pluie, crachat, urine, eau d'abreuvoir, etc.). Ainsi se construit, globalement, le *paysage*, cette forme du contenu connoté. Là où il y a figure, par exemple dans le casque-récif, ou dans le casque-fontaine, la connotation se désigne en clair. Ailleurs elle demeure implicite (distante, ou différée) : c'est alors à l'analyse d'en afficher explicitement l'action.

Mais le motif se trouve compris aussi, et agi, je l'annonçais plus haut, dans le cadre de diverses solidarités plus immédiates. Comment décrire, en parlant d'un roman, le champ signifiant du voisinage ? D'abord, en y distinguant, de façon au moins programmatique, les deux niveaux du *récit* et de l'*histoire* (mal séparables pourtant dans la plupart des cas). Sur le plan de l'*histoire* racontée le voisinage affecte une forme spatiale par exemple, en constituant des ensembles topologiquement liés, des sortes de petites grappes d'objets (ainsi : le mobilier d'une maison, ou d'une pièce, les divers éléments physiques d'un « tableau », d'un décor extérieur, cour, rue, ville, panorama de campagne, etc.), où chacun se dispose et valorise, localement en quelque sorte, par rapport à son alentour physique : dans cette dimension que Moles nomme heureusement le *co-volume*. Ce serait le cas, dans *Casse-Pipe*, de mini-groupes topiques tels que, au début, moustache/casque/tête/yeux/lampe, ou, plus tard tête/casque/pluie/nuit/mot oublié, ou encore pluie/casque/récif/fontaine. Le lien diégétique qui agglomère les termes de ces petits collectifs spatiaux devrait permettre de les reconnaître et de les interpréter dans leur retour éventuel (complet ou varié). Ainsi dans la liaison répétée (modulée) : casque (képi)/lampe/moustache (cheveux peignés), ou dans le rapport : tête vide/casque (képi)/pluie (salive)/mot perdu (nom propre impossible à écrire). Mais le voisinage diégétique peut fonctionner aussi sous un mode *temporel :* prenant alors l'aspect d'une *fonction,* c'est-à-dire d'une distribution d'objets qui se règle selon les exigences spécifiques d'une action à nourrir et raconter. L'intérêt serait, ici encore, de retrouver à divers moments du texte le même motif inclus, directement ou par substitut, dans des séries fonctionnelles analogues, ou analogiquement variées : à côté des solidarités monotones d'un co-volume, quelque chose comme les protocoles obsessifs d'une cohistoire. Ainsi, dans *Casse-Pipe*, de ces quelques suites : (ne pas écrire le nom/jouir du casque/écrire le nom), (perdre le mot/ne pas trouver le casque/ne pas trouver le mot), (perdre le mot/ôter le casque/ s'exposer à la pluie/ne pas trouver le mot), etc.

Il faudrait ajouter que de telles relations de voisinage tendent bien souvent à se muer en des relations de ressemblance, et même à la limite d'identité : non certes dans le cas d'une suite fonctionnelle, où une telle égalisation annulerait sans doute l'essence même de l'ordre narratif (fondé sur la transformation, la différence, sur le jeu du déséquilibre et du rééquilibre), mais assurément dans le cas d'une contiguïté spatiale. Gérard Genette l'a montré à propos de la métonymie proustienne. Ici même la continuité, externe, du casque et de la pluie battante (texte 3) devient au texte 4 l'identité, interne, d'un casque-fontaine apte à s'auto-inonder. Il est vrai que la mutation inverse peut aussi bien se produire : dans notre texte 5, par exemple, ce casque-fontaine, ôté par son porteur, se scinde en une dualité nouvelle, celle d'une tête, cette fois, et de la pluie qui se remet du dehors à l'arroser. Il se peut ainsi que la ressemblance, ou l'identité, tende à se disjoindre narrativement en voisinage, avec tout autant de force que le voisinage à se motiver poétiquement en ressemblance. Ce que Guy Rosolato nomme, dans un sens peut-être différent, l'oscillation métaphorico-métonymique serait alors l'un des ressorts essentiels de la narrativité.

Autre modalité du voisinage : le champ de la contiguïté non plus métonymique, mais syntagmatique, pour reprendre une bonne distinction de Christian Metz. Ou plus simplement le *fil*, les fils de la lecture. Le motif y signifie par rapport à tout son alentour textuel. Alentour contrôlé, codé, tenu, surtout dans le roman classique (dont Céline relève encore), par l'ordre de la syntaxe, du rythme, de l'invention rhétorique, par la mise en jeu des diverses formes de la tradition narrative (dialogue, sommaire, description, scène, etc.). Tous cadres dans lesquels le motif prend place et sens : les besoins propres du récit, équilibre formel par exemple, ou prégnance d'un certain moule narratif, ou exigence d'un certain symbolisme d'ensemble, peuvent venir alors mobiliser préférentiellement sur l'objet tel ou tel de ses attributs ou rôles possibles. Mais il arrive aussi que faiblisse cette régie de la continuité, et que la suite textuelle se donne comme plus ou moins dénouée, comme flottante : flottements, déhiscences qui apparaissent alors comme les lieux de travail favoris d'une énergie primaire. On en a un bon exemple dans notre occurrence 2, où le casque triomphal vient déplacer et renverser en lui l'impuissance à écrire le nom propre qu'avait évoquée le paragraphe précédent. Ou dans le texte 5 où la douche céleste a pour fonction, en une sorte de condensation cette fois, d'éteindre le feu de la tête, de le satisfaire libidinalement, et de réparer, à nouveau, l'angoisse du mot perdu. Dans de tels passages le texte fonctionne comme en association libre : actualisant sur l'objet telle ou telle de ses valences symboliques, il donne accès, et toujours du plus près qu'il lui est possible, à la voix de sa propre altérité.

Resterait à évoquer, et cela à tous les niveaux de fonctionnement de l'objet-motif, similitude et contiguïté, la forme de la détermination proprement littérale. Car si cette littéralité peut conduire, ainsi dans le court-circuit verbal *casse/casque/cache*, tout le jeu souterrain de la pulsion, toute l'élaboration fantasmatique du motif, elle est apte aussi à contrôler l'ordre lointain de sa liaison analogique, tout comme, au niveau du syntagme cette fois, le tissage immédiat de ses solidarités. Dans *casque* on a ainsi écouté sonner l'éclat d'une cellule consonantique élue *(ks)*, que le texte de *Casse-Pipe* rendait prégnante à tout un champ narratif signifiant/signifié. *Cassis, cassée, ça casse, ça claque, saccade, secousse, cascade, au secours, cyclone, bourrasque, ça s'écroule, escalade, fracassant, suffocant, un seul couac, jacasser, ça se colle, seccotine, mouscaille, souquer, son képi, sa viscope, frusque, se quincailler, escouade, casemate :* voilà quelques-unes des notes d'un véritable paysage musical, d'un « luxe » sonore à « inventorier » eût dit Mallarmé, dont les éléments possèdent une parenté tout à la fois phonique et sémantique [1]. Le même moule littéral servira, de

---

1. C'est cette double parenté qui fait problème, et plaisir. C'est elle en tout cas qui empêche, me semble-t-il, de renvoyer le texte au seul travail d'une dissémination, ou à l'activité, purement signifiante, d'un « échange symbolique ».

Comment poser, dans le texte littéraire, le rapport, pour parler vite et sans nuances, entre cohésion thématique et convergence (ou différence) littérales ? Il me semble aujourd'hui que lettre et paysage entretiennent la relation d'une mutualité tout à la fois informante et transgressive. Chacune de ces deux instances servirait à fixer, ou si l'on préfère, à *lier* dans l'autre le jeu de ce qui n'y existerait sans doute sans cela — silence de la rêverie, vide de la glossolalie — qu'à l'état d'ouverture indéfinie, d'énergie libre, d'illimitation, virtuellement donc de perdition, d'entropie, de mort. C'est ainsi que le glissement, par essence inarrêté du thème, se laisse tenir et comme séduire par le poids des intensités allitératives, par la « basse obstinée » d'une certaine musique textuelle. Et qu'inversement la labilité de la lettre se soumet au réseau nervuré d'une présence, ou au *cercle*, dirait Nerval, d'un ensemble singulier d'obsessions. L'ordre signifié du paysage contrôle les produits de la propagation signifiante; mais la lettre *crible* en même temps le sens (et à tous les sens de ce mot : tamisage, trouage, éclatement), elle filtre dans la qualité particulière de son grain, de sa tessiture, de son rythme, de sa « petite musique » dit Céline, tout le lexique virtuel de la perception et du fantasme. S'opérerait ainsi dans le texte littéraire le travail d'une double sélection, conduite doublement aussi par la pulsion (elle joue des deux côtés du signe, dans le signifié des scénarios fantasmatiques, dans le signifiant du jeu des mots), travail où naît peut-être l'équilibre, toujours instable, et à poursuivre, c'est le mouvement même de l'écrire, de ce que nous nommons une *forme*.

Mais travail doublement transgressif aussi : car si chacune de ces deux instances tend à relier ainsi en elle la déliaison de l'autre — ce passage du délié au lié étant, suggère Jean Laplanche, l'une des formules possibles du concept, toujours si difficile, de *sublimation* —, chacune désire toujours aussi détruire à son profit le moment de la liaison formelle pour aspirer l'autre dans le vertige spécifique de son propre horizon toujours ouvert, de sa propre logique interminable (*exterminante*, dit Baudrillard), de son propre plaisir (mortel). Double attrait presque

plus près cette fois, à gouverner la modulation sémique de l'objet, à contrôler par exemple l'attache sous laquelle il se dote de ses qualités et fonctions propres : ainsi du casque qui cache ou croule la tête, qui crève les côtes. Concaténation active encore dans le simple courant du texte, au fil de sa narrativité : les coudes d'un corps penché contre un abat-jour sur la table d'un corps de garde y induisant par exemple la venue du casque qui y cache une tête, ou la bourrasque qui s'écrit dans un paysage de nuit y aboutissant au casque des soldats perdus dans ce même paysage, et au bruit que fait l'eau en s'y brisant dessus. Entrain continuel de la lettre, trames ou traînées du sens. C'est le plaisir même d'écriture, plaisir par essence ouvert. Car où en arrêter jamais la diffusion ? Casse-Pipe, ainsi, c'est, m'avait-il semblé, casque-pipe, et encore cache-pipe (et claque-pipe, colle-pipe, jacasse-pipe, fracasse-pipe, etc.). Admettons que je bloque ici, quoique non sans arbitraire, la ronde du casser/cacher/casquer. Mais que dire alors de cette pipe qui supporte si bien ces diverses fonctions ou attributs ? Me voici renvoyé, par le jeu du texte même, au questionnement/plaisir d'un autre objet. Ou pipé, si l'on veut — n'est-ce pas la définition même de la lecture : une tromperie continuée ? —, par l'appel, multiplement signifiant, d'un motif toujours différent, toujours ailleurs. Pas question pourtant, ici, d'en piper mot.

---

infini : la matière de la langue, la chair du monde. Occasion, permanente, d'un double débordement. Écrire, peut-être, c'est se situer à la jonction même, ou au bord de ce double déborder. C'est en articuler en un seul lieu, la page, le corps écrivant, la double tentation. C'est les informer l'une par l'autre en un seul sol, toujours insolide, jamais fondé.

A tombeau ouvert

Bien plus que la perspective de la fête, c'était la pensée de
ce voyage seul à seul avec Vanessa qui m'avait décidé. Vanessa
me conduisait. J'avais passé mon bras autour d'elle dans la
tiédeur des fourrures, je sentais contre moi le consentement de
tout un poids doux et fléchissant. Nous longions parfois une de
ces grandes fermes fortifiées endormies dans la tiédeur de la nuit
des Syrtes; au bord de la route sablonneuse des murs gris miroi-
taient un instant devant la voiture; trompés par la lumière insolite
de nos phares, parfois des coqs chantaient. Les lumières violentes
mêlaient au sol bossué de la route des bêtes pétrifiées de terre
grise, accrochaient à leurs yeux l'éclat coupant des pierreries.
Vanessa m'emportait dans la nuit légère. Je me rassemblais en
elle. Je la sentais auprès de moi comme le lit plus profond que
pressentent les eaux sauvages, comme au front le vent emportant
de ces côtes qu'on dévale les yeux fermés, dans une remise pesante
de tout son être, à tombeau ouvert. Je me remettais à elle au
milieu de ces solitudes comme à une route dont on pressent qu'elle
conduit vers la mer.

Julien Gracq, Le Rivage des Syrtes, Paris, Corti, 1952, p. 88.

Proposons à notre lecture ces quelques lignes du *Rivage des Syrtes*.
Aldo, le narrateur-héros, y évoque mémoriellement un épisode de sa
vie aux Syrtes, un rapide voyage nocturne effectué en voiture, avec
son amie Vanessa, depuis la forteresse de l'Amirauté, où il résidait
alors, jusqu'à une fête donnée dans le palais Aldobrandi à Maremma.
On y suit donc un déplacement qui s'effectue à travers l'étendue
d'un paysage. Mais ce mouvement en accompagne et métaphorise
un autre, celui qui pousse le héros tout à la fois vers et avec le corps
d'une femme aimée, cette Vanessa, autrefois connue, aujourd'hui
retrouvée, bientôt sa maîtresse, puis son initiatrice dans les voies de

l'aventure et de la transgression. Dans ce corps, dans ce paysage-corps s'éprouve donc comme une impulsion vers la dimension même, géographique, mythique, fantasmatique dont le texte gracquien ne cesse, tout au long de son procès (de sa procession), de redessiner monotonement en lui le manque : celle d'une altérité, dépossédante et fondatrice à la fois, qui bouleverse de son désir multiple (et impossible) les territoires de l'ici, les assises du même, la définition du moi.

Premier moment du voyage, la résolution :

> *Bien plus que la perspective de la fête, c'était la pensée de ce voyage seul à seul avec Vanessa qui m'avait décidé.*

Cette phrase initiale du paragraphe, elle a, comme en un début d'opéra, valeur d'ouverture. Certes elle est porteuse de mémoire aussi, elle sert à rattacher le mouvement d'écriture qui s'amorce à certains éléments antérieurs du récit : ainsi ce motif de la *fête*, repris, mais pour y être dénié, au profit d'un nouvel objet de plaisir, le *voyage*. On y reconnaît encore une motivation, d'ordre psychologique, aux mots que vient de prononcer Aldo : « Allons, il ne sera pas dit que j'aurai contrarié un enfant gâté. » L'intérêt essentiel de cette entame reste pourtant de poser à l'orée du passage, et du paysage qui va s'y développer, le programme (la préécriture) d'un désir. Tout y part d'une *pensée*, qui anticipe les gratifications du voyage, et qui, après les avoir clairement définies, parvient, en fin de phrase, à la *décision* de celui-ci.

Cette *pensée*, on peut la voir prendre sa forme dans le relief même du tour syntaxique qui l'écrit *(c'était* la pensée... *qui)*, et s'équilibrer avec la *perspective* refusée en un rapport marqué d'homophonie. Une même cellule allitérative initiale *(t/p/l/s* ou *t/l/p/s)* souligne les deux éléments possibles de la motivation, celui qu'écarte le narrateur (*la* pers*pective*), puis celui qu'il retient (c'é*tait la* pe*n*sée), sans compter le terme qui les articule l'un à l'autre (*plus* que : avec l'écho supplémentaire de la gutturale sourde au *k* de perspective). Ainsi s'accuse, par un effet de texte, la netteté de l'auto-analyse réflexive. Aucun emportement encore chez le héros énoncé de l'aventure, aucune incertitude non plus dans le discours de son énonciation. Un plein contrôle, en somme, dans la possession verbale du désir.

Et une pleine clarté aussi sur l'objet que vise celui-ci. Dans ce *voyage seul à seul avec Vanessa* se promet un plaisir à double face : une jouissance d'intimité d'abord, la courbure narcissique d'une solitude à deux, la caresse en miroir que dessine, et cela littéralement même, le syntagme *seul à seul* (solitude opposée aux joies plus collectives de la *fête*); mais aussi l'euphorie d'un déplacement, d'un nomadisme, avec toutes les connotations voluptueuses que le roman attache à ce motif. Le contentement de l'*aller* (de l'*aller-vers*) uni à celui de l'*être-avec*. Or ces deux plaisirs se donnent le plus souvent chez Gracq comme peu compatibles, l'intimisation s'y vivant surtout comme un étouffement du lieu, le départ comme une dilapidation des parois et des limites. Ici pourtant ils se conjuguent, et toute l'avancée du paragraphe ne fera qu'élargir, ou que creuser cette complicité. On y rêvera l'euphorie d'une situation où le corps se sentirait à la fois enclos et emporté, voué, à travers un seul objet, une chair de femme, à l'enfermement le plus sûr, et à l'ouverture la plus folle, jusqu'à la perdition.

Ce mouvement s'entame à travers un certain jeu de signifiance. Outre le parallélisme syntaxique déjà noté *(bien plus que la perspective de la fête, c'était la pensée de ce voyage)* qui instaure sous une modalité encore négative la sécurité d'un rythme binaire, on y écoute le pianotement d'une musique tout à la fois dense et délicate. Plusieurs parcours différents s'indiquent à travers ces nœuds phoniques. Le premier se trace avec la diffusion anagrammatique du terme initial la *perspective* en un groupe plus lâche (mais sémantiquement équivalent) : c'était la *pensée* de *ce voyage*. Une autre formation creuse le deuxième membre de la phrase, comme en un miroir, autour de l'intimité du *seul à seul*, avec la réflexion initiale/finale (jouant sur les *é*, les *s*, les *v*, les dentales) de /c'était la pensée de ce voyage/ au /m'avait décidé/. Mais il n'est pas interdit non plus d'entendre toute cette phrase d'ouverture comme une expansion éparpillée, moirée, du nom même de *Vanessa*. Vanessa : la fille de Vénus, la vénitienne, mais aussi l'évanescente, la vaine, la creuse, la fuyante, la vannée, l'éventée, la dispersée, et cela dans les phonèmes mêmes qui la nomment. Ici la cellule consonantique *vs* se répète et fait courir le fil d'une solidarité textuelle dans des mots ou syntagmes tels que : per*s*pecti*v*e, pen*s*ée, *ce v*oyage, *s*eul à *s*eul a*v*ec, m'a*v*ait décidé. Liaison renforcée par d'autres nœuds secondaires encore : ainsi le rapport, vocalique également, et qui inclut une modulation des nasales entre a*v*ec *V*anessa et m'a*v*ait décidé; ou l'appui apporté à cet écho par les gutturales sourdes : a*v*ec *V*anessa/qui m'a*v*ait décidé... Vanessa : celle qui est partout et nulle part, l'absente-présente. Textuellement aussi l'universellement résonnante, et la différée, l'insaisissable.

Et c'est elle pourtant qui saisit le mouvement, qui le lance :

Vanessa me conduisait.

Pour cette *conduite* du héros par l'héroïne divers plans de lecture seraient possibles. Au niveau de la diégèse par exemple, ou de l'organisation actantielle du récit, il faudrait remarquer à quel point cette relation, Vanessa dirigeant Aldo (ou même le *brandissant : Aldobrandi...*), est emblématique de leur type de rapports à travers toute l'aventure, et par-delà, comme son soubassement sexuel, du mode d'intersubjectivité qu'y manifeste assez tenacement le héros-narrateur. C'est bien en effet Vanessa qui ne cesse d'y piloter Aldo, aux jardins Selvaggi, puis à Maremma, puis à Vezzano, puis vers l'acte de sa transgression finale, sans qu'il manifeste jamais en tout cela beaucoup d'initiative. C'est que le moi viril n'existe chez Gracq que vers l'autre, pour l'autre, mais par l'autre aussi : agi plus qu'agissant, inspiré certes, déchiffreur de signes, mais non promoteur d'événements, ni maître d'aventure. Ce destin sexuel trouverait assez aisément sa traduction mythique (au sens que Michel Serres, par exemple, donne à ce mot) à travers la légende de telle ou telle figure traditionnelle du *passeur :* Hermès psychopompe, par exemple, ou tout autre personnage fabuleux assurant, entre vie et mort (ou mort et vie, ce qui revient au même), ainsi dans le complexe si justement nommé par Bachelard *complexe de Charon*, la traversée d'un espace sacré ou liminal (ici, peut-être, si voisine phoniquement d'un *Styx*, la mer des *Syrtes*...). Redoublement du trajet amoureux en route initiatique : dans les deux cas il s'agit bien d'un accès à l'autre, à l'autre défendu, mais avec la nuance que l'autre ici devient aussi le conducteur, celui qui guide le désirant, ou l'initié, à travers l'espace de ses propres défenses mêmes.

Dans ce trajet mené courons le risque de reconnaître la métaphore d'une autre espèce encore de voyage, celui auquel toute la lecture de ce livre nous convie d'une certaine façon, ou nous oblige, voyage tout verbal cette fois, effectuable à travers les lignes imprimées de ce roman, de cette page, de ce paragraphe, de cette phrase dont je suis en train de tenter le commentaire... Vanessa pourrait y incarner alors l'image (liée à un désir) d'un certain entraînement de l'écriture. Divers textes de Gracq autorisent ce saut métaphorique, celui par exemple où, dans *Préférences*, l'auteur se dit comme physiquement attiré par l'image d'un livre à écrire, et parti, à sa poursuite, en « voyage » à travers « le désert des pages blanches ». Définissant ailleurs la qualité, pour lui la plus éminemment désirable, de cette avancée matérielle d'écriture, il évoque la « coulée unie et sans rupture » de ses phrases, le « sentiment qu'*on mène le lecteur* en bateau et non en chemin de fer ». Or n'est-ce pas à une coulée de cette espèce que Vanessa, avant le voyage maritime à Vezzano, et malgré sa place ici au volant d'une voiture (mais glissante, et sans doute admirablement « suspendue »), engage Aldo, et avec lui le lecteur de ces quelques phrases ? L'écriture y progresse, il faudra le vérifier, dans le lisse d'une translation sans failles, sous la conduite d'un désir toujours égal. Ce glissement se donne un but qui est, comme dans le voyage spatial, de l'ordre de la jouissance : d'une jouissance trouble bien sûr, et dangereuse, toujours menacée d'égarement. Car si l'écriture nous emmène bien, comme le dit Gracq, en voyage, pourquoi ne pas dire aussi, le prenant au piège de l'un de ses procédés favoris (la citation soulignée : on en étudiera plus tard le fonctionnement), qu'elle nous emmène, ou mieux qu'elle nous *mène en bateau ?* Entendons (au prix d'une petite vulgarité : mais la vulgarité fait peut-être, on le verra aussi, libidinalement partie du procédé) qu'en elle la séduction ne peut se séparer de la tromperie, du leurre : on s'embarque, on se laisse conduire (haler, draguer) par l'autre d'une femme, ou d'une phrase, sans savoir jamais à quelle fin, un désastre peut-être, ce laisser-aller aboutira.

Pour l'instant nous n'en sommes qu'au départ : comment s'y exerce, textuellement, la « conduite » d'écriture ? Elle tisse phoniquement cette courte phrase à la précédente par la reprise du nom propre, et, à lui greffée, de la cellule consonantique *v/k* (*V*anessa me conduisait : écho de a*v*ec *V*anessa, de *q*ui m'a*v*ait); elle l'équilibre intérieurement en y encadrant un monosyllabe névralgique *(me)* entre deux trisyllabes, eux-mêmes en rapport, dans le registre des sifflantes, de demi-assonance terminale (Vanes*s*a *me* condui*s*ait). Surtout elle y instaure, au niveau syntaxique, une temporalité gouvernée par l'imparfait, temporalité qui va régir, à quelques exceptions près, toute l'étendue narrée du paysage. Elle y étend la nappe d'une durée continue, statique dans sa mobilité même, et où les peu nombreuses saillies personnelles, ainsi la décision de départ, ou le bras passé autour d'une taille, seront rejetées dans l'antériorité d'un autre temps, marqué par le plus-que-parfait *(m'avait décidé, j'avais passé)*.

Et voici que se construit entre deux corps complices l'équilibre d'un *dedans* voluptueux. Cette intimité qualifie d'abord le rapport des deux partenaires amoureux (elle va du *je* au *elle*), avant de s'élargir à la relation que leur couple *(nous)* entretient avec le paysage extérieur. On étudiera séparément ces deux moments.

J'avais passé mon bras autour d'elle dans la tiédeur des four-
rures, je sentais contre moi le consentement de tout un poids
doux et fléchissant.

Comment se catégorise, au niveau de l'espace, de la relation érotique, de la qualification sensuelle, ce premier dispositif amoureux ?
Spatialement il procure à la jouissance imaginée trois modalités
distinctes. Le geste initial, qui met en jeu l'organe, peut-être symbolique, d'une libido active, le *bras*, est celui par lequel le corps désirant encercle, au moins partiellement, le corps désiré (mon bras passé
autour d'elle). Puis vient se superposer à celui-ci le mouvement,
différemment orienté, d'une pénétration au sein d'un milieu vivant
qui accueille et qui englobe (*dans* la tiédeur des fourrures). S'y
ajoutent une relation de latéralité (je sentais *contre* moi), un contact
qui est aussi pression, demi-imprégnation (tout un poids doux et
fléchissant). Englober, être englobé, accoler : trois façons, simul-
tanées, d'être avec un corps de femme, d'en jouir, d'en *disposer*.
A cet arrangement d'espace correspond une structure particulière
d'intersubjectivité : elle se définit, à la différence de ce que suggérait
la phrase précédente, par l'euphorie d'un équilibre, et même d'une
réciprocité vécue entre les deux acteurs de la scène amoureuse. Ceci
s'inscrit dans l'organisation syntaxique du texte : la phrase se divise
en effet en deux propositions principales juxtaposées et parallèles,
toutes deux entamées par un verbe gouverné par un *je (j'avais passé,*
je sentais), puis achevées, après la localisation du geste amoureux,
(autour d'elle, contre moi), par une évocation des qualités de l'objet
désiré *(la tiédeur des fourrures, tout un poids doux et fléchissant).*
Ce parallélisme, si général, et si efficace, dans l'ensemble de notre
paragraphe, remplit ici une fonction précise : marquer une balance
d'intensité entre le mouvement qui va de *je* vers *elle (j'avais passé)*
et celui qui revient du elle vers le moi *(je sentais contre moi).* Égalité
d'un aller-retour qui s'indique en un code psychologique (le *consen-*
tement), mais à travers une expression plus matérielle aussi, avec
des indications relevant du registre de la gravité (tout un *poids*), ou
de celui d'un dynamisme linéaire (tout un poids doux et *fléchissant*).
Le corps féminin, d'abord entouré/pénétré (au moins dans les marges
fétichisées de sa « fourrure »), répond physiquement ainsi au geste
qui a pris possession de lui. Des deux partenaires aucun ne domine
l'autre, ne l'aspire ou ne l'écrase. Ce premier moment d'intimité
est celui aussi d'un désir très exactement partagé.
Ce partage (on pourra l'interpréter bien sûr comme le retour sur
soi d'un narcissisme) s'éprouve à travers une constellation de qua-

lités sensibles riches et convergentes relevant d'un seul domaine sensoriel, le tact. Et non par hasard sans doute si le toucher, avec ses registres annexes (le sens calorique, ou la sensibilité de pesanteur), est le système perceptif qui met le corps dans la plus grande proximité, et comme dans l'immédiateté de son objet. Instrument favori, donc, de tout projet d'intimisation voluptueuse. Sur quelles qualités se construit ici cette symphonie du bonheur tactile ? La *tiédeur* d'abord, avec tout ce que la détermination des *fourrures* lui apporte d'animalité et d'épaisseur vivante. Puis la *pesanteur*, qui jouera un rôle cardinal dans le développement du paragraphe, et qui se donne sous l'aspect d'une sorte de défection interne du corps désiré, comme un engourdissement voluptueux de sa matière, une abdication de son maintien ou de sa résistance. A cela s'ajoute la *douceur*, qui affecte aussi bien le sentiment que la texture, le grain de la chair autre. Enfin, la *flexion* apporte, dans l'ordre du linéaire, sa nuance spéciale d'offre ou d'abandon.

Cette synthèse de qualités se donne, il faut le remarquer, en un certain relief, d'ordre grammatical et rhétorique, qui en situe les éléments à des niveaux différents d'expression : deux adjectifs, *doux* et *fléchissant*, trois substances, renvoyant aux concepts mêmes de *tiédeur*, de *consentement*, de *poids*. Aucune dénotation directe, en revanche, du corps individuel désiré : le seul terme concret qui le désigne est un comparant, lui-même au pluriel, *fourrures* (à la fois métaphore et métonymie de la chair convoitée : à sa place et autour d'elle, son fétiche enveloppant). Ce qui est ici possédé et joui, ce n'est donc pas un autrui singulier, une chair particulière, ce sont les qualités constitutives (pour Gracq) de toute féminité désirable. Ceci ressort avec évidence du procédé même d'écriture, une sorte d'hypallage, qui consiste à faire passer l'épithète avant le substantif qu'elle détermine, puis à dériver cet adjectif en un substantif abstrait : ainsi, au lieu des *fourrures tièdes*, on lira la *tiédeur des fourrures*, ce qui, à la manière mallarméenne (et plus généralement symboliste), aboutit à abstraire notionnellement le sensuel, ou à sensualiser l'abstrait. Mieux : ce type de formulation en vient, dans la seconde partie de la phrase, à fonctionner à deux degrés, en se démultipliant en quelque sorte. A la *tiédeur des fourrures* y correspond en effet le *consentement* non pas d'un corps pesant, doux et fléchissant, mais d'un *poids* possédant ces deux dernières caractéristiques, poids dépersonnalisé d'ailleurs davantage encore, unanimisé en *tout* un poids... La cascade des déterminations secondaires et ultimes *(doux, fléchissant)* vient ainsi accroître d'une nouvelle façon la densité abstraite des deux concepts déjà mis en rapport de subordination interne (le *consen-*

tement et le *poids*). D'où à la fois une homogénéité dans le choix, ou le spectre de ce qu'on pourrait nommer un *eidétique sensuel*, et une complication dans la manière dont s'organisent entre elles ces diverses notions voluptueuses. La structure (textuelle) de l'intime tient à l'effet conjugué de ces deux directions.

Mais elle résulte aussi du fait que les qualités ainsi nommées sont immédiatement activées, jouies, au niveau cette fois le plus concret, celui de la signifiance phonique même. Cette phrase met en effet vivement en évidence la pulsion assimilante qui anime chez Gracq tout le jeu sonore d'écriture, avec la fin de cette *liaison* dont on a plus haut parlé. C'est que, comme il l'écrit dans *Lettrines II*, « le mot, pour un écrivain, est avant tout tangence avec d'autres mots qu'il éveille à demi de proche en proche : l'écriture, dès qu'elle est utilisée poétiquement, est une forme d'expression *à halo* ». Ce halo, caractéristique d'un « flux verbal » qui « innerve » les images, mais ne « les enveloppe et les dessine pas », de manière à les « laisser flotter dans un irréel touffu à affinités oniriques », c'est surtout à travers le « proche en proche » de la littéralité, aussi tiède que le côte à côte d'Aldo et de Vanessa, qu'il manifeste son pouvoir (si bien que le paysage est aussi, de fourrure en halo, comme une figure raffinée du texte). A son maximum de vigueur il fabrique de véritables petits syntagmes anagrammatiques, quasi clos sur eux-mêmes, et où chaque moitié répète, mais dans un ordre différent, l'organisation consonantique de sa voisine. C'est le cas du groupe *autour d'elle/ dans la tiédeur*, construit sur une modulation pleine *t/r/d/l-d/l/t/d/r*, dont l'égalité phonique tend à intégrer sémantiquement l'un à l'autre gestes de l'englobement *(autour)* et de l'immanence *(dans)*. Le désir y jouit, peut-être, d'y accéder, littéralement, et aussitôt, à un *dedans :* dispensé de l'effort transgressif qu'impliquerait une pénétration. Un *entourer* tout licite l'y décharge, par le biais de la lettre, des risques inévitables d'un *entrer*... Même équilibre assimilatif un peu plus loin dans la suite : *je sentais contre moi/le consentement*, construite sur la reprise inversée de deux syllabes entières, *con* (renvoyant encore à *con*duisait), et *sen*, elles-mêmes appuyées sur une allitération des *t* et des *m* (celle-ci autorise en outre un effet d'assonance terminale).

A côté de ces liaisons massives s'écoute encore ici maint écho plus subtil : celui par exemple qui répète dans le syntagme initial *j'avais passé*, la cellule *v/s* disséminatrice de *Vanessa* (son nom se répétait déjà en tête de la phrase précédente); celui qui relie en une chaîne générale des vibrantes (situées en fin de mot), des termes comme *bras*, *autour*, *tiédeur*, *fourrures* (chaîne donc, peut-être, de l'immédiateté possessive); ou qui, de plus loin, et dans des rapports plus ponctuels, rattache *tiédeur des* à *de tout* et à *doux*, m*oi* à p*oids*, con*sentement* à fléchi*ssant*, ou dans un écartement plus grand encore, *fourrures* à *f*léchissant. Cette dernière association a force même de couplage, unissant des termes homophones et situés en des lieux analogues de la phrase, avant la double césure d'une virgule et d'un point. Et nous voici alertés par elle à l'importance d'un autre registre d'expression encore, le prosodique.

Registre essentiel bien sûr, ne serait-ce qu'en raison de l'effet de fascination auquel vise tout ce texte. Ici la découpe rythmique donne (depuis *Vanessa me conduisait*) une succession (discutable) de segments distribués 7-9-7-11-9. Choix manifeste d'une imparité métrique correspondant à une disposition versifiée d'ordre binaire. Dans la phrase commençant à *J'avais passé* les deux propositions indépendantes constituent deux groupes de souffle correspondants, eux-mêmes divisés en deux sous-groupes, formant donc un couple de distiques. La régularité de la distribution versifiée s'équilibre ainsi par l'irrégularité de la quantité métrique : de quoi conjurer peut-être la monotonie, et, à la limite, le sommeil propres à toute intimisation trop réussie.

Mais voici que la suite du texte opère, de façon progressive, une véritable subversion de ce premier ordre pulsionnel. Je distinguerai, pour la commenter séparément, la première de ces propositions, qui a, par rapport à ce qui précède, valeur de transition :

> *Nous longions parfois une de ces grandes fermes fortifiées endormies dans la tiédeur de la nuit des Syrtes.*

Ces mots élargissent la relation intime au registre d'un paysage externe; ils y transposent les qualités et les valeurs mobilisées dans la séquence précédente, en les y mettant au compte d'un sujet lui-même agrandi, un *je* devenu un *nous :* les deux partenaires amoureux ensemble (ou plutôt un *je* accru d'un *elle*) face à ce nouveau personnage sensuel, l'objet.

Celui-ci se voit traiter à peu près exactement comme, tout à l'heure, le corps autre. On l'aborde à nouveau par un mouvement latéral, par un glissement sans pénétration, un *longer* qui continue le *contre moi* de la phrase précédente. La chair féminine désirée devient, elle, par une expansion symbolique peu surprenante, l'espace d'une demeure, d'une de « ces grandes fermes fortifiées » qu'effleure le mouvement du voyage. On notera le rapport phonique, en *f/r*, reliant les *f*ermes *f*ortif*i*ées à par*f*ois, et surtout, plus haut, à ces *f*ourrures qui entouraient, fortifiaient déjà leur équivalent vivant. Quant à l'*endormi*, qualificatif de ce nouvel être sensuel, il corrige l'âpreté possible du *fortifié*, et, tout en mobilisant l'opposition sommeil/éveil, si puissante dans ce roman (son sujet : une guerre endormie à réveiller), il donne à voir comme la tentation, ou la limite du consentement fléchi de tout à l'heure. Le rythme prosodique d'ailleurs (5-12-12), avec son équilibre implicite d'alexandrins, contribue, loin de la norme impaire plus haut préférée, à cet effet possible d'ensommeillement. Autre qualité transposée du dedans à l'intérieur : la *tiédeur*, littéralement même répétée d'une phrase à l'autre *(dans la tiédeur)* pour y affecter non plus l'espace (épidermique, fourré) d'un corps aimé mais celui d'un être nouveau, mi-temporel mi-atmosphérique, une *nuit*. Celle-ci s'étend à toute une largeur géographique englobante, marquée par le pluriel du nom de lieu, *les Syrtes*, avec le *désert* qui résonne musicalement en lui. Sans compter l'effet parallèle d'ouverture créé par la cascade du double génitif : dans la tiédeur *de* la nuit *des* Syrtes...

Mais peut-être conviendrait-il de commenter un peu plus longuement le fait même de la reprise à si peu d'intervalle du syntagme entier : *dans la tiédeur*. Reprise qui s'accompagne même d'un parallélisme d'écho contextuel : car au petit groupement anagrammatique de la phrase précédente *autour d'elle/dans la tiédeur*, correspond ici la suite, fort voisine, *endormie/dans* la tié*deur*... Mais l'importance d'une telle itération tient surtout à ce qu'elle relève, dans ce paragraphe, et, au-delà de lui, dans la totalité de ce roman, d'un tropisme stylistique qui paraît y gouverner (« aimanter » dirait Gracq) de façon irrésistible les mécanismes de l'écriture. Dans les seules vingt lignes dont j'ai entrepris le commentaire, on ne retrouvera pas moins, tissées les unes aux autres, de quinze répétitions lexicales de cette nature (on les notera chaque fois le moment venu). Extrême densité donc d'un procédé dont il faudrait bien interroger la fonction : le motif, traité comme *leitmotiv*, s'y redit litaniquement dans la proche successivité du texte. Nul doute certes que ce geste scriptural, qui renvoie inlassablement le même au même, ne contribue à fabriquer le lié, l'homogène désiré de la phrase. Mais n'a-t-il pas un autre pouvoir aussi, d'ordre, disons vite, pulsionnel, ou même compulsionnel ? On pourrait se souvenir ici de ce que Gracq écrit à propos de Wagner, l'un de ses maîtres esthétiques, celui peut-être qui lui apprit l'art, justement, du leitmotiv : « Ses secrets sont presque des secrets d'alcôve. La technique de Wagner est une technique instinctive du spasme, la reprise monotone, fiévreuse, intolérable juste au défaut de l'âme, d'une passe acharnée (la mort d'Isolde, l'interlude de *Parsifal*, le prélude de *Lohengrin*, celui de *l'Or du Rhin*). » N'est-ce pas une tonalité de désir un peu semblable que propagent autour d'elles, et dans le même *défaut* (à son sens double : ligne névralgique d'une fêlure, appel jouitif d'un manque), les répétitions de Gracq ? Un désir obstiné, aveugle, régi par les obsessions, toujours, on le sait, itératives, de ce qu'il faudrait nommer peut-être (la suite de ce texte le dira) : instinct de mort. Mais désir « spasmodique » aussi, où la monotonie est une *passe* (au triple sens du mot : magique, obscène, géographique), où la répétition se vit comme un accès et un retour, ou comme un « battement », une « pulsation » du même. Or on sait la place que de telles métaphores, d'ordre organique, occupent dans le paysage global de ce roman : elles y manifestent (houles, vagues, marées, vents — mais cœur aussi, poumons, voix dans la gorge, sang dans les artères) l'acharnement à vivre, et à se dire, d'un être situé au-delà de l'apparence immédiate, dans le lointain d'un autre espace et d'une autre vérité. Dans le geste du battement itératif la figure thématique et l'exigence pulsionnelle coïncident donc ici avec une modalité d'écriture.

Refermons cette parenthèse pour en revenir à la littéralité du texte à commenter. Pour noter par exemple, dans sa moire phonique (outre la vibration signalée des *f/r*), la dominante des nasales (*lo*n*gio*n*s, gra*n*des, *e*n*dormies da*n*s) qui se combinent, autour du vocable clef de *nuit*, avec une ligne de voyelles de valeur inverse et aiguë, *e*nd*o*r*m*i*e*s, t*ié*deur, n*ui*t, S*y*rtes surtout, posé à la fin de la phrase et y luisant de toute sa noirceur claire, comme au terme d'un sonnet mallarméen. Enfin, à partir de *tiédeur*, valeur sensorielle principale, la propagation d'une chaîne de dentales, sourdes, mais surtout sonores : une *de* ces grandes fermes... en*d*ormies *d*ans la *t*ié*d*eur *d*e la nuit *d*es Syrtes. Propagation discrète, et comme légèrement pianotée, de ce que le texte nommait tout à l'heure une *douceur*.

Mais voici que dans cet espace ouvert, ouvert pourtant encore en englobement du *nous* intime, vont apparaître des éléments d'une valeur très différente. De l'euphorie sensuelle on passe au climat de ce que le texte nomme un *insolite*. Du clos et du connu on glisse à la surprise. De la jouissance du moi (du moi à deux) on se laisse emporter par l'interrogation, bientôt par l'épreuve, débordante, d'un autre. Ce mouvement essentiel connaîtra jusqu'à la fin du paragraphe une accélération progressive. On n'en lit ici que le début : mais c'en est peut-être l'instant crucial, celui où, insensiblement, tout bascule. Le roman gracquien ne fait rien d'autre, en un sens, que monotonement appeler, provoquer, décrire, sous des modalités diverses, l'apparition de ce premier moment, celui de la fêlure, du décollage (du désancrage), ou de leur soupçon multiple. Moment purement inchoatif (et subversif) dont ce paragraphe (emblématique en cela à son échelle du récit tout entier) offre une épiphanie presque exemplaire.

Voici donc le début de ce début :

> *au bord de la route sablonneuse des murs gris miroitaient un instant devant la voiture; trompés par la lumière insolite de nos phares, parfois des coqs chantaient.*

L'organisation syntaxique de cette phrase diffère peu de celle qu'avait établie la séquence précédente : deux propositions indépendantes juxtaposées, de construction symétrique. Mais on y note un changement important, et significatif. Les sujets ne renvoient plus, sous l'espèce de deux pronoms personnels *(je, nous)*, aux deux acteurs humains du voyage amoureux, ils représentent des objets, inanimés ou animés, placés vis-à-vis de ceux-ci en situation d'extériorité : *murs* et *coqs*. Ainsi s'indique comme une conversion d'objet : c'est au-dehors désormais, hors en tout cas du cercle de l'intimité personnelle, qu'est passée l'initiative.

Quels sont, au niveau du paysage, les signes de ce changement ? D'abord la mise en œuvre de deux nouvelles activités perceptives, l'audition (avec le chant des coqs), mais surtout, prévalente dans tout le mouvement qui s'amorce, la vision. Or c'est là un registre sensuel beaucoup plus apte que le tact à saisir le distant, voire à l'éloigner, et à l'attaquer dans cet éloignement même. Le regard suscite dans son panorama la formation d'un champ qui lui est perpendiculaire : au lieu de la tendre relation tactile de latéralité, il instaure avec son objet un rapport de face à face, riche d'affrontements virtuels. On le voit bien ici : « au bord de la route sablonneuse des murs gris miroitaient un instant devant la voiture... » La première partie de cette phrase obéit encore au système sensuel précédent, avec le *sablonneux* comme écho substantiel apporté au *tiède* et au *fourré* de la construction intime, avec surtout l'*au bord de* continuant le geste du *longer :* mais en fin de proposition c'est *devant* la voiture qu'apparaissent les murs miroitants. La paroi de l'espace intime a donc tourné, dans son orientation, et sans doute aussi dans sa valeur, dans sa place par rapport à la poussée du désir. Celui-ci a pris l'aspect d'une lumière, c'est-à-dire d'un flux dirigé, très précisément actif parmi la torpeur ambiante de la nuit. Et cette lumière provoque sur le mur gris (gris égale, dans le paysage gracquien, atone, indifférent, neutre, inéveillé) un effet spécial de *miroitement*. Une étude de la catégorie du *miroitant* chez Gracq mettrait en évidence sa qualité de mobilité alternante, et donc sa valeur de leurre, sa puissance déroutante, son aptitude à annuler provisoirement la fixité des supports et des parois sur lesquels il est amené à se produire. Le miroitement dissipe optiquement l'objet, il en évanouit du moins la certitude. D'où sa fonction d'éveil : *insolite*, la lumière miroitante brouille l'euphorie du même (des deux mêmes amoureux), son petit vertige initie à une altérité.

Autre indice de changement : une conversion de l'ordre temporel dans lequel la scène se déroule. Sur la régularité tenue des imparfaits commencent à se détacher quelques petits îlots d'une durée plus aiguë, plus ponctuelle : ainsi à travers le *parfois* (sa répétition tend cependant quelque peu à l'engourdir), ou, dans le morceau de phrase qui nous occupe, un *instant*. Ces petits resserrements temporels doivent être compris comme des lieux de brisure voluptueuse, des lieux d'intrusion aussi peut-être. Le texte nous en offre aussitôt un excellent exemple : « trompés par la lumière insolite de nos phares, parfois des coqs chantaient ». A la dissipation lumineuse des parois correspond donc un doute jeté sur les moments eux-mêmes : la durée non seulement s'y aiguise, mais s'y désoriente, avec l'erreur de ces coqs qui prennent la nuit pour le matin et répondent par un chant inadapté à la provocation des phares. D'où un déséquilibre des temps aussi, et le surgissement d'un insolite. Cette étrangeté, qui pourrait passer pour une simple erreur sur le réel (« trompés »), est en fait une permission accordée à l'irréel, ou plutôt à la venue d'une réalité autre : celle, ainsi, d'un monde où les coqs chanteraient légitimement la nuit... Coq : animal indiciel tout à la fois d'éveil et de familiarité. Son aptitude à s'éveiller (à s'éveiller à tort et à travers) l'extrait pourtant ici de son essence domestique, pour en faire l'un des acteurs d'un remaniement général du paysage.

Car voici que, sous la pression peut-être de ces coqs chantants, tout le panorama s'animalise, dans la tonalité, double, d'un louche et d'une cruauté :

> *Les lumières violentes mêlaient au sol bossué de la route des bêtes pétrifiées de terre grise, accrochaient à leurs yeux l'éclat coupant des pierreries.*

Avec la reprise d'un triple leitmotiv (le *gris*, les *lumières*, la *route*) s'opère, dans le sens de l'agression (marquée par deux verbes symétriques situés en tête des deux membres de phrase : *mêlaient, accrochaient*), un accroissement général des intensités pulsionnelles. C'est le moment sadique de la rêverie amoureuse : dans sa violence nouvelle, la lumière du regard bouleverse le champ des apparences, y mani-

269

festant autre chose que ce qu'on y avait vu jusque-là. Mais quoi au juste ? Dans ce « sol bossué » où se mêlent « des bêtes pétrifiées de terre grise », on décèle une combinaison substantiellement équivoque de l'animé (les *bêtes*), de l'inanimé (le *sol*, la *terre*, un peu plus loin la *pierre*), et d'une essence qui assure le glissement temporel d'un de ces registres à l'autre (le *pétrifié*). Dans la bête elle-même le figé de l'attitude fait contraste avec la luisance (l'*éclat*) du regard. De tout cela résulte un malaise : il tient au trouble catégoriel produit par la vision « mêlée », aux connotations sémantiques aussi de tout ce qui touche à l'animalité chez Gracq (l'instinct, la violence virtuelle, la dissimulation, avec des motifs tels que le *tapi*, l'*embusqué*, l'*aux-aguets*), au caractère indécidable enfin qui affecte ici l'expression métaphorique elle-même. Car dans la suite : *des bêtes pétrifiées de terre grise*, le sens hésite (« miroite ») entre deux choix possibles, et infixables : il peut s'y agir soit de formes terreuses (« le sol bossué ») *prises pour* des bêtes, soit de bêtes réelles immobilisées sous les phares de l'auto *comme* les bosses du sol sablonneux. Terre comme des bêtes, ou bêtes comme de la terre : le verbe *mêlaient*, le participe *pétrifié*, l'indétermination de la préposition *de* maintiennent de manière active une ambiguïté qui est d'ordre rhétorique, et qui tient, dans le couplage comparatif sol/animal, à l'incertitude de distribution des deux rôles comparant et comparé. Cet embarras de langage surdétermine le caractère désorganisé (désorganisant) de la vision elle-même.

La fin de la phrase, où les lumières accrochent aux yeux des bêtes « l'éclat coupant des pierreries », rend le paysage plus louche, plus inquiétant encore. On saisit bien ici les divers glissements textuels de rêverie. L'essence sablonneuse et pétrifiée de l'animal, à la connotation déjà en elle-même excrémentielle, virtuellement agressive, se durcit encore dans la notion de *pierrerie;* celle-ci métaphorise (et métonymise), de par l'un de ses sèmes constitutifs, le rayonnement ou la brillance, la partie la plus vivante du corps de la bête, son *œil;* mais un autre des caractères de la pierre précieuse, le *tranchant*, vient alors définir et appeler, par renversement vers le sujet voyant, la modalité même de l'attaque optique, *accrochée* agressivement à son objet. Tout ce travail de rêverie ne peut d'ailleurs bien se comprendre que mis en liaison avec deux complexes imaginaires tout-puissants dans ce roman, celui du *regard*, et celui de la *coupure*. Le regard, c'est pour l'homme gracquien la dimension même de la présence manquante, celle par laquelle il désire être repris et reconnu. (On sait le vœu tout exhibitionniste de Vanessa : « vivre sous un regard ».) Quant au fantasme de coupure (avec ici sa modalité de dispersion rayonnante, l'*éclat*), il relie sous sa marque bifide (agression/castration) des motifs tels que la dent cassée (lancinante et incisive), la pierre brisée (et donc décapée, dénudée), l'arête monumentale, l'épée dégainée, le muscle écorché... Ici il vient cruellement démentir (mais cette cruauté a valeur aussi de délivrance), et comme retourner en lui la structure de contact établie tout à l'heure dans la douceur du *fourré* et du *poids fléchissant*. Au lieu du voisinage ouaté, ce que cherche maintenant le désir, c'est l'*accrochage*, c'est-à-dire une entaille destinée à ramener l'autre, de force, dans l'espace personnel de jouissance. Au statisme abstrait, équilibré (et narcissique) de la relation intime a succédé le concret dynamique, agressif, toujours irrégulier d'un rapport de type sadomasochiste : car l'accrochant y est aussi un accroché, le coupant s'y retrouve coupé, et tout cela s'opère dans l'écartement d'un voyeurisme. La liaison érotique à l'autre y est devenue, comme si souvent chez Gracq, une provocation. Du je à l'objet (ou au elle), et de l'objet au moi se tisse, à travers un bouleversement du paysage, un lien d'avivement conflictuel.

Comment le texte machine-t-il cette nouvelle disposition objectale ? Outre les remarques déjà développées sur la permanence des symétries syntaxiques, ou sur le caractère retors de la figuration rhétorique, on note dans cette séquence la discrétion des appuis rythmiques, mais la puissance, toujours identique à elle-même, de la trame phonique (surtout consonantique). Des chaînes sonores déjà repérées continuent à courir à travers le tissu de ces deux phrases : ainsi le groupe *d/l/t/r* qui produit ici, après *autour d'elle*, et *dans la tiédeur* répété, le syntagme *de la route;* ou la cellule *f/r* qui régit *parfois*, *phares* (immédiatement rapprochés), et, avec appui supplémentaire sur le *p*, *pétrifiées*. Mais c'est de près surtout, d'un mot à celui qui le suit, que s'exercent avec le plus de force la contagion du « halo », le tropisme d'assimilation allitérante. Ainsi dans la suite : *des murs gris miroitaient un instant devant la voiture* s'entendent la répétition des trois *t* en position finale (miroi*t*aient, ins*t*ant, voi*t*ure), l'assonance des nasales (ins*t*ant, devan*t*), surtout le « prémiroitement » disséminé de *mir* dans le groupe des *murs gris*, et le lien initial/final de ce m*ur* avec voi*ture*. Plus loin *les lumières violentes mêlaient au sol*, le *sol bossué, des bêtes pétrifiées, pétrifiées de terre grise* (écho aussi de l'antérieur *trompés*) forment de petites isophonies de même espèce. A la fin de la phrase la gutturale sourde de ac*c*rochaient (écho lointain de : des co*q*s *ch*antaient) se diffuse, en homologie sémantique aussi, dans le syntagme : l'éclat *c*oupant. Quant au dernier mot de la séquence, *pierreries*, il renvoie à cou*p*ant par son *p* initial, mais aussi, par sa double vibrante, à toute la série des mots en *r,* à ac*cr*ochaient, à lumiè*r*e, *r*oute, à pét*r*ifiées, à te*r*re g*r*ise. Il reprend donc et renoue en lui, pour les immobiliser en position terminale, la valeur de plusieurs lignes phonico-sémiques importantes.

Interviennent maintenant, comme entame d'un troisième mouvement, deux courtes phrases parataxiques :

> *Vanessa m'emportait dans la nuit légère. Je me rassemblais en elle.*

La première de ces phrases renvoie, à travers une répétition du nom propre sujet, et par une symétrie syntaxique presque parfaite, à celle qui ouvrait la première séquence du voyage : *Vanessa me conduisait*. Ainsi se marque (ou se démarque) la relancée du mouvement de désir et d'écriture. La seconde varie, de façon analogue, le début de la phrase qui suit : *J'avais passé mon bras autour d'elle*. Entre ces deux phrases elles-mêmes existe enfin (comme d'ailleurs dans les deux propositions auxquelles elles font écho) un rapport syntaxique étroit, dû à l'échange qui s'y effectue, dans les fonctions sujet et complément, des actants de première et de troisième personne *(Vanessa me* conduisait; *je me* rassemblais en *elle...).*

Mais la répétition sert surtout à souligner l'ampleur des différences. Entre *Vanessa* et *moi*, ou *je* et *elle*, ces acteurs humains ou pronoms personnels sujets auxquels le texte va faire maintenant retour jusqu'à sa fin, la situation a radicalement changé. Après le moment de la jouissance narcissique (à prédominance du moi), puis la phase de rapport sadomasochiste à l'autre, cet autrui prend une importance accrue, déséquilibrant à son profit, et jusqu'au vertige, la relation amoureuse. C'est bien là ce que dit désormais et ce que produit le texte : Vanessa n'y *conduit* plus, elle y *emporte*, comme l'animal aux yeux coupants levé par l'éclat des phares... Héroïne prédatrice maintenant, bien plus que psychopompe! Entre le *conduire* et l'*emporter* s'étend toute la distance qui sépare une obéissance (assumée) d'une dépossession (subie, ou voulue?). Mais si Aldo est enlevé *par* le partenaire féminin, c'est en même temps *vers* celui-ci, *en* lui que tout cet enlèvement l'oriente. « Je me rassemblais *en elle...* » La femme apparaît tout à la fois comme l'instrument et comme le but du glissement pulsionnel. L'homme se laisse aller à elle comme à l'espace seul (espace fuyant, « évanescent », manquant) où se retrouver enfin. Ne dirait-on pas qu'Aldo a lu Lacan, le Lacan du stade du miroir ? Sa vie jusque-là si incertaine (« le sentiment qui y étendait le fil de ma vie depuis l'enfance avait été celui d'un égarement de plus en plus profond »), comment en réassumer la liaison et la figure, sinon dans le reflet d'un *autre* imaginaire ? Tous les romans de Gracq ne font que décrire, sous des fictions différentes, ce même vœu d'un emportement/rassemblement. Mais c'est notre texte qui lui apporte sa formule la plus pure.

Ce mouvement s'assigne un nouveau décor : *dans la nuit légère*, dit le texte. Dans la nuit (itératif de : *dans la tiédeur de la nuit*) implique encore englobement, mais aussi peut-être traversée, ou même enfoncement sans terme. Et si cette nuit est *légère*, c'est qu'en vertu d'un mouvement gracquien très permanent elle se soulève au-dessus d'elle-même, se délivre, s'apprête à l'envol : nous voici loin du *poids* amoureux de tout à l'heure, et pourtant au pouvoir du même axe sensoriel. Remarquons comment cette *légèreté* fait couler sa labiale depuis la fin de la première phrase jusqu'au terme de la seconde, où elle donne lieu aussi à un petit chiasme (une figure littérale du réunir ?) : je me rass*emb*lais *en elle*.

Puis le mouvement s'accélère :

> *Je la sentais auprès de moi comme le lit plus profond que pressentent les eaux sauvages, comme au front le vent emportant de ces côtes qu'on dévale les yeux fermés, dans une remise pesante de tout son être,* à tombeau ouvert.

L'écriture prend ici une allure différente, avec des traits stylistiques nouveaux, et vivement marqués. Le premier est l'instauration d'un type de discours explicitement comparatif. Après la grande paix des hypallages (correspondant à l'euphorie d'intimité), puis la pratique louche de la métaphore (corrélation du jouir sadomasochiste), interviennent trois comparaisons claires gouvernées par un triple *comme* (deux dans cette phrase, en écho : je la sentais *comme le lit, comme le vent;* la troisième dans la phrase suivante : je me remettais à elle *comme à une route*). Le *elle* s'égale donc directement désormais à des éléments de paysage : si bien que tout ce qui se produira dans le registre extérieur pourra être rapporté à l'espace charnel et se lire (aussi) en termes de jouissance. Plus de doute maintenant : c'est bien l'infixable, à tous les sens du mot, d'un jouir que tente d'approcher obliquement, analogiquement, et peut-être aussi par mimétisme toute l'écriture de cette fin de paragraphe.

Autre trait, qui complète celui-ci : autour du refrain des *comme* la force maintenue des symétries syntaxiques. Les deux dernières phrases s'organisent en effet sur le modèle parallèle d'une courte protase initiale — formée d'un regroupement rapproché du *je* sujet, du verbe, et d'un *elle* complément (je la sentais, je me remettais à elle) — et d'une longue apodose comparative (*comme* suivi d'un comparant, qualifié lui-même les trois fois par une proposition relative au présent : comme le lit *que pressentent* les eaux, comme le vent de ces côtes *qu'on dévale*, comme une route *dont on pressent...*). D'où la production à la fois d'un balancement et d'un déroulement, disons, en évoquant l'un des motifs les plus heureux de ce roman, d'un *effet de houle*. Effet encore accru par le caractère (doublement) binaire de cette expansion. Ce que montrerait mieux la petite réécriture ci-après :

> *Je la sentais*
>   *comme le lit*   *que pressentent...*
>   *comme le vent de ces côtes*   *qu'on dévale...*
> *Je me remettais à elle*
>   *comme à une route*
>   *dont on pressent*
>   *qu'elle conduit vers la mer*

Dans le cadre de leur parallélisme (interne, puis réciproque) ces deux phrases aménagent donc l'espace d'un prolongement (d'un « emportement »). Dans le déroulement de la triple apodose le présent, en infraction au régime temporel jusqu'ici suivi, ouvre la dimension d'une généralité admise, reconnue par tous, bien plus large en tout cas, et indéterminée (*on* pressent, *on* dévale) que sous le chef du seul *je* énonciateur. Sur un autre plan on notera, après la simplicité de détermination qui marque la première apodose comparative *(comme le lit plus profond...)*, la triple cascade de déterminants (substantifs et adjectifs) qui occupent la fin de la seconde *(dans une remise pesante de tout son être/les yeux fermés/à tombeau ouvert)* ; puis dans la phrase terminale un redoublement plus net ̇encore, qui s'opère cette fois au niveau de la subordination (*dont* on pressent *qu'*elle conduit...). Un arbre chomskien ferait sans doute apparaître ici une forme « digressive à droite ». L'élargissement du discours produit dans le texte même l'élan d'un débordement, et comme la figure d'un départ.

L'ordre prosodique, enfin, vient soutenir ou surdéterminer, avec beaucoup plus de force que dans les lignes précédentes, l'emportement ou le battement pulsionnel. Prenons le risque de réécrire les deux phrases terminales dans le moule d'une sorte de poème :

Je la sentais auprès de moi	8
Comme le lit plus profond	7
Que pressentent les eaux sauvages,	8
Comme au front le vent emportant	8
De ces côtes qu'on dévale	7
Les yeux fermés,	4
Dans une remise pesante de tout son être,	13
A tombeau ouvert.	5

> Je me remettais à elle   7
> Au milieu de ces solitudes   8
> Comme à une route dont on pressent   10
> Qu'elle conduit vers la mer.   7

Un tel découpage (éminemment discutable certes) met en évidence des régularités : ainsi l'abondance des octosyllabes et des heptasyllabes, souvent juxtaposés (d'où une monotonie un peu boiteuse); il fait apparaître aussi les effets de chute que produisent, après des groupes plus longs, le quadrisyllabe : *les yeux fermés*, et surtout le pentasyllabe : *à tombeau ouvert* (après un groupe de 13 syllabes). Le dernier « vers » de ce pseudo-poème rassemble en lui, on le remarquera, ces deux caractéristiques, puisqu'il appartient tout à la fois à la série des heptasyllabes et à celle des chutes brèves (par son contraste avec le décasyllabe immédiatement antérieur). D'où son couplage sémantique (et fantasmatique peut-être aussi, on aura à le vérifier), couplage confirmé par l'écho phonique de la rime ou*vert*/ *vers* la *mer*, avec le groupe final de la phrase précédente : *à tombeau ouvert*.

Ces remarques orienteront le commentaire, à tenter maintenant, de la valeur thématique, et pulsionnelle, de cette séquence terminale. C'est en effet toute la dimension dynamique du voyage qui, après ses caractéristiques d'intimité (jouie, puis subvertie), s'y trouve mobilisée. Ce dynamisme implique par exemple une conversion de temporalité : après la continuité du rythme narcissique, puis l'acuité toute présente du déchirement sadique, s'instaure une durée aspirée et comme appelée en avant par une fièvre d'imminence. Cette aimantation par l'avenir se psychologise dans ce que le texte nomme par deux fois un *pressentir* : en correspondance avec le *consentement* de la première scène, articulé à lui par le *sentais* de ce début de phrase, sorte de degré zéro de cette déclinaison du sentir. Nous comprenons que la fonction éminente de la fin (fin du voyage, fin du paragraphe, fin du roman peut-être) reste pour Gracq, toujours, d'ordre initiatique, ou avènementiel.

Sur le plan du rapport intersubjectif, même reprise, même dépassement des positions acquises. Le *moi* se retrouve vis-à-vis du *elle*, ou de son comparant objectif, en état de contiguïté latérale (je la sentais *auprès de moi*), mais aussi de face à face (comme au *front* le vent emportant). Le partenaire féminin s'offre encore, dans la suite du *je me rassemblais en elle*, comme l'espace d'une focalisation personnelle liée à un dessaisissement, à un transfert de responsabilité, voire d'identité : c'est ce que dit bien le concept de *remise*, répété deux fois, sous sa forme substantive d'abord, puis verbale *(dans une remise pesante, je me remettais à elle)*. Mais l'*autre* désiré se donne deux nouvelles formes de présence aussi : celle d'une *attraction*, figurée par des motifs d'entraînement sensible tels que le lit profond des eaux, la pente de la colline, le tombeau ouvert ; celle d'une *médiation*, symbolisée par des objets instrumentaux comme le lit du fleuve encore (il mène implicitement à l'océan), le vent emportant, la route qui introduit à la mer. Dans le voyage érotique ici rêvé la femme constitue à la fois le but et le chemin : immanente et transcendante par rapport au désir, à la fois possédée et traversée, si l'on peut dire, vers elle-même, vers sa possession toujours impossible — et c'est bien là, chez Gracq, l'énigme du jouir.

Cette énigme, voyons-la se traduire en termes de paysage. Elle y commande une distribution très articulée des fonctions. L'*emportement*, lexicalement répété (Vanessa m'*emportait*, le vent *emportant*), y connaît en effet une double orientation successive, verticale dans la première phrase, horizontale dans la seconde. Dans la première phrase elle-même la verticalité attirante, la profondeur, se varie selon les deux modalités de la substance que sont l'eau et l'air. Deux manières de rêver le même mystère spatial, suggéré identique à celui de la jouissance : la chute.

Pourquoi la chute ? D'autres passages de ce roman permettent de comprendre qu'elle exerce sur les corps une emprise de nature double (et doublement aussi voluptueuse). Elle peut s'y donner d'abord comme une attraction irrésistible par le bas, comme une aimantation par le profond, ou mieux, par ce que notre texte nomme si bien *le plus profond :* sorte de comparatif absolu, qui entraîne corps, et sens, vers la profondeur du profond même, vers ce qui, en lui, ne cesse d'activement s'y approfondir, d'y accentuer l'insaisissable de sa différence, d'y creuser l'abîme, ou le « lit » de son altérité. Mais pour le chutant (au moins gracquien) la chute possède une autre fascination encore, celle que le texte appelle une « remise pesante de tout son être », entendons : une remise de tout son être à *sa propre* pesanteur qui l'occupe et qui l'entraîne. Le tomber, qu'est-ce d'autre, dans ses formes extrêmes du moins, qu'un laisser-aller, une acceptation, un *oui* accordé par le moi à cette force en lui qui le pousse vers le bas, force qui est sienne certes, mais autre aussi, puisque si souverainement immaîtrisable, qui fait surgir en lui, disons, l'autre, ou l'un des autres de lui-même ? Est-il plus *familière étrangeté* que la lourdeur ? Et donc égalité plus naturelle que celle qui s'établit ici entre la gravité et le désir ? Ce désir, si mien lui aussi, et si autre pourtant, ou si toujours ailleurs que moi (que ce que je nomme

276

moi)... La pesanteur, on la définirait alors comme une acceptation interne de la pesanteur, acceptation elle-même *pesante*, à demi nauséeuse, comme ce que Gracq nomme en une belle condensation « la pesanteur consentante », et qu'il lie, le début de notre paragraphe l'indiquait déjà, à tous les vécus de volupté. Consentement, mais jamais, bien sûr, assomption (comment assumer l'altérité ?) : jusqu'au bout, jusqu'au fond (ou au non-fond), la chute permet ici au *je* d'éprouver, par-delà tous ses clivages, et à la limite, peut-être, de saisir cette part en lui la plus intime (la plus première) qui est sa faculté même, ou sa fatalité de dessaisissement.

Ce pouvoir s'affirme d'abord ici en un imaginaire des liquides, à travers les « eaux sauvages », si juste figure d'un flux libidinal. Il faut les lire, par rapport à toutes les autres eaux des Syrtes, comme prises dans une opposition maîtresse eau domestique/eau libre, eau morte/eau vive. Leur sauvagerie renvoie au vœu d'une spontanéité superlative, celle qui consiste à *se laisser entraîner* comme par le rêve, le creux, le *lit* (ici encore, quelles riches connotations!) d'une future jouissance. L'eau, Ponge le disait déjà, va obstinément, toujours, vers le plus bas. Ici, et c'est toute l'ambiguïté de ce lit, à la fois elle s'y précipite, s'y recueille, s'y satisfait, mais continue à y couler, car le lit d'un fleuve n'est pas le fond d'un lac : tout comme la route qui va suivre, il conduit vers une mer, c'est-à-dire un lieu où finalement l'eau sauvage (et désirante) se perdra.

La mise en scène aérienne se construit avec plus de violence encore. D'abord parce que, au lieu d'un élément métaphorique, les eaux sauvages, elle remet directement en jeu le corps lui-même, imaginé en train de dévaler une pente (de sable ? par un renvoi au chemin de tout à l'heure, et à la géographie des Syrtes ?), et pris de face par l'exaltation physique du tomber. Deux organes se chargent d'agir plus particulièrement son ivresse : le *front* giflé d'air, les *yeux* qui se ferment, comme si toute chute ne pouvait trouver sa vérité qu'en un dedans, à la limite qu'en un sommeil, ou qu'en un rêve. Et puis intervient le vent, acteur énergétique principal de toute l'aventure narrée dans ce roman, messager le plus vigoureux et le plus permanent de « l'autre monde ». Agitateur autant que ravisseur. Or voyez le texte, et comment la logique imaginaire vient y démentir, au prix d'une petite incohérence, ce qu'on attendrait d'une simple logique du réel. Le vent de la chute, qui vient gifler le front, il s'éprouve en fait à travers une relation de face à face : il est produit, en une sorte de freinage, par la descente du coureur elle-même. Mais le texte dit qu'il est *emportant* (comme l'était Vanessa tout à l'heure), et donc qu'il va dans le sens du mouvement, qu'il le facilite et l'accélère : qu'il vient en somme redoubler de son alacrité la force de « ravissement » de la pesanteur. Vent retourné, dans sa fonction, d'opposant (réel) en complice (imaginaire).

Cette chute aéroterrestre mène implicitement, au terme de son trajet, et au terme aussi de la phrase, vers un objet nouveau, celui que désigne le syntagme adverbial écrit en italiques : *à tombeau ouvert*. La mort s'y donne concrètement comme l'équivalent, ou, si l'on préfère, comme le plein accomplissement de la chute/jouissance. Jouir, c'est se détruire : toute l'œuvre de Gracq ne fait que gloser les conséquences d'une égalité qui trouve ici, dans le parallélisme par exemple du lit profond et de la tombe, sa formulation la plus exacte. Au bout de toute chute, et de toute jouissance, s'ouvrent l'attrait et la sanction d'un espace mortel.

Ces remarques n'épuisent pourtant pas la force, ni sans doute le sens dont reste ici marquée, en fin de phrase, l'expression si surprenante : *à tombeau ouvert*. Pour en apprécier l'efficacité il faudra la prendre peut-être moins du côté de son signifié que par sa face signifiante, et en particulier à partir de cette graphie en italiques dont Gracq fait, on le sait, un usage si marqué. Comme il a lui-même, en quelques pages d'une grande lucidité critique, commenté ce procédé dans l'œuvre d'André Breton, nous serons obligés, au prix d'une apparente digression, de nous référer à ces remarques : et cela d'autant plus nécessairement qu'elles ont, pour Gracq, valeur évidente d'auto-analyse.

Écrire un mot, ou un groupe de mots, en italiques, cela revient, dans la pensée de Julien Gracq, à les détacher de leur contexte grammatico-logique, pour leur conférer une sorte de plus-value énergétique, pour leur apporter un gain de sens. Or ce sens, voilà le ressort essentiel du procédé, se produit sur un autre plan que celui où se développait la signification première de la phrase. L'italique décale donc brusquement l'étiage de la lecture, l'amenant tantôt à rejoindre la tonalité d'un « diapason » fondamental, tantôt à figer le mot, à le « tétaniser », comme en un gros plan de rêverie (ce qui le branche alors sur une « longueur d'ondes » particulière), tantôt à le creuser vers l'appréhension d'un niveau différent de la réalité psychique. C'est la force de ces « mots-glissades », ou de ces « mots-précipices » dont la nudité « soudain nous tire par la manche, nous contraint à nous frotter les yeux et instantanément à perdre pied ». On voit que dans celle de ces expressions qui nous occupe, *à tombeau ouvert* (comme d'ailleurs dans d'autres analogues chez Breton : *à corps perdu, à perdre haleine*), le signifié s'égale très exactement au motif concret servant à métaphoriser son mode de signifiance. Ces expressions, dénotant vitesse et chute, opèrent textuellement aussi, selon Gracq, une chute (une « glissade », l'ouverture d'un « précipice ») dans l'horizontalité successive du discours. Le surplus de sens qu'apporte l'italique y travaille donc finalement comme un manque : cet excès provoque une sorte de creusement, de dénivellation, une petite pente qui reflète au niveau signifiant, et *opère* aussi, à sa façon, l'énigme, en même temps signifiée, du jouir.

Mais qu'en est-il, si nous laissons de côté pour un instant ces transpositions métaphoriques, du procédé dans sa seule structure linguistique ? Il faut prendre, il me semble, l'italique gracquienne comme un indicateur de connotation : elle marque que l'expression ainsi soulignée, et par là même pourvue d'un autre *corps*, devra être comprise, ou prise, non seulement dans ce qu'elle signifie, mais dans ce aussi *vers quoi* elle signifie, dans ce *à quoi* elle fait signe. C'est-à-dire dans tout son implicite dénoncé, dans l'horizon, ouvert de force, de sa possibilité signifiante. Et comme cet horizon s'égale souvent aussi à l'espace d'un caché, voire d'un refoulé, on devine la valeur libidinale du procédé qui l'oblige à s'avouer. A la manière du mot d'esprit la scription italique amène souvent la gratification d'une petite décharge pulsionnelle. Ainsi lorsque, de Marino, quittant le bal de Maremma, figure paternelle laissant le champ libre aux désirs d'Aldo, le texte écrit qu'il s'était décidé enfin à *débarrasser le plancher* (et la demi-vulgarité de l'expression connote sa charge libidinale même). Ici *à tombeau ouvert* apporte une satisfaction rapide, inattendue à ce que l'ensemble signifié du texte et la valeur dénotée du mot autorisent sans doute à nommer *instinct de mort*. Or on notera que bien souvent la graphie italique porte sur une expression métaphorique ayant peu ou prou perdu dans l'usage actuel sa valeur proprement figurée : *à tombeau ouvert* ne signifie plus aujourd'hui que *rapidement*, ou *dangereusement*. L'italique sert alors à renverser la force de cette habitude; elle renvoie la lecture au niveau concret de la figure, elle oblige à voir ou à revoir le tombeau présent dans la vitesse, et l'ouverture mortelle du danger. La connotation qu'elle lève ainsi dans le langage n'est plus alors que le pouvoir même de sa littéralité.

Souligner, ou écrire en italiques pour Gracq, c'est donc prendre le mot au mot. Mais c'est l'attraper peut-être aussi en une autre de ses dimensions constitutives : celle de sa genèse. Revenant aux analyses de Gracq, nous voyons comment il y insiste sur le rôle cata-lyseur, dans le procès d'écriture, de ce qu'il nomme la *trouvaille de mot :* car c'est elle aussi que marque l'italique. Elle vise, écrit-il, à « souligner souvent, et très heureusement, au milieu d'une phrase, le *point focal* autour duquel la pensée a gravité, inconsciemment d'abord et de façon hésitante, puis infaillible à partir du moment où le coup de théâtre de la trouvaille intervient et où, la pensée ainsi révélée à elle-même, la phrase s'organise d'un jet, prend son sens et sa perspective. Nous coïncidons par cet artifice avec le sentiment même d'éclosion, de brusque révélation de la pensée à elle-même qui a été celui de l'écrivain ».

Description combien précieuse pour qui tente de commenter la graphie italique (et terminale d'ailleurs ici, non point focale) de ce *à tombeau ouvert!* Comment ne pas voir dans cette « trouvaille de mot » la découverte à partir de laquelle s'écrit toute la phrase (peut-être tout le paragraphe), et *vers* laquelle aussi elle s'écrit — à tombeau ouvert ? Tout est sorti sans doute de l'expression implicite *conduire à tombeau ouvert*, qui pouvait qualifier le rôle, tant automobile qu'amoureux, de Vanessa. Une fois cette expression prise à la lettre (avec la gratification apportée par ce jeu), une fois vérifiée dans cette lecture nouvelle l'égalité obsédante de l'éros et de la mort, il ne restait plus à l'écriture, puisqu'en outre *tombeau* appelle littéralement *tomber*, et puisqu'on ne peut pas tomber plus bas qu'en un tombeau, qu'à s'organiser comme une « descente » vers ce qui avait été son origine, vers une matrice devenue fort normalement une fin. Trajet emblématique peut-être de celui du héros gracquien lui-même : un aller pulsionnel qui s'égalerait en réalité à un retour.

Écrire, n'est-ce pas d'ailleurs, sur un plan plus général, se laisser attirer indéfiniment en avant, ou plus bas, par l'appel toujours différé d'un dernier mot, ou d'un point final, introducteurs peut-être au désir d'un autre sens ou (comme le voulait Mallarmé) d'un autre silence ? Selon certaines déclarations de Gracq lui-même, tout texte est « tiré », « halé » vers les « mirages » d'une conclusion que la logique, ou peut-être la perversité de l'écriture amènent finalement à supprimer. Ainsi *le Rivage des Syrtes* « jusqu'au dernier chapitre marchait au canon vers une bataille navale qui ne fut jamais livrée »... Le fantasme générateur, ici celui de « bataille navale » (de scène primitive ?), ne peut ainsi se satisfaire, ou se délivrer que dans la suite des phrases tendant, toujours vainement, à le rejoindre. Comme le dit excellemment Philippe Lejeune dans une étude récente sur Leiris, « du refoulement perpétuel du dernier mot (désiré en tant que but, différé en tant que terme) naît l'énergie de l'écriture ». Mais si le but, comme c'est le cas chez Gracq, s'égale libidinalement à un terme, si au bout du trajet, vécu ou scriptural, se profile toujours l'appel d'une jouissance/mort (ainsi la « bataille navale »...), on admettra que ce soit bien en effet vers la perspective d'un tombeau (dessiné à la fois dans le sens, littéral et figuré, dans la graphie, et dans la place du syntagme : *à tombeau ouvert*) que s'exerce ici la pulsion d'écrire.

Cet exercice, il faudrait le suivre enfin à travers l'espace matériel de l'écriture (l'italique est d'ailleurs aussi un indice de matérialité). Indiquons seulement quelques-uns des affleurements les plus visibles (ou audibles) de la prégnance allitérative si puissamment à l'œuvre dans l'entraînement de cette phrase vers son « tombeau ouvert ». Rapports jouant dans une linéarité proche (ainsi *m*oi *c*o*mm*e, *le* *l*it *pl*us, les *(z)eaux* *sa*u*v*ages, ces *c*ôtes *qu'*on...), ou dans une contiguïté plus étalée (ainsi la ligne des *p*, renforcée de vibrantes et/ou de dentales, *r*, *t*, *d* : je *s*entais au*p*rès *d*e moi, *p*lus *p*rofond, que *p*ressen*t*ent, em*p*or*t*ant, remise *p*esan*t*e). De plus loin encore *front* consonne avec *profond*, avec *vent*, avec *fermés*. Quant au syntagme crucial *à tombeau ouvert*, on peut voir ses constituants physiques se disséminer par anticipation, en quelque sorte, à travers tout le tissu musical de la phrase. Ainsi la dentale *t*, très active dans le groupe qui précède (*d*ans une remise pesan*t*e *d*e *t*out son ê*t*re); le *o* nasal, préparé par prof*on*d, par fr*on*t; le *vert* final surtout, à l'avance prononcé dans le *v* de *v*ent, de *d*é*v*ale, ou, par modulation vers les sourdes dans le *fr* de pro*f*ond, de *fr*ont, de *f*ermés (*fermé* sémantiquement couplé aussi avec *ouvert*). Quant à l'élément de rime *ert*, il appelle à lui tous les *r* du proche voisinage, en particulier ceux du groupe qui précède immédiatement (une *r*emise pesante de tout son êt*r*e), avant de faire signe aux syntagmes : *dans la nuit légère*, et *vers la mer*, qui closent respectivement une phrase antérieure très voisine et la phrase terminale. C'est peut-être la totalité du paragraphe qu'appelle ainsi littéralement, musicalement en lui l'espace de ce tombeau ouvert.

Reste au texte, après l'aveu, ou plutôt la découverte, la béance de son fantasme matriciel, celui de la béance même, à clore provisoirement son mouvement. Il le fait, comme Aldo dans le corps rêvé de Vanessa, à la fois par une perdition (signifiée) et par un relaçage (signifiant), un rassemblement de tous ses fils çà et là tendus :

> *Je me remettais à elle au milieu de ces solitudes comme à une route dont on pressent qu'elle conduit vers la mer.*

Chacun des termes de cette conclusion, sauf le dernier, renvoie à un ou à plusieurs moments textuels antérieurs : *je me remettais à elle* à *je me rassemblais en elle*, et à *dans une remise pesante de tout mon être; au milieu de ces solitudes* à *dans la nuit légère; comme à une route* aux deux *routes* déjà nommées; *on pressent* à *que pressentent* et à *je la sentais;* et le *conduit* final au *conduisait* par lequel Vanessa avait entamé tout le voyage. Ainsi s'opère une sorte de synthèse litanique de quelques-uns des leitmotive les plus importants du paragraphe.

Quant à la comparaison dernière, elle ramène la narration sur le plan de la réalité où Aldo se trouve, à ce moment même de l'histoire, situé. Cette route, maintenant métaphorique de Vanessa et du désir qu'il a pour elle, c'est la route que Vanessa avait jusqu'ici métaphorisée par l'espace même de son corps si multiplement rêvé et parcouru, c'est aussi la route matérielle, référentielle, sur laquelle elle est en train de l'emmener, route qui va bien à la mer en effet puisqu'elle conduit à la ville lacustre de Maremma, et à son extrême pointe maritime, le palais Aldobrandi. Au prix d'un petit cercle rhétorique le plan comparatif rejoint donc pour finir le niveau de la diégèse littérale, celui de l'aventure dans laquelle le héros est engagé.

Or cette aventure a changé de direction : c'est vers un en-avant maintenant qu'elle regarde, la voici devenue, si l'on veut, une a*van*-ture. A l'emportement par le profond succède pour le héros la fascination horizontale. Dans cette perspective, ou prospective différente, le motif de *la mer au bout de la route* occupe cependant la même place (marquée, on l'a vu, par des traits symétriques de prosodie et de sonorité) que celui du *tombeau ouvert* dans la problématique verticale. Et il s'affecte de la même valeur. Cette mer, dont la présence gouverne tout le récit, elle est bien pour le héros le lieu de son désir le plus têtu, et aussi de son vertige, celui qu'il retrouve au bout de tous ses trajets, pour y accomplir finalement, et en même temps, sa jouissance et sa perte. Lieu terminal donc, mais lieu originel aussi, comme l'indiquent tant d'images renvoyant à des mythes de baptême ou d'eaux initiatiques. C'est que ce roman ne cesse de désirer la naissance, mais une naissance allant vers l'espace même, vers l'être *d'où* l'on naît.

D'ailleurs dans la sonorité de cette *mer* finale (et elle fait écho aussi au final du paragraphe précédent, où l'on voyait le désir de Vanessa monter « à ses yeux dans sa fraîcheur neuve, comme les étoiles qui sortent de la mer »), est-il possible de ne pas entendre le murmure implicite d'autres termes, à elle si vivement liés dans le paysage textuel de ce roman, termes tels que *miroir, marais (Maremma), rumeur, murmure, mort (roman ?), mère* surtout. *Mer-mère* qui constitue l'horizon sans surprise du désir, et le point de fuite aussi de l'écriture. De cet être par essence manquant on retrouvera pourtant la trace, littérale, dans le corps signifiant du texte, à prendre peut-être dès lors lui aussi comme la chair d'une vaste maternité disséminée, ou comme son *rivage*, sableux, familial, désertique (un rivage *des Syrtes*...). Sa hantise s'y écoutera à travers des anagrammes complètes telles que f*erme*, f*erm*és, je *me* r*assemblais*, *remise*, je *me* *remettais* (où le moi réussit à s'inclure littéralement dans la mer-mère); ou dans des combinaisons plus obliques, par exemple dans endo*rm*ies, lu*mière*s, *mur*s, *mir*oitaient, *m'em*portait, co*mme* à une route. Scintillement qui se diffuse ainsi peut-être dans l'espace entier du texte, avant de s'y fixer, et de s'y signifier dans ce que *je* nommerai, en italiques bien sûr, son *dernier mot.*

Table

IMPRIMERIE MAME A TOURS
D.L. 1er TRIM. 1979. No 5091 (7382)

DANS LA MÊME COLLECTION